SUR LES BERGES DU RICHELIEU

DU MÊME AUTEUR

Un viol sans importance, roman, Sillery, Septentrion, 1998
La Souris et le Rat, roman, Gatineau, Vents d'Ouest, 2004
Un homme sans allégeance, roman, Montréal, Hurtubise, 2012 (réédition de *Un pays pour un autre*)
L'été de 1939, avant l'orage, roman, Montréal, Hurtubise HMH, 2006, format compact, 2008
La Rose et l'Irlande, roman, Montréal, Hurtubise HMH, 2007
Haute-Ville, Basse-Ville, roman, Montréal, Hurtubise HMH, 2009, format compact, 2012 (réédition de *Un viol sans importance*)
Père et mère tu honoreras, roman, Montréal, Hurtubise, 2016
Sur les berges du Richelieu, tome 1, *La tentation d'Aldée*, roman, Montréal, Hurtubise, 2016

SAGA LE CLAN PICARD
Les Portes de Québec, tome 1, *Faubourg Saint-Roch*, roman, Montréal, Hurtubise HMH, 2007, format compact, 2011
Les Portes de Québec, tome 2, *La Belle Époque*, roman, Montréal, Hurtubise HMH, 2008, format compact, 2011
Les Portes de Québec, tome 3, *Le prix du sang*, roman, Montréal, Hurtubise HMH, 2008, format compact, 2011
Les Portes de Québec, tome 4, *La mort bleue*, roman, Montréal, Hurtubise HMH, 2009, format compact, 2011
Les Folles Années, tome 1, *Les héritiers*, roman, Montréal, Hurtubise, 2010, format compact, 2011
Les Folles Années, tome 2, *Mathieu et l'affaire Aurore*, roman, Montréal, Hurtubise, 2010, format compact, 2011
Les Folles Années, tome 3, *Thalie et les âmes d'élite*, roman, Montréal, Hurtubise, 2011, format compact, 2011
Les Folles Années, tome 4, *Eugénie et l'enfant retrouvé*, roman, Montréal, Hurtubise, 2011, format compact, 2011
Les Années de plomb, tome 1, *La déchéance d'Édouard*, roman, Montréal, Hurtubise, 2013
Les Années de plomb, tome 2, *Jour de colère*, roman, Montréal, Hurtubise, 2014
Les Années de plomb, tome 3, *Le choix de Thalie*, roman, Montréal, Hurtubise, 2014
Les Années de plomb, tome 4, *Amours de guerre*, roman, Montréal, Hurtubise, 2014

SAGA FÉLICITÉ
Félicité, tome 1, *Le pasteur et la brebis*, roman, Montréal, Hurtubise, 2011, format compact, 2014
Félicité, tome 2, *La grande ville*, roman, Montréal, Hurtubise, 2012, format compact, 2014
Félicité, tome 3, *Le salaire du péché*, roman, Montréal, Hurtubise, 2012, format compact, 2014
Félicité, tome 4, *Une vie nouvelle*, roman, Montréal, Hurtubise, 2013, format compact, 2014

SAGA 1967
1967, tome 1, *L'âme sœur*, roman, Montréal, Hurtubise, 2015
1967, tome 2, *Une ingénue à l'Expo*, roman, Montréal, Hurtubise, 2015
1967, tome 3, *L'impatience*, roman, Montréal, Hurtubise, 2015

SAGA SUR LES BERGES DU RICHELIEU
Sur les berges du Richelieu, tome 1, *La tentation d'Aldée*, roman, Montréal, Hurtubise, 2016

Jean-Pierre Charland

SUR LES BERGES DU RICHELIEU

tome 2

La faute de monsieur le curé

Roman historique

Hurtubise

Catalogage avant publication de Bibliothèque et Archives nationales du Québec et Bibliothèque et Archives Canada

Charland, Jean-Pierre, 1954-

    Sur les berges du Richelieu

    Sommaire : 2. La faute de monsieur le curé.

    ISBN 978-2-89723-867-4 (vol. 2)

    I. Charland, Jean-Pierre, 1954- . Faute de monsieur le curé. II. Titre.

PS8555.H415S97 2016   C843'.54   C2016-940903-1
PS9555.H415S97 2016

Les Éditions Hurtubise bénéficient du soutien financier du gouvernement du Québec par l'entremise du programme de crédit d'impôt pour l'édition de livres et de la Société de développement des entreprises culturelles du Québec (SODEC). L'éditeur remercie également le Conseil des arts du Canada de l'aide accordée à son programme de publication.

Financé par le gouvernement du Canada | **Canadä**

Conception graphique : René St-Amand
Illustration de la couverture : Xin Ran Liu
Maquette intérieure et mise en pages : Folio infographie

Copyright © 2016 Éditions Hurtubise inc.

ISBN : 978-2-89723-867-4 (version imprimée)
ISBN : 978-2-89723-868-1 (version numérique PDF)
ISBN : 978-2-89723-869-8 (version numérique ePub)

Dépôt légal : 4e trimestre 2016
Bibliothèque et Archives nationales du Québec
Bibliothèque et Archives Canada

Diffusion-distribution au Canada :
Distribution HMH
1815, avenue De Lorimier
Montréal (Québec) H2K 3W6
www.distributionhmh.com

Diffusion-distribution en France :
Librairie du Québec / DNM
30, rue Gay-Lussac
75005 Paris
www.librairieduquebec.fr

Imprimé au Canada
www.editionshurtubise.com

Pour se mettre dans l'ambiance

J'ai soixante-six ans : avant peu je serai dans mon tombeau, et j'aurai à rendre compte à mon Dieu de ce que je dis en ce moment. Eh bien, c'est avec mon tombeau devant les yeux et en présence du souverain Juge devant qui je vais bientôt paraître, que je déclare publiquement qu'il y a bien peu de prêtres qui échappent aux irrésistibles tentations qu'ils éprouvent en confessant les femmes.

Charles Chiniquy[1]
Le prêtre, la femme et le confessionnal,
Montréal, Librairie évangélique, 1877

---

1. Né dans la région de Kamouraska, Chiniquy (1809-1899) devient prêtre catholique. Excommunié dans les années 1850, il se joint à l'Église presbytérienne du Canada en 1862.

Les personnages

Chicoine, Donatien : Prêtre, il est vicaire de la paroisse Saint-Antoine, à Douceville.

Demers, Aldée : Jeune domestique issue d'une famille de cultivateurs, elle travaille chez le docteur Turgeon.

Deslauriers, Sophie : Orpheline élevée par les sœurs de la Congrégation de Notre-Dame, elle emménage chez son oncle, le curé Grégoire.

Forain, Cédalie : Ménagère du curé Alphonse Grégoire.

Grégoire, Alphonse : Curé de la paroisse Saint-Antoine, à Douceville.

Marcil, Xavier : Avocat, secrétaire de la municipalité de Douceville.

Morin, Elzéar : Fiancé de Malvina Péladeau.

Nantel, Floranette : Épouse du juge Nantel, mère de Jules.

Nantel, Jules : Fils du juge Nantel, il étudie au Collège de Montréal.

Nantel, Siméon : Juge nouvellement nommé à la cour de Douceville.

Nolin, Graziella : Cuisinière chez les Turgeon.

Péladeau, Malvina : Fiancée d'Elzéar Morin.

Pinsonneault, Félanire : Épouse de Horace et mère de Félix.

Pinsonneault, Félix: Camarade de collège de Georges Turgeon.

Pinsonneault, Horace: Maire de Douceville, marchand de charbon.

Serre, Clotilde (Tilda): Veuve de Peter Donahue vivant aux États-Unis, elle est de passage à Douceville durant l'été 1906.

Tremblay, Aline: Élève du couvent Notre-Dame, consœur de Corinne Turgeon.

Tremblay, Georgette: Épouse de Rosaire et mère d'Aline.

Tremblay, Rosaire: Marchand de meubles dans la rue Richelieu, époux de Georgette, père d'Aline.

Turgeon, Corinne: Couventine âgée de seize ans, fille d'Évariste et Délia.

Turgeon, Délia: Épouse du docteur Turgeon.

Turgeon, Évariste: Médecin, il habite rue De Salaberry.

Turgeon, Georges: Collégien âgé de dix-sept ans, fils d'Évariste et de Délia.

Vallières, Jean-Baptiste: Ébéniste de l'usine de machines à coudre, cavalier d'Aldée.

Chapitre 1

Dix jours plus tôt, tous les bons catholiques de Douceville avaient célébré Pâques avec la plus grande dévotion. Depuis, le printemps s'accrochait, faisant fondre la neige dans les rues, sur les trottoirs, dans les arrière-cours. Cependant, dès le coucher du soleil, le froid rappelait qu'en avril, mieux valait ne pas se découvrir d'un fil. Au Québec, l'adage «En mai, fais ce qu'il te plaît» paraissait prématuré. Même juin recelait parfois des journées assez fraîches.

Plusieurs jours par semaine, le docteur Évariste Turgeon recevait en soirée des malades dans son cabinet, à la maison. Après le départ du dernier d'entre eux, il avait pris le téléphone pour joindre le presbytère de Douceville. Impossible de refuser quoi que ce soit à monsieur le curé. Celui-ci n'attendrait pas son tour. Ce fut plutôt au médecin de patienter derrière son bureau, la porte du cabinet grande ouverte afin d'entendre l'arrivée du distingué visiteur.

Un bruit dans la salle attenante l'amena à se lever pour accueillir celui-ci.

— Monsieur le curé, le reçut-il en tendant la main, je ne vous dirai pas que je suis heureux de vous voir. Mes visiteurs viennent rarement ici de gaieté de cœur.

L'ecclésiastique serra la main tendue. Du coin de l'œil, le praticien examinait la toute jeune femme qui accompagnait son visiteur. Un petit chapeau de paille reposait sur ses longs cheveux blonds bouclés. Ses beaux yeux bleus étaient déparés par des cernes.

— Pour être honnête, cette jeune personne ne montrait pas un grand enthousiasme au départ de la maison, même si j'ai fait de mon mieux pour la rassurer.

À la lumière électrique, Turgeon devina plus qu'il ne vit le rose sur les joues de la visiteuse. D'un sourire hésitant, elle répondit à son petit salut de la tête. Il s'avança pour l'aider à se défaire de son manteau, laissant le prêtre se débrouiller seul.

— Venez dans mon bureau.

De la main, le médecin les invita à passer devant lui. Dans le cabinet, il ferma la porte, puis approcha une seconde chaise de son bureau. Alors qu'il s'installait dans un fauteuil, le curé reprit:

— Je vous remercie de nous ménager ainsi une rencontre après le départ de vos autres patients. Vous comprenez, je n'aurais pu me présenter dans la salle d'attente sans créer un certain malaise.

Des gens angoissés auraient voulu se confesser sur place. En outre, peu de temps après la fin de la consultation, la rumeur du décès prochain du prêtre aurait pris naissance, vite propagée par les commères.

Les yeux de Turgeon se portèrent de nouveau sur la jeune fille. En réalité, c'était surtout sa présence qui incitait l'ecclésiastique à la discrétion.

— Ce n'est rien. Que puis-je faire pour vous?

L'abbé Grégoire se troubla en prenant la parole à la place de la patiente.

— Ma nièce ne se sent pas bien depuis quelques semaines. Il s'agit de sa digestion. Je l'ai retirée du pensionnat du couvent il y a dix jours, car elle ne gardait plus ses repas.

La visiteuse paraissait terriblement intimidée de se trouver là, à entendre commenter son transit alimentaire.

— Le mieux serait de procéder à un examen.

— Oui, bien sûr. Dans ce cas, le plus convenable est que je retourne dans la salle d'attente.

Normalement, les examens des demoiselles de cet âge se déroulaient sous les yeux de mères très attentives à la préservation de leur vertu. Puisque, dans le cas de cette jeune fille, l'ecclésiastique était le représentant des parents, il devenait évidemment impossible d'assurer le respect des convenances par sa présence.

— Bien sûr. Peut-être souhaitez-vous que je demande à ma femme de venir m'assister. Ce serait plus…

Le médecin s'abstint de dire « prudent ».

— … adéquat.

Le prêtre se tourna vers la jeune fille, pour lui demander :

— Sophie, serais-tu plus à l'aise si madame Turgeon venait dans la pièce ?

Voilà un beau dilemme : afin qu'elle se sente moins gênée par cet examen intime effectué par un soignant masculin, son parent proposait d'ajouter une spectatrice. Après un moment de réflexion, la jeune fille secoua la tête de droite à gauche.

— Alors je reviendrai quand le docteur en aura terminé.

Puis il regarda le praticien pour préciser :

— Car j'aimerais entendre vos recommandations. Je tiens à remettre cette jeune personne sur pied.

Le curé tentait d'affecter un ton enjoué, sans beaucoup de succès. L'inquiétude le tenaillait visiblement. Quand une adolescente dépérissait, chacun pensait tout de suite à la grande tueuse : la tuberculose.

Quand il eut quitté la pièce, le médecin se tourna vers sa patiente, retrouva son sourire le plus paternel pour s'informer :

— Alors, Sophie, pourriez-vous me dire ce qui se passe ? Dans vos mots.

— … Ce seront les mêmes que mon oncle. Depuis quelques semaines, une fois sur deux, je ne garde pas la nourriture.

— Vous êtes pensionnaire depuis longtemps ?

— Une dizaine d'années.

— Pendant l'été aussi, je pense.

À Douceville, personne ne pouvait ignorer l'existence d'une élève logeant à longueur d'année chez les sœurs de Notre-Dame ; le dimanche, elle assistait à la messe dans leur banc. Pas plus que le fait que le curé payait pour sa scolarité. Même les religieuses aimaient murmurer les secrets des autres.

— L'été aussi.

— Rien d'autre qui cloche ?

Comme Sophie haussait les sourcils, intriguée, le docteur Turgeon insista :

— Pas de toux ? Des douleurs ?

— Parfois, ma tête tourne un peu.

— Si vous ne profitez pas de vos repas, vous voilà sans doute anémiée. Passez derrière ce rideau pour vous dévêtir.

Cette fois, même à la lumière artificielle, l'embarras de la jeune patiente devint bien visible.

— Enlevez seulement la robe, gardez les sous-vêtements.

La recommandation ne la mit pas vraiment plus à l'aise. Trois minutes plus tard, le médecin la retrouvait vêtue d'une camisole, d'un pantalon de toile épaisse lui atteignant presque les genoux et de bas noirs. Elle avait gardé son chapeau sur la tête. L'effet était un peu étrange, presque comique.

— Je vais commencer par ausculter votre cœur et vos poumons.

Turgeon glissa le bout de son stéthoscope sous la camisole, entre des seins menus. Le froid provoqua un petit sursaut à Sophie. Le battement de son cœur était beaucoup trop rapide, sans doute à cause de son malaise.

— Comment décririez-vous la nourriture du couvent ? s'enquit le médecin.

— Oh ! Tout est bon.

Puis, après un instant, elle ajouta :

— La sœur économe fait son possible, avec ses moyens limités.

— Nous savons tous deux que vous êtes une gentille personne, reconnaissante envers les religieuses qui s'occupent de vous. Ceci étant admis, dites-moi la vérité.

— … La même chose revient sans cesse. Le gruau est servi sans sucre, les pommes de terre sont devenues toutes molles à ce temps-ci de l'année, la soupe est aussi claire que de l'eau. Juste l'odeur du réfectoire soulève le cœur.

Pour de jeunes personnes en pleine croissance, la quantité et la qualité de cette alimentation devaient être insuffisantes. À cela s'ajoutait la monotonie d'un menu toujours identique, d'une saison à l'autre.

— Maintenant, je veux entendre vos poumons. Relevez votre vêtement.

Sophie risquait de devenir cramoisie, d'autant plus que pour placer le stéthoscope dans son dos, le docteur Turgeon devait se tenir tout près d'elle. Il garda un instant le disque de métal au creux de sa paume, pour le réchauffer. La patiente prit de grandes inspirations à sa demande, puis toussa.

— Maintenant, étendez-vous.

La couchette sur laquelle elle était assise était déjà surélevée. Pivoter pour s'allonger la gêna encore davantage. Le médecin entreprit de lui palper l'abdomen.

— Vous me dites si vous ressentez la moindre douleur.

La manipulation embarrassait tant la jeune fille qu'il entreprit de détourner son attention.

— Ma fille fréquente aussi le couvent. La connaissez-vous ?

— Corinne ? Oui, bien sûr, quoique nous n'ayons jamais été dans la même classe.

Sophie fit une pause, puis continua :

— C'est une gentille fille.

— Je ne suis pas impartial à ce sujet, mais je pense que vous avez raison.

— … Il y a quelques jours, alors que j'étais malade, elle m'est venue en aide.

Un bref instant, Évariste eut une idée folle en tête : sa fille dans un cabinet de médecin, mais non pas à titre de patiente… «Non, ce serait trop difficile», songea-t-il. Surtout, la recherche d'un bon parti pesait bien plus dans la vie de sa fille que le désir de faire de longues études.

— Votre statut au couvent doit rendre les choses plus difficiles… Je veux dire, pour vous faire des amies.

Tout de suite, la couventine comprit son allusion.

— Mes camarades me regardent comme une demi-religieuse. Même à huit ans, tout le monde dans le couvent me considérait comme une novice. Alors, elles se comportent comme si rien ne m'intéressait.

— Ou plutôt comme si vous ne vous intéressiez qu'à la prière.

Comme Sophie écarquillait les yeux, il s'expliqua :

— On ne vous parle pas de robes, de rubans ni, plus important, de garçons. Les seuls sujets autorisés selon elles sont la piété et la vocation. Dans les circonstances, elles vous évitent.

La jeune fille fut surprise de se voir si aisément comprise par un inconnu. Si cet échange lui avait permis d'oublier un peu les doigts tâtant ses viscères, la suite la ramena au côté intimidant de sa situation.

— Vous avez vos règles depuis quand ?

Grande et mince, son corps ne paraissait pas immature pour autant. Un bref instant, le docteur Turgeon songea à se faire plus explicite, comme avec Aldée quelques mois plus tôt. Ce ne fut pas nécessaire.

— Depuis deux ans. Peut-être un peu moins.

— Êtes-vous régulière ?

Comme elle ne comprenait pas, il dut préciser :

— Toutes les quatre semaines, à un ou deux jours près ?

— Oui, je pense.

— Des douleurs, dans les jours qui précèdent ?

— … Oui.

Devant le visage inquiet, il indiqua avec un sourire :

— Comme dans le cas d'une majorité de femmes. Rien d'autre ne vous inquiète ? Pas la moindre petite anomalie ?

Lentement, elle secoua la tête de droite à gauche, incertaine. Les questions sur son transit intestinal la dérangèrent encore plus. Elle devait se sentir plus à son aise dans un confessionnal, avec son air de jeune fille sage.

— Remettez vos vêtements, je vous attends de l'autre côté. Vous me semblez aller bien, aussi ne vous inquiétez pas. Je peux demander à votre oncle de venir, ou peut-être préférez-vous que je vous fasse mes recommandations en privé ?

— … Demandez-lui de revenir.

Les timides ou les prudes tentaient souvent de dissimuler des malaises physiques susceptibles de les faire rougir. Turgeon espérait que ce ne soit pas le cas.

— Quand vous aurez remis vos vêtements, je vous pèserai et prendrai note de votre taille.

Il attendit que la jeune fille soit vêtue avant de revenir la rejoindre derrière le rideau pour la faire monter sur le pèse-personne et lui demander de se tenir bien droite sous la toise. Elle ne profita pas de ce délai pour lui faire une confidence supplémentaire. Ce fut seulement quand elle eut repris son siège, devant le bureau, que le praticien demanda au curé de les rejoindre.

Les habitants d'un presbytère formaient un bien curieux ménage. Celui de la paroisse Saint-Antoine abritait le curé Alphonse Grégoire, son vicaire Donatien Chicoine et une vieille domestique, Cédalie Forain. Tous les jours, les deux ecclésiastiques se partageaient le service aux fidèles : la célébration de la messe, les visites des écoles et de l'hôpital, les confessions, les tournées des malades, ainsi que l'accueil des nombreuses personnes désireuses de recevoir un conseil spirituel.

Depuis quelques jours, la présence de Sophie Deslauriers rompait la monotonie ambiante. Nouvelle venue, elle devenait le centre de l'intérêt des trois autres.

Cependant, ce jeudi, on n'entendait ni le murmure d'une conversation au rez-de-chaussée ni même le craquement des vieilles planches sous le poids de quelqu'un, autant d'indices d'une présence. L'oncle et sa nièce étaient chez le médecin. Dans sa chambre, le vicaire quitta la chaise posée devant sa table de travail sans un regard pour son lit étroit. Dans le couloir, il demeura un long moment immobile, l'oreille tendue. La ménagère dormait sans doute déjà.

Retenant son souffle, il s'avança dans le corridor où s'alignaient des portes. Il frappa du bout du doigt sur l'une d'elles, juste au cas. Aucune réponse. L'homme ouvrit doucement. Malgré l'heure, il faisait toujours assez clair pour distinguer le lit impeccablement fait ; Sophie respectait toujours la discipline acquise au couvent. Sur une table, il examina quelques livres, chercha à lire les titres. Une grammaire anglaise, un manuel d'histoire. Des cahiers d'écolier aussi, une plume d'acier fichée dans un bout de bois, un encrier. L'attirail parfait de l'élève studieuse.

Le prêtre revint vers le lit, souleva les couvertures, glissa ses doigts sur l'oreiller. Doucement, il ouvrit le tiroir d'une commode pour découvrir quelques vêtements soigneusement pliés. Prenant un pantalon de batiste, il le porta à son nez. Aucune odeur, sauf celle de la lessive. Pourtant, son sexe se raidit à lui faire mal. Après de longues, de trop longues minutes, il quitta la pièce pour retrouver la solitude de sa chambre.

Quand l'abbé Grégoire s'assit devant le bureau du médecin, il posa légèrement sa main sur l'avant-bras de sa protégée, tout en lui souriant. Un geste de complicité affectueuse. Le docteur Turgeon reprit sa place, puis demanda :

— Mademoiselle Sophie… vous me dites votre nom de famille, pour mes dossiers ?

— Deslauriers. Marie Sophie Deslauriers.

— Les lauriers de la sagesse.

Comme dans *sophia*, sagesse, en grec ancien. Le prêtre sourit à cette allusion.

— Mademoiselle Deslauriers se porte plutôt bien.

En disant cela, le praticien tourna son visage vers sa patiente, un sourire sur les lèvres.

— Juger exécrable la nourriture d'un couvent est d'ailleurs plutôt un signe de bonne santé. Alors, ma première recommandation serait de lui éviter ce supplice d'ici la fin de l'année. Ce sera possible ?

La question s'adressait au curé, puisque celui-ci s'occupait de la pension.

— Oui. Je suppose que oui.

Déjà, le religieux pesait les risques de prolonger sa cohabitation avec une jeune femme. Souvent, des ecclésiastiques donnaient le gîte et le couvert à des garçons sans soulever de soupçons, alors que les dangers pour la morale ne s'avéraient pas moins grands.

— Si mademoiselle me paraît en bonne santé, son teint demeure très pâle et son poids insuffisant. Une bonne alimentation devrait suffire à régler ces deux problèmes.

— Ma ménagère se fera un plaisir de lui servir les meilleurs plats.

— En plus de prendre quelques livres, il conviendrait qu'elle fasse de longues promenades. Graduellement, des activités physiques plus exigeantes seront de mise. Pouvez-vous revenir me voir dans deux semaines ?

Les yeux de Turgeon étaient posés sur la jeune fille, mais le prêtre répondit à sa place :

— Nous reviendrons sans faute.

Le médecin griffonna quelques mots dans le dossier de sa nouvelle patiente, puis il s'adossa à son siège :

— Que diriez-vous de passer de l'autre côté le temps de boire du thé, du café, ou quelque chose de plus fort ?

Évariste éprouvait une certaine curiosité à l'égard de Sophie. Bien peu de curés recueillaient ainsi une charmante demoiselle. Celui-ci lui accordait vraisemblablement sa protection depuis l'enfance. Par ailleurs, les notables de Douceville tenaient à maintenir les meilleures relations avec leur pasteur ; cela seul justifiait son invitation. Pour des questions d'affinités culturelles, bien sûr, mais aussi parce que mieux valait obtenir l'amitié du saint homme, plutôt que sa vindicte. Dans le second cas, une carrière pouvait en souffrir.

— Cette jeune fille est habituellement couchée, à cette heure, opposa le prêtre.

— Un petit retard ne lui fera pas de mal.

Le docteur Turgeon craignit de s'être fait trop insistant. Il se tut un instant, puis il enchaîna :

— Mais je comprends votre préoccupation, ma propre fille doit déjà être dans sa chambre en ce moment. Le mieux serait peut-être de vous recevoir à dîner, ou à souper, un jour prochain. Évidemment, l'invitation concerne aussi votre parente.

Si le curé espérait un cognac avant d'aller au lit et qu'il n'avait hésité que pour la forme, tant pis. Sitôt formulée, l'invitation était retirée.

— Ce serait mieux, en effet.

— Je consulterai ma femme, et je vous téléphonerai demain.

Le religieux se leva le premier, suivi de sa nièce. Évariste les conduisit jusqu'à la porte. Une poignée de main accompagna les au revoir des hommes. Sophie murmura pour sa part :

— Merci, docteur.

— Ce n'est rien. Ne vous inquiétez pas trop, tout devrait rentrer dans l'ordre bien vite.

Elle lui adressa un petit sourire reconnaissant puis, une fois son manteau boutonné, suivit son oncle.

Pour atteindre son domicile, le médecin n'avait qu'à franchir une porte intérieure. Dans le salon, il retrouva Délia penchée sur un magazine. Elle leva les yeux pour remarquer en souriant :

— Ton dernier patient s'est attardé.

— Ma dernière patiente, plutôt.

— Il ne s'agissait pas du curé ?

— Il accompagnait sa nièce.

Tout en parlant, l'homme s'était installé dans son fauteuil habituel.

— Corinne m'a parlé d'elle, raconta l'épouse. Elle loge à l'année au couvent, n'est-ce pas ?

— Pour le bien de sa santé, je lui ai conseillé de rejoindre le monde des pauvres pécheurs que nous sommes.

Le praticien rit de l'air étonné de sa femme, puis expliqua :

— Elle vomit tous les repas du réfectoire.

— Je garde moi-même un souvenir dégoûté de cette époque. Mais tu risques la damnation éternelle en qualifiant le presbytère de repaire de pécheurs.

La maison des représentants de Dieu à Douceville offrait certainement autant de garanties de préserver en ses murs une moralité irréprochable que le mieux protégé des couvents.

— Tu as sans doute raison. D'autant que j'ai constaté que son nouveau logis ne l'a pas habituée aux présences masculines. Quand elle a dû se dévêtir devant moi, la pauvre aurait souhaité rentrer sous terre.

Turgeon se souvenait avec sympathie de l'adolescente rougissante, pourtant résolue à faire bonne figure, comme une grande.

— Voilà qui est tout naturel. Lors de ma première consultation, je me sentais toute petite, malgré la présence de ma mère. Pour éviter de revivre ça, j'ai fini par épouser un médecin.

Celui-ci regarda sa femme avec un sourire amusé. Même s'il avait invité son visiteur à prendre un verre, Évariste ne songea même pas à se réserver ce plaisir. Bientôt, il regagnerait sa chambre.

— Pourtant, tu le sais bien, si jamais tu étais sérieusement malade, je te conduirais chez un collègue. Ne serait-ce que pour avoir un second avis.

En vérité, dans une pareille circonstance, le médecin aurait craint que l'émotion n'affecte son jugement professionnel. Son épouse approuva d'un hochement de la tête, puis revint au sujet de la jeune fille.

— Porte-t-elle le nom de Grégoire ?

— Deslauriers. Il doit s'agir de la fille d'une de ses sœurs.

Lorsque la jeune fille était arrivée dans la paroisse, le prêtre avait clarifié la nature de sa relation avec elle auprès de ses ouailles. Tout le monde connaissait le lien de parenté, mais la rumeur publique ne précisait pas son exacte nature.

— Comment l'as-tu trouvée ?

— Charmante. D'autant plus qu'elle semble avoir de l'estime pour Corinne. Notre fille a montré son grand cœur en lui venant en aide.

— La pomme ne tombe jamais loin de l'arbre.

Délia dévisagea gentiment son époux.

— Tu pourras te faire une idée toi-même, l'informa Évariste. J'ai invité notre pasteur et sa parente à venir souper, ou dîner. Cela te convient ?

Comme l'invitation avait déjà été formulée, la question était purement rhétorique. Ou plutôt, le médecin laissait le choix de la date à son épouse.

— Que dirais-tu du premier dimanche de mai ? proposa-t-elle.

— Pendant le mois de Marie. Quel meilleur moment pour recevoir une jeune personne dont le premier prénom est Marie ?

— C'est le mien aussi et celui de Corinne.

— Alors, nous devons impérativement les recevoir ce jour-là pour célébrer toutes ces fêtes.

Il lui adressa un sourire complice. Celui qui précédait d'habitude les mots : « Nous montons ? » Délia décida de les prononcer la première. Dans l'escalier, Évariste s'enquit :

— Corinne se remet-elle bien de sa... déception ?

Deux jours plus tôt, la jeune fille avait appris combien certains hommes pouvaient se révéler indélicats. Encore au souper, elle présentait des paupières gonflées par des pleurs récents.

— Il s'agit plutôt d'un deuil, celui d'un amour de petite fille. Bientôt, elle verra cela comme un apprentissage utile.

— Quel beau salaud, tout de même. Profiter de la naïveté d'une petite domestique...

— Le tout est de savoir combien de personnes crédules il saura berner au cours de sa vie. Comme il veut faire de la politique, elles seront légion, et pas seulement des femmes.

En entrant dans la chambre, tous deux convinrent de ne plus aborder le sujet de l'indélicat personnage.

Le lendemain matin, la famille Turgeon se réunit dans la salle à manger pour un déjeuner hâtif. Quand Corinne entra dans la pièce, son père lui adressa un sourire désolé. Jamais il ne discuterait de sa mésaventure avec elle, mais il lui exprimait sa sympathie par petites touches.

Bientôt, Graziella et Aldée apportèrent les assiettes. La seconde gardait les yeux collés au plancher, comme si cette précaution pouvait la rendre invisible. Quand chacun fut servi, le docteur Turgeon interrogea sa fille :

— Au couvent, tu dois fréquenter un jeune fille nommée Sophie ?

— Sophie Deslauriers. Elle est plus âgée que moi d'un an. Je me demande ce qu'elle apprend encore, après une dizaine d'années au couvent.

La remarque visait surtout à établir son désir de ne pas allonger sa scolarité au-delà du mois de juin prochain.

— Comme il te reste encore une année de cours à suivre, pour elle, c'est la dernière.

Ainsi, l'auteur de ses jours souhaitait la garder au couvent jusqu'en 1907. Corinne préféra ne pas insister; plusieurs occasions se présenteraient encore pour revenir sur le sujet.

— Ce n'est pas la même chose. Elle passe tous ses étés avec les sœurs, sans aucun jour de relâche. L'an dernier, elle devait déjà connaître le programme par cœur. Elle n'a jamais reçu une note inférieure à quatre-vingt-dix-huit pour cent.

Le dépit marquait la voix de la collégienne, sans doute la jalousie d'une dixième de classe à l'égard de la première.

— Que penses-tu d'elle?

Corinne comprit que son père ne parlait plus de l'élève, mais de la personne.

— C'est une gentille fille, un peu timide, toujours attentionnée.

— Hier, elle était dans mon bureau. Tu sais qu'elle pense la même chose de toi?

La blonde sourit.

— Elle est venue te voir à cause de ses problèmes de digestion?

— Cela relève du secret entre un praticien et sa patiente.

Après la rebuffade, le père sourit à sa fille.

— Mais je lui ai prescrit de se trouver une autre table.

Corinne hocha la tête, amusée. Ce fut au tour de Délia de prendre la parole.

— Pour le 6 mai, dois-je faire l'invitation moi-même ? D'habitude, je parle à l'épouse, mais je ne pense pas que m'adresser à la ménagère du curé conviendrait tout à fait.

— Je trouverai bien un moment pour téléphoner au presbytère aujourd'hui.

— Vous voulez inviter monsieur le curé ? demanda la fille de la maison.

— Et sa nièce, car je devine qu'il n'existe pas d'inimitié entre vous. Dans le cas contraire, jamais je ne t'aurais imposé sa présence.

En disant cela, Évariste regardait Georges. La remarque lui était destinée. Le garçon fixa résolument son assiette pour cacher son embarras. Son bon ami Pinsonneault devrait se faire rare chez les Turgeon au cours des prochaines semaines, sinon pour toujours.

Délia intervint pour apporter une nuance à l'injonction muette :

— Tout de même, répète-lui que j'aimerais le voir.

Georges hocha la tête. Pendant la conversation, Aldée ne savait plus où se mettre. Toute cette commotion venait de son imprudence. Son malaise durerait bien encore quelques semaines.

Chapitre 2

Comme chaque vendredi, au moment de la pause de midi, Corinne descendit vers les salles de piano en demi-sous-sol. Aline Tremblay la quitta au rez-de-chaussée pour aller dîner chez elle. En arrivant en bas, la collégienne frappa au réduit voisin du sien, ouvrit et passa la tête par la porte entrouverte.

— Bonjour, Sophie. La santé va mieux j'espère ?

— Oui. Hier, j'ai même consulté ton père.

La fille du docteur Turgeon joua l'innocente.

— Tu peux lui faire confiance, c'est un bon médecin.

Elle marqua une pause, puis ajouta en riant :

— Je dirais la même chose s'il n'était pas mon père !

Sa camarade s'amusa aussi de la remarque.

— Je n'en doute pas. On voit tout de suite qu'il connaît son métier : il m'a dit de ne plus manger ici.

— Tu vas donc demeurer au presbytère ?

Sophie acquiesça d'un hochement de la tête, visible-ment mal à l'aise, comme si elle se sentait honteuse de cet arrangement.

— Alors, à la fin de la journée, nous pourrons rentrer ensemble. J'habite tout près.

— D'accord. Cela me fera plaisir.

L'arrangement convenu, chacune retourna à son piano droit pour le torturer, l'une plus méchamment que l'autre.

À la fin de l'après-midi, debout devant la porte du couvent, Aline Tremblay voulut savoir :

— Pourquoi l'avoir invitée à rentrer avec nous ?

— Parce que nous allons toutes les trois dans la même direction.

Toute simple, la réponse n'eut pas l'heur de satisfaire la brunette. Celle-ci aspirait à l'exclusivité en amitié, et souffrait de voir sa place menacée. Si Corinne le remarqua, elle n'en fit rien paraître. Un moment plus tard, Sophie Deslauriers se joignit à elles. Sur le chemin, la fille du médecin fit de son mieux pour susciter une conversation à trois, sans grand succès. Devant la maison de la rue De Salaberry, elle proposa à ses camarades :

— Vous entrez ? Nous prendrons le thé.

La nièce du curé ne dit pas un mot mais son envie d'accepter crevait les yeux. Aline la regarda en biais, puis mentit :

— Non, je ne peux pas ce soir. Ma mère m'attend.

Sans attendre la réponse, elle se mit en route.

— À demain, la salua Corinne.

Sophie formula les mêmes mots, si bas que personne ne l'entendit. La brune lança quant à elle un « à demain » peu convaincu, sans se retourner.

— Tu viens ? reprit la fille du médecin.

Sophie murmura :

— C'est à cause de moi si elle est partie.

— Peut-être. Mais tu sais, elle a des petits frères, souvent sa mère a besoin de son aide.

— Non, c'est à cause de moi.

— Mon père accepte que ma mère ait plusieurs amies. Moi qui ne suis mariée à personne, je ne me priverai pas de ce plaisir.

Corinne monta les marches. Après une courte hésitation, Sophie la suivit.

Depuis que sa nièce logeait au presbytère, l'abbé Grégoire négligeait ses paroissiennes les plus âgées. Il accordait moins de temps aux confessions, tout comme aux conversations dans les allées de l'église ou dans la sacristie. En conséquence, la réputation du bon prêtre en était affectée.

Sur le parvis de l'église, une commère lança :

— Qu'est-ce qui lui prend ? Y a le feu quelque part ?

— En tout cas, y est pressé de r'tourner à la maison, remarqua une autre.

Quand le curé ouvrit la porte de sa demeure ce jour-là, Cédalie, sa ménagère, alla le rejoindre dans le vestibule. En posant sa barrette sur une étagère, il s'enquit :

— Avons-nous reçu des appels cet après-midi ?

Cette façon d'utiliser le pluriel aurait pu témoigner de la pire des prétentions, celle d'un monarque absolu. Le pasteur englobait plutôt son vicaire dans la question. La domestique le comprit bien ainsi.

— L'abbé Chicoine est allé au chevet du vieux Brunelle. Y en mène pas large, paraît.

— À son âge, je n'en mènerai sans doute pas plus large.

Cet âge canonique, son employée serait la première d'eux deux à l'atteindre. L'allusion assombrit son visage.

— Sophie est au salon, je suppose ? interrogea-t-il ensuite.

— Non, elle est pas encore revenue de l'école.

— Pourtant d'habitude, à cette heure…

— S'rait bin temps qu'a s'amuse un peu.

Sur ces mots, Cédalie retourna dans sa cuisine. Grégoire devait bien convenir qu'elle avait raison. La couventine se montrait aussi sage qu'une vieille religieuse.

En entrant dans la maison du docteur Turgeon, elles virent Aldée debout dans l'embrasure de la porte du salon.

— Nous allons prendre du thé, et mon amie, des biscuits.

Pour la seconde fois en autant de minutes, elle présentait la visiteuse comme son amie. Sophie s'en émut. La fausse novice avait des consœurs, mais ces relations laissaient peu de place à l'intimité. La nouveauté lui mettait des larmes sous les paupières.

Les deux couventines se retrouvèrent au salon. L'invitée, impressionnée, examina les lieux.

— C'est encombré et sombre, commenta Corinne.

Déjà, elle trouvait les goûts esthétiques de ses parents dépassés. Cinq ans après la mort de la reine d'Angleterre, le style victorien avait fait son temps. Les magazines évoquaient l'art nouveau, avec des lignes plus épurées, des espaces aérés.

— À côté d'un salon de presbytère, je trouve cela plutôt pimpant. Et je ne te parle même pas des salles réservées aux religieuses, au couvent.

— Évidemment, si je comparais…

L'adolescente ne connaissait que les salons de quelques maisons bourgeoises. Cela ne faisait pas d'elle une experte.

— Viens t'asseoir. Tu t'intéresses à la mode ?

Corinne n'attendit pas la réponse. Peu après, les deux filles se penchaient sur une revue parisienne. Quand Aldée se présenta avec un plateau dans les mains, la jeune maîtresse lui commanda :

— Pose cela sur la table à cartes. Je vais faire le service.

Parmi les guéridons et les tables basses, l'une d'elles, de forme octogonale, permettait aux Turgeon d'apprendre à maîtriser les mystères de l'euchre. Les couventines prirent place sur des chaises posées côte à côte, la revue de mode étalée sous leurs yeux. La jeune fille de la maison versa le thé, ajouta beaucoup de lait, puis poussa l'assiette en direction de son invitée.

— Garde ça de ton côté, s'il te plaît.

Elle contenait une demi-douzaine de biscuits têtes-de-nègres.

— Je n'en ai jamais mangé.

— Et moi, un peu trop. Si je ne veux pas ressembler à une dinde, je dois me priver.

Avoir la silhouette de cette grosse volaille lui paraissait le comble du ridicule.

— Tu vois, ici?

De la main, Corinne se pinça à la hauteur de la hanche.

— Oh! Ne te plains pas. Moi, je suis si maigre.

La discussion allait s'engager sur les mérites respectifs des livres en plus et des livres en moins quand leur parvint le bruit d'une porte qui s'ouvre et se referme.

— Ça, c'est mon frère.

La voix contenait une petite pointe de colère. Les relations entre eux ne reprendraient que lentement leur habituelle cordialité. Le garçon entra dans la pièce en disant:

— Corinne, je…

Peut-être entendait-il lui présenter ses plates excuses sur ses mensonges au sujet de Félix et d'Aldée, sans les accompagner d'une justification du genre: «Tu comprends, je ne pouvais pas savoir…» Jusque-là, cette fable lui avait paru la meilleure stratégie.

— Oh ! Je suis désolé, se reprit-il en voyant Sophie. Je ne savais pas qu'il y avait quelqu'un avec toi.

Surtout, il était bien étonné que ce ne soit pas Aline Tremblay. Ses yeux ne quittaient pas le visage de l'inconnue. Visiblement, il aimait ce qu'il voyait.

— Sophie, je te présente Georges, mon frère. Ne te fie pas à son air de bon garçon, je me suis rendu compte récemment qu'il était dangereux de lui faire confiance.

— Corinne, franchement, tu…

Puis il s'arrêta en pensant que si sa sœur entendait le mot « exagères », elle risquait de raconter en détail sa petite trahison. Tout de même gentille, Corinne proposa :

— Si tu veux du thé, sers-toi. Il y en a pour trois, et des biscuits pour deux.

Georges prit une chaise pour se joindre à elles, malgré son malaise. Jetant un coup d'œil à la revue, il prédit :

— On ne verra pas de femmes habillées de cette façon à Douceville cet été.

Les chapeaux très amples dépassant parfois la largeur des épaules, les robes cintrées à la taille, la cascade de dentelles, le tout d'une élégance rare, l'ébahissaient.

— Du côté du Club nautique, les jours où les riches anglaises se rassemblent, on en verra certainement.

— Il y a des femmes aussi belles ici ?

Tout de suite, Sophie se sentit honteuse de sa naïveté. Les vêtements les plus chics qu'elle voyait, c'était à la messe dominicale. Cet endroit se prêtait mal aux défilés.

Pendant plusieurs minutes encore, les jeunes filles tournèrent les pages. Après une longue hésitation, la visiteuse prit un biscuit, cassa le dôme de chocolat pour le manger morceau par morceau. Ensuite, elle se régalerait de la guimauve.

— Depuis quand t'intéresses-tu à la mode ? demanda Corinne en regardant son frère.

Elle s'aperçut que son regard ne quittait pas le visage de Sophie. Celle-ci se penchait pour examiner les illustrations de la revue. Ses boucles blondes donnaient un cadre doré à ses traits. Qu'elle soit un peu trop maigre ne nuisait pas vraiment à son charme. Et quand elle prit un second biscuit, Corinne se dit que ce handicap ne durerait pas.

Une demi-heure plus tard, Sophie regarda la petite horloge sur le linteau de la cheminée et s'écria :

— Mon oncle va s'inquiéter !

— Tu pourrais peut-être lui téléphoner, suggéra Georges.

— … Non, je dois rentrer.

— De toute façon, le téléphone est dans le cabinet de papa, et en ce moment il reçoit des patients, intervint Corinne.

Bientôt, les trois adolescents se trouvèrent dans le vestibule. Georges proposa, la voix hésitante :

— Si tu veux, je vais te raccompagner.

Corinne lui adressa un sourire moqueur, alors que la visiteuse demeurait interdite.

— Voyons, c'est à côté, et il fait jour, objecta-t-elle.

Dans son couvent, personne ne lui avait appris qu'un garçon pouvait accompagner une fille pour un autre motif que celui d'assurer sa protection. Le rose monta aux joues de l'adolescent, pâle de teint. Il salua Sophie, puis retourna au salon.

Les jeunes filles mirent quelques minutes à se dire au revoir. Ensuite, Corinne rejoignit son frère.

— Décidément, tu te transformes en chevalier servant. Pour une couventine, en plus. Cela doit te changer des manigances de Félix.

Il balbutia :

— Je te demande pardon, Corinne. Pour tout ça.

Il faisait allusion à son attitude au moment où son meilleur ami s'enthousiasmait pour les amours ancillaires.

— Je le trouvais drôle, avec tous ses mystères, mais je n'ai pas pensé à toi.

Le mot « drôle » décrivait très mal sa fascination. Il avait éprouvé beaucoup d'excitation, de la jalousie aussi, à imaginer ce qui se passait entre son ami et la jeune domestique. Félix avait des audaces que lui ne se permettrait jamais.

— Ni à elle, dit Corinne. C'est Aldée qui a souffert le plus dans tout ça. Évidemment, à tes yeux, c'est juste la bonne. Tu la méprisais autant que lui.

La voix de la jeune fille se cassa sur la dernière phrase. Dans cette histoire, le mépris de son frère n'était pas seulement dirigé vers la domestique. Jamais il n'avait pensé à sa douleur à elle. Corinne préféra regagner sa chambre. De son côté, demeuré seul, Georges put se livrer à un petit examen de conscience.

Une voix le tira de sa rêverie.

— Je peux rapporter tout ça à la cuisine, monsieur ? D'ici une demi-heure, le souper sera servi.

— Oui, bien sûr, Aldée.

De son fauteuil, il la regarda remettre la théière, les tasses et l'assiette de biscuits sur un plateau, puis quitter la pièce. Les mots de Corinne le hantèrent encore un moment.

Bien après cinq heures trente, Sophie Deslauriers monta les marches conduisant à l'entrée du presbytère. L'abbé Grégoire se tenait assis dans un grand fauteuil en rotin sur la galerie, son bréviaire à la main. Il se leva pour l'accueillir, réprima son « Où étais-tu ? » impatient. Elle le lui dirait, de toute façon.

— Bonsoir, mon oncle. Je m'excuse, je me suis arrêtée chez les Turgeon. Corinne m'a invitée.

Son retard l'avait inquiété, et maintenant il se sentait ridicule.

— Je suis heureux que tu te fasses des amies de ton âge, admit-il après une courte hésitation.

La réponse rassura la couventine. Pendant tout le trajet, elle s'était angoissée de la réaction du prêtre. Les religieuses l'avaient habituée à une routine qui ne laissait aucune place aux conversations amicales.

— Tu veux t'asseoir un moment avec moi ?

De la main, il lui désignait l'alignement de chaises en rotin. Quand ils se furent installés, il demanda :

— Tu t'entends bien avec la petite Turgeon ?

— Oui.

Sophie demeurait touchée de l'avoir entendue parler d'elle comme d'une amie. Son isolement relatif, dans le couvent, lui avait pesé.

— Alors, tant mieux, parce que j'ai accepté leur invitation à souper chez eux le 6 mai prochain. Nous irons tous les deux.

En fin d'après-midi, la température baissait au point de devenir désagréable pour une jeune fille ne portant que son uniforme de couventine. Quelques minutes plus tard, le prêtre et l'adolescente entrèrent dans le presbytère. Sur le parvis de l'église, des commères les observaient.

— Bin, c'est pour ça qu'y confesse à la course, ces temps-citte.

— Ouais. Pis la p'tite demoiselle, c'est qui ?

— Sa nièce…

Depuis dix ans, jamais ce lien de parenté n'avait été contesté. Pourtant la femme ajouta :

— … à ce qu'y paraît.

Voilà qu'être privée du temps nécessaire pour confesser ses fautes par le menu avait rendu mesquine une paroissienne pieuse.

Sophie Deslauriers sortait de son cours d'histoire sainte quand elle entendit son nom prononcé dans son dos. En se retournant, elle reconnut sœur Saint-Charles-Borromée.

— Vous voulez me parler, ma mère ?

— Oui. Viens dans mon bureau.

La couventine connaissait le chemin pour l'avoir parcouru des centaines de fois. Le bureau de la directrice occupait une grande pièce située au-dessus de l'entrée de l'établissement d'enseignement. Elles prirent place de part et d'autre d'une table faisant face à une fenêtre.

— Tu te portes mieux, j'espère ?

— Les choses rentrent dans l'ordre.

Deux semaines à manger la nourriture du presbytère avaient apaisé son estomac. Il lui faudrait encore du temps pour grossir de quelques livres.

— Dans ce cas, tu pourras bientôt revenir ici.

Une ombre passa dans le regard de la jeune fille, son émotion colora ses joues. Son lit dans le grand dortoir sous les combles et sa place à la table du réfectoire ne l'attiraient plus du tout.

— Le docteur Turgeon a conseillé que je termine l'année en tant qu'externe. La nourriture du couvent me faisait vomir sans cesse.

— Tout le monde dans ce couvent mange la même chose, personne n'est malade pour autant.

— Moi, je l'étais.

Sophie sentit son estomac se nouer juste à imaginer le gruau rance servi tous les matins. Si la religieuse insistait, elle cultiverait cette pensée jusqu'à répandre son précédent repas sur la table de travail.

— Et seulement en me nourrissant autrement, je vais mieux.

— J'ai parlé de ton cas avec le docteur Proulx.

Il s'agissait d'un vieux médecin qui offrait ses services au couvent depuis une décennie ou deux.

— L'idée que la nourriture du couvent puisse te rendre malade lui a semblé… fantaisiste.

— Pourtant, des pensionnaires doivent rentrer chez elles chaque année à cause de problèmes alimentaires.

Si son interlocutrice l'y forçait, Sophie pourrait lui donner les noms de quelques camarades parties dans ces circonstances. La blonde se sentait audacieuse, rassurée par le fait que son oncle la garderait chez lui aussi longtemps qu'elle le lui demanderait. La directrice le savait aussi, alors elle changea de tactique.

— Tu sais, je m'inquiète surtout pour ta vocation. Hors de ces murs, tu pourrais subir… de mauvaises influences.

— J'habite chez le curé de la paroisse.

Cette fois, sœur Saint-Charles-Borromée fut déstabilisée. Difficile de mettre en doute la moralité d'un pareil cadre de vie. Cependant, la voir partir le soir en compagnie de la fille Turgeon, et parfois avec la fille Tremblay, l'inquiétait. Ces deux-là pensaient plus aux garçons qu'à leur ultime rencontre avec Dieu.

— Tu ne songes pas à abandonner ta vocation, n'est-ce pas ?

Dès son arrivée dans cette école, alors qu'elle était âgée de sept ans, une autre directrice l'avait entretenue de son avenir en tant que religieuse. Ces femmes avaient vu là l'occasion de jouer à la mère, et de lui concocter un destin identique à leur propre existence.

— Depuis que je suis ici, j'ai entendu parler de l'appel de Dieu qu'entendent les candidates à la vie religieuse.

— Cette question d'appel…

La directrice s'interrompit avant de dire : « … c'est avant tout le choix d'une carrière, d'un cadre de vie. » Certaines femmes y voyaient sans doute une façon de se sanctifier. D'autres cherchaient plutôt à occuper un emploi et à vivre dans une sécurité relative, à l'abri des difficultés matérielles… et des entreprises d'un homme.

— Mais je ne l'ai pas entendu, précisa Sophie.

La sœur hocha la tête. À l'extérieur de ce grand bâti-ment, l'adolescente s'exposerait aux belles toilettes, à une vie confortable, et surtout à l'attention des garçons. Tous ces dangers faisaient perdre à l'Église bien des candidates.

— Bon, tu peux aller retrouver les autres.

La jeune fille quitta son siège en murmurant « Merci, ma mère », tout en ne sachant pas du tout pourquoi elle exprimait de la reconnaissance. Toutefois, avant d'atteindre la porte, elle se retourna pour ajouter :

— Ma mère, cette semaine, ce sera le dernier vendredi du mois. L'abbé Chicoine viendra nous confesser, je suppose.

— Comme chaque mois au cours de la dernière année.

— Maintenant que je vis dans la même maison que lui, lui confier mes fautes me met mal à l'aise.

— Plus qu'un voisin, c'est une personne consacrée, et le secret de la confession est absolu.

Toute autre personne se serait émue de l'inquiétude d'une jeune fille à l'idée de déjeuner à côté de l'homme à qui elle aurait confié ses émois la veille. Le manque de sensibilité de sœur Saint-Charles-Borromée venait de clore la question de la vocation de Sophie.

Le dernier vendredi du mois, les événements se déroulaient toujours de la même façon. Le vicaire Chicoine arrivait le matin. Il passait par chacune des classes, en commençant par celle des plus jeunes, afin de distribuer les bulletins et de prodiguer des enseignements tirés du catéchisme. Il prêchait une religion sévère, dans laquelle Dieu châtiait toutes les fautes. Il apprenait la peur de l'enfer à des enfants de sept ou huit ans. Et après avoir évoqué ces souffrances de l'autre monde, il s'installait sur une chaise, dans le couloir, pour les entendre l'une après l'autre en confession.

Quand il revenait l'après-midi, c'était pour répéter le même scénario avec les plus grandes. Devant les adolescentes, lors de l'enseignement du catéchisme, la gourmandise et les querelles anodines le cédaient en importance à d'autres péchés plus appropriés à leur âge. Dans la classe de Corinne et d'Aline, il commença par distribuer les résultats des dernières semaines, nommant la meilleure élève d'abord, et la moins bonne à la fin. Cet exercice pesait sur l'estime de soi des plus jeunes. À seize ans, toutes étaient immunisées : chacune connaissait sa place dans la petite société scolaire.

La fille du docteur Turgeon entendit les noms du tiers des filles de la classe avant le sien. Les autres furent appelées ensuite. Aline se classait habituellement une place ou deux devant elle. À tour de rôle, chacune se leva pour recevoir une feuille cartonnée indiquant les résultats, ainsi que des félicitations pour les meilleures, et des reproches pour les dernières.

Le prêtre quitta ensuite la chaise de la titulaire de la classe, placée sur une estrade, pour écrire au tableau :

Impudique point ne seras,
De corps ni de consentement.

La formulation était floue, aussi Chicoine se chargea de la clarifier :

— Cela veut dire ni par des actions, ni par des pensées impures.

Du bout de l'index, il frappa la surface noire pour souligner chacun des mots.

— Tous les plus grands prédicateurs, tous les plus grands théologiens sont d'accord, même les personnes les plus saintes pèchent plusieurs fois par jour.

Discrètement, des regards se tournèrent en direction de la religieuse responsable de la classe. Plusieurs fois par jour ! Pendant quelque temps, les admonestations à la vertu de la maîtresse sonneraient faux.

— Rappelez-vous notre mère à tous, Ève. Si elle n'avait pas agi comme une tentatrice, Adam n'aurait pas péché. Déjà, vous toutes suivez son exemple, vous devenez une source de tentation…

Le prêtre n'osa pas dire «pour les hommes», car il se serait inclus dans le nombre.

— Je vous attendrai l'une après l'autre, de l'autre côté de cette porte.

Depuis le matin, il déplaçait la même chaise d'une classe à l'autre. Les élèves connaissaient la routine. La couventine assise à l'avant, à droite, sortit la première. Toutes les autres suivraient le même chemin. L'une rentrait pour effectuer sa pénitence sous l'œil intransigeant de la religieuse, tout de suite remplacée par une autre. Quand ce fut le tour de Corinne, elle quitta sa place avec un serrement au ventre. Dans le couloir, il lui fallait s'agenouiller sur le plancher de madriers, à angle droit avec le prêtre. Il se penchait vers l'avant, pour lui présenter son oreille gauche.

Dans un confessionnal, une cloison de bois séparait le prêtre du pénitent et, à la hauteur du visage, un grillage garantissait un certain anonymat. Il était ainsi possible de faire abstraction de l'identité de la personne à qui on livrait ses pensées les plus intimes. Là, Corinne voyait la repousse noire de la barbe sur les joues et un poil dépassant de la narine. Elle devinait son corps velu. Une odeur forte se dégageait de sa peau ou de sa soutane : de la sueur, de la crasse, et peut-être autre chose.

— Je vous écoute, ma fille.

La voix avait quelque chose de râpeux.

— … Mon père, je m'accuse du péché de gourmandise, quoique depuis le début du carême, je me prive de toutes les gâteries.

Un peu plus et elle aurait déclaré : « Pour améliorer ma silhouette. » Le réflexe lui vint de dire plutôt :

— Pour le salut de mon âme.

— Et encore ?

— Ces derniers temps, j'éprouve beaucoup de ressentiment envers mon frère.

Corinne continua sa confession, prudemment censurée. Son penchant pour Félix Pinsonneault demeurerait secret. L'énumération des fautes bénignes continua, jusqu'à ce qu'elle murmure :

— C'est tout, mon père.

Elle sentit une main se poser sur son bras, remonter jusqu'à son épaule. Il effleura ses cheveux blonds.

— Vous en êtes certaine ? Pas de mauvaises pensées ?

Ses moments d'insomnie, quand les traits, le corps de Félix lui apparaissaient en imagination, lui revinrent en mémoire.

— Non, mon père.

— Vous n'abusez pas de votre corps ?

Les doigts exercèrent une pression sur sa nuque. Cela pouvait être l'amorce d'une caresse, ou l'affirmation de son pouvoir. L'adolescente mit un moment avant de réaliser de quel abus il parlait.

— Oh ! Non, mon père.

De son point d'observation, Chicoine contemplait la courbe des seins de la jeune fille sous le tissu de l'uniforme. Le désir devait consumer cette adolescente, elle lui mentait certainement. Toutes les filles d'Ève étaient lascives.

— Aucun mauvais toucher ?

Pendant les minutes suivantes, il évoqua les attouchements sur son propre corps, et ceux reçus de jeunes filles ou de jeunes garçons. Ses doigts remuaient sous la ligne des cheveux, l'envie le tenaillait de tirer la fille vers lui pour la forcer à poser ses avant-bras sur ses cuisses. Sous la soutane, son érection augmentait. Enfin, la crainte de perdre tout contrôle l'amena à conclure :

— Vous direz une dizaine de *Je vous salue Marie*.

Puis vint la phrase latine : « *Et ego te absolvo a peccatis tuis in nomine Patris, et Filii, et Spiritus Sancti.* » Lorsqu'elle se releva, Corinne avait la tête qui bourdonnait.

Chapitre 3

La classe des plus grandes ne comptait que huit étudiantes. Peu de parents se souciaient de faire suivre tout
le programme d'études à des filles qui, de toute façon,
attendraient ensuite le mariage à la maison. En réalité,
cet effectif se composait essentiellement de celles que l'on
souhaitait tenir quelque temps encore loin du foyer. Cela
pouvait être la conséquence du décès du père ou de la mère,
du remariage de l'un ou l'autre, ou de l'absence prolongée
du couple. Léger, le programme permettait surtout de se
préparer à la vie bourgeoise.

Encadrée de très près par les religieuses enseignantes
dès le début de sa scolarité, Sophie avait pris l'habitude
de la première place. Une fois la distribution des bulletins
effectuée, l'abbé Chicoine revint sur le sixième commandement de Dieu : « Impudique point ne seras, de corps ni
de consentement. » En réalité, il n'en abordait aucun autre
avec les élèves de douze ans et plus.

La nièce du curé vint s'agenouiller près de lui, hésitante
et effrayée. Depuis deux ans, le vicaire de la paroisse Saint-
Antoine se montrait trop attentionné envers ses jeunes
ouailles, prenant le risque de les gêner. Les confidences
murmurées de ses consœurs avait permis à Sophie de savoir
que son propre malaise était largement partagé.

L'ecclésiastique la contempla d'abord un long moment, une nouvelle fois frappé par sa beauté. Les cheveux blonds et la peau très pâle rappelaient les madones peintes dans les pays nordiques. L'excitation de Chicoine fut rapidement à son comble, mais pas question de toucher celle-là. Si elle parlait au curé Grégoire, son avenir serait compromis.

— Je confesse à Dieu tout-puissant, commença-t-elle, à la bienheureuse Marie toujours vierge…

Une fois la longue introduction terminée, elle en vint à ses fautes proprement dites :

— Mon père, je m'accuse du péché de gourmandise…

Après des années de nausées, la table bien garnie du presbytère lui révélait son lot de plaisirs nouveaux. Le fait de commencer par le septième des péchés capitaux témoignait bien de son appétit frustré des dernières années. Ensuite, elle évoqua les autres : l'orgueil, l'avarice, l'envie, la colère, la luxure et la paresse. Sur le troisième péché de cette énumération, l'aveu n'alla pas loin :

— Je m'accuse d'avoir regardé avec envie toutes les belles toilettes que j'ai vues dans un magazine de mode.

Ainsi, Corinne aurait dû s'accuser d'avoir scandalisé sa camarade – c'est-à-dire de l'avoir incitée au péché. À propos de la luxure, Sophie n'avait rien à dire, et le prêtre n'osa pas la guider avec ses questions insidieuses. Pour la désirer autant, il lui fallait croire en sa totale innocence. En se relevant, la jeune fille se dit que sa confession s'était passée tout en douceur. Maintenant, elle s'en voulait d'avoir mentionné son embarras à sœur Saint-Charles-Borromée.

Quand il sortait du couvent des sœurs de la Congrégation, Chicoine était toujours un peu fiévreux. Dans les trois classes des plus grandes, il voyait des adolescentes à différentes étapes de leur développement physique, toutes hantées par de mauvaises pensées, dont les mains se baladaient dans leur entrejambe en attendant que ce soit celles de garçons. Dans sa conception du comportement humain, rien n'intéressait plus ces pénitentes que d'aviver la concupiscence de l'autre sexe. Toutes étaient impures. Malgré sa marche de quelques centaines de verges à pas rapides, son érection ne diminua pas.

En passant près de l'église, il entra pour aller s'agenouiller juste devant le maître-autel. Il commença :

— Mon Dieu, j'ai l'extrême regret de vous avoir offensé…

Pourtant, l'ecclésiastique avait la conviction que c'étaient elles qui portaient le plus lourd de la faute.

Aline Tremblay avait été la première des élèves à sortir du couvent. Depuis une semaine, elle s'était fait une raison : exiger l'exclusivité en amitié risquait de la laisser bien seule. Aussi, elle attendit les deux autres près de la rue, multipliant les « À lundi » aux camarades passant à proximité. Puis les deux blondes apparurent à la porte principale.

— Vous en avez mis, du temps ! Vous n'arriviez pas à faire l'énumération de tous vos péchés ?

— Qu'est-ce que tu racontes ? fit Corinne, agacée. Ma mère me surveille de près, tu le sais.

— Pas plus que la mienne, je t'assure.

À trois, elles occupaient toute la largeur du trottoir. Après avoir parcouru une centaine de verges, la fille du docteur Turgeon dit :

— Tu as encore réussi à passer devant moi.

— Comme tous les mois depuis notre première année…
sauf les fois où j'ai attrapé une vilaine grippe. Et je suppose
que mademoiselle Deslauriers est une première de classe.

Un brin de moquerie marquait la voix, mais avec un zeste
de bonne humeur.

— Si tu avais eu les bonnes sœurs sur ton dos cinquante-
deux semaines par année, tu serais sans doute meilleure que
moi.

— Cinquante-deux semaines?

— Paraît qu'un presbytère, ce n'est pas un endroit
convenable pour une petite fille. Enfin, pas pendant tout
un été. Alors je passais les grandes vacances au couvent.

Corinne ne pouvait s'empêcher de penser aux gestes de
l'abbé Chicoine. Oui, un presbytère pouvait s'avérer dangereux. L'acharnement pédagogique des religieuses valait
certainement mieux que ce genre d'attention.

Quand elles arrivèrent devant la maison du docteur
Turgeon, Corinne proposa:

— Vous voulez entrer?

Cette fois, Aline n'entendait pas rater l'occasion, aussi
elle accepta l'invitation tout en s'engageant dans l'escalier.
Sur le trottoir, Sophie déclara, dépitée:

— Non, je ne peux pas. Même si mon oncle ne m'a
rien dit l'autre fois, je pense qu'il s'est inquiété. Je devrais
l'avertir à l'avance.

— Alors, on se reprend la semaine prochaine. À lundi.

L'autre lui retourna son salut, puis se dirigea vers le
presbytère.

Dans la maison, comme d'habitude, les deux adolescentes saluèrent Aldée. La domestique se tenait debout à
l'entrée de la cuisine. La jeune maîtresse demanda du thé,
et des biscuits «pour une personne». Elle demeurait ferme
dans sa résolution de se priver de gâteries.

Dans le salon, Georges quitta son siège pour les accueillir.

— Corinne, bonjour.

La récente paix entre eux le conduisait à lui réserver toutes ses attentions.

— Aline, comment vas-tu ?

La brunette lui adressa son meilleur sourire avant de l'assurer que sa santé était excellente, tout en songeant combien elle était heureuse que Sophie soit retournée chez elle. Cette grande blonde filiforme s'avérait une rude concurrente. Dès ce moment, elle espéra recevoir une invitation à souper.

Au presbytère, Sophie était assise juste en face de l'abbé Chicoine, alors que son oncle occupait le bout de la table. Celui-ci se montra particulièrement enthousiaste.

— Quelle bonne élève tu fais. Première de ta classe !

— Mon oncle !

Cette position ne lui valait pas que des amies, et elle n'en tirait aucune fierté particulière. Le vicaire penchait la tête vers l'avant, tout en la regardant « par en dessous ». Évidemment, la robe noire – l'uniforme du couvent – ne flattait en rien la jeune fille, mais elle semblait au religieux être un ange descendu du ciel. Depuis le dîner, son érection ne l'avait pas quitté un seul instant.

Si elle n'éprouvait aucune nostalgie en songeant aux repas du couvent, les soirées passées là-bas manquaient à Sophie. L'étude se déroulait dans une salle commune, puis, avant la prière et l'extinction des feux, une heure de récréation lui permettait de bavarder avec les autres pensionnaires.

Au presbytère, son oncle et elle s'attardèrent une petite demi-heure au salon après le souper. La journée scolaire fit les frais de la conversation. Après une hésitation, l'adolescente commença :

— Aujourd'hui, c'était la confession…

Si ses appréhensions étaient tombées, le regard sournois de Chicoine durant l'heure précédente avait donné une nouvelle dimension à son malaise.

— Comme tous les jours de distribution des bulletins.

— … Je me sentais tellement gênée d'être devant lui, à table.

Le curé devinait combien la chose pouvait devenir pénible. Un bref instant, il imagina une mère confiant ses fautes à son fils, ou une épouse à son mari.

— Pour une bonne fille comme toi, ça ne peut pas porter à conséquence.

Évidemment, en tant que modèle d'innocence élevé par des religieuses, aux yeux du prêtre, elle ne pouvait rougir de rien.

— Je ne savais pas où me mettre !

Devant son désarroi, impossible de continuer de prendre la chose à la légère. L'abbé Grégoire baissa la voix d'un ton :

— Préférerais-tu t'adresser à moi ?

Mais il convint aussitôt :

— Ce ne serait pas mieux… Et en plus, nous sommes apparentés.

Pour Sophie, entre l'air débonnaire de son oncle et le visage maussade du vicaire, le choix était facile. Les beaux yeux bleus fixèrent résolument le tapis. Alors, l'oncle murmura :

— Je parlerai à la mère supérieure.

— Comme je suis si sage…

Elle proposait qu'on lui donne un congé de confession. Le curé ne dit ni oui ni non, mais il épluchait déjà mentalement les occasions où un confesseur supplémentaire passerait à Douceville. Cela survenait quelques fois dans l'année, surtout quand arrivait une fête importante ou une retraite spirituelle.

Peu après, Sophie montait à l'étage pour lire dans son lit.

Soumise aux directives de sa mère, Aline tentait de donner la meilleure impression à la famille du médecin. Aux yeux d'une marchande de meubles, il s'agissait de gens importants. Pendant tout le souper elle s'était tenue bien droite, avait répondu d'une toute petite voix aux questions. Heureusement, Georges multipliait les efforts pour la mettre à l'aise. Décidément, il tenait à améliorer ses relations avec la moitié féminine du monde.

Après le repas, les deux adolescentes se réfugièrent dans la chambre de Corinne. La blonde s'allongea sur son lit, la brune occupa la chaise. Aline se retenait de mentionner le beau Félix. Pourtant, comme le garçon avait totalement disparu du discours de Corinne du jour au lendemain, elle devinait qu'un événement avait rompu le charme. Mieux valait attendre ses confidences, au lieu de les lui soutirer.

La fille du médecin orienta alors la conversation dans une direction inattendue.

— Quand je me suis confessée aujourd'hui, je me suis sentie très mal.

— Moi, je préférerais chaque fois me trouver ailleurs.

Corinne eut un mouvement d'impatience.

— Oui, je sais, ça dure depuis notre première confession. Mais cette fois-ci, c'était tout à fait autre chose.

Elle fit mine de lisser un pli du couvre-lit, contempla le bout de ses chaussures.

— Je n'aime pas me tenir aussi près du vicaire…

Le silence durait. Pour relancer la conversation, Aline murmura :

— Il ne sent pas très bon.

— Ce n'est pas ça. Enfin, oui, il pue, mais… il m'a touchée.

Dans la très catholique province de Québec, l'expression ne signifiait jamais « il a touché mon cœur ». Tout le monde pensait spontanément aux mauvais touchers. La visiteuse n'osa plus l'interrompre.

— Il a mis sa main sur mon bras, puis l'a glissée jusque sous mes cheveux.

Tout en parlant, elle mima le geste, partit du coude pour aller jusque sur sa nuque. Elle mourait de honte, mais ressentait un besoin impérieux de se confier à quelqu'un. Aline resta un moment bouche bée avant de dire dans un souffle :

— Toi aussi…

Un bref instant, Corinne fut déçue qu'Aline ait vécu la même expérience. La jeune fille s'attendait à être la seule à faire l'objet d'une telle attention, même si elle ne l'avait pas désirée.

— Ce n'était pas la première fois, dit-elle. Ni la dernière : il reste encore le mois de mai, et toute l'année prochaine si je retourne au couvent en septembre.

Son ton témoignait de son envie de mettre prématurément fin à sa scolarité.

— Nous pourrions peut-être aller à la confesse à l'église, suggéra la visiteuse. Le curé Grégoire n'est pas comme ça.

Avec son allure de vieil oncle affable, jamais le vieux prêtre ne ferait quoi que ce soit pour mettre des jeunes filles mal à l'aise.

— Je t'imagine aller expliquer cela à sœur Saint-Charles-Borromée.

Très certainement, la blonde n'entendait pas entreprendre une telle démarche. Son amie ne se porterait pas volontaire non plus. Désappointée, elle commenta :

— De toute façon, personne ne nous croirait. La sœur supérieure moins que quiconque.

Une adolescente abordant ce sujet se ferait traiter de vicieuse. Si elles se mettaient à deux, ce serait deux vicieuses conspirant ensemble contre la sainte Église. Le constat s'avérait terriblement déprimant.

Comme la conversation ne reprenait pas vraiment, Aline manifesta son désir de rentrer chez elle. Quand elle se présenta devant la porte du salon afin de saluer ses hôtes, Georges proposa :

— Si tu veux, je vais te raccompagner.

Aline resta coite un instant, puis murmura :

— Oui, d'accord.

Quand tous deux furent sortis, Délia commenta :

— Encore un peu d'efforts, et il deviendra le garçon le plus courtois de Douceville.

— Ou le plus hypocrite !

Sur ces mots, Corinne souhaita bonne nuit à la ronde et regagna sa chambre.

— Et elle, la plus vindicative, murmura la mère.

— Après ce coup fourré, moi je la trouve plutôt magnanime, réagit le père.

Évariste ne négligeait jamais de se porter à la défense de sa grande fille.

Georges ne poussa pas la hardiesse jusqu'à offrir son bras à la couventine. S'il osait ce geste devant témoins, seul à seule, cela lui semblait un peu trop audacieux. Cependant, le garçon se sentit plus vieux de deux ou trois ans, simplement en marchant à ses côtés.

Désireux de briser le silence devenu embarrassant, il n'eut que l'inspiration de commenter la météo :

— Je suis content de voir enfin le beau temps revenir.

— Ce beau temps, je le trouve plutôt froid.

Aline marchait en tenant ses bras croisés sur sa poitrine, comme pour se réchauffer. Il s'imagina lui offrant sa veste le temps du trajet, mais la timidité le condamna au silence. Ils s'engageaient déjà dans la rue Richelieu quand la jeune fille intervint :

— Je n'ai pas vu Félix chez vous depuis un moment, et Corinne n'en parle plus jamais.

Le garçon savait devoir demeurer discret sur ce sujet, aussi il ne pipa mot.

— Encore la semaine dernière, elle ne restait pas dix minutes sans parler de lui.

Le silence de Georges inciterait Aline à creuser le sujet avec Corinne. Celle-ci préférait certainement n'avoir aucune explication à donner.

— Il s'est passé quelque chose, confia-t-il enfin. Elle a décidé de ne plus le voir.

— Oh ! Je comprends.

La brunette imaginait des paroles ou un geste déplacés. Georges devinait que sa sœur aimerait mieux que les soupçons de son amie portent sur une indélicatesse à son égard plutôt que sur un intérêt trop pressant envers une domestique. Tout compte fait, Aline ne voyait pas si loin, car elle voulut savoir :

— Que s'est-il passé ?

— Je ne sais pas exactement.

La jeune fille douta certainement de son affirmation, mais n'osa pas le contredire. Quand ils arrivèrent devant le commerce de meubles, il la pria, en lui faisant face :

— Ne lui mentionne pas que j'ai abordé ce sujet. Je sais bien que tu es sa meilleure amie, mais elle serait peinée par mon indiscrétion.

Le garçon arrivait à se donner un très beau rôle. Il continua d'incarner l'aîné plein de délicatesse pour sa cadette.

— Le mieux serait de ne pas lui en parler.

Après les taquineries à propos de «Juuules», Aline était pourtant bien tentée d'évoquer «Fééélix». Cependant, elle tenait à donner la meilleure image d'elle possible.

— Je serai muette comme une tombe.

La solennité de l'engagement lui tira un rire franc.

— Je te remercie de m'avoir raccompagnée, Georges.

Que devait-il faire ? Lui tendre la main ressemblerait à la conclusion d'une transaction commerciale, lui faire la bise paraîtrait trop entreprenant.

— Ça m'a fait plaisir. Bonne nuit.

Il y eut un moment de gêne, comme si elle attendait un dernier geste, puis elle ouvrit la porte conduisant à l'appartement au-dessus du commerce en murmurant «Bonne nuit» à son tour.

Hormis les craquements du vieux bâtiment, un silence total régnait dans le presbytère. Sophie était couchée depuis deux bonnes heures, et le curé Grégoire en avait fait autant peu de temps après elle. Dans sa chambre, le vicaire Chicoine était à genoux sur un prie-Dieu. Il avait chuchoté toutes les prières familières, appelé une douzaine de saints réputés pour leur chasteté, rien n'y faisait : le souvenir de la proximité de tant de jeunes filles le maintenait dans le même état d'excitation.

Jamais il ne fermerait l'œil, du moins pas avant de céder, plus d'une fois d'ailleurs, au péché d'impureté. Dans ces cas-là, il y avait tout de même une solution. Débarrassé de sa soutane, vêtu de son seul sous-vêtement couvrant son corps des chevilles jusqu'au cou et ses bras jusqu'aux poignets, Chicoine attrapa une courroie alourdie de rivets de cuivre. D'un grand geste, il la balança par-dessus son épaule tout en serrant les dents. La pièce de cuir lui fouetta le dos à la hauteur des omoplates. Le claquement, et sa plainte étouffée, s'entendirent peut-être jusqu'au rez-de-chaussée, là où dormait la vieille ménagère.

Quand le vicaire regagna son lit, plusieurs taches de sang marquaient son sous-vêtement. Si le bruit de son autoflagellation avait échappé à la vieille domestique, elle devinerait ce qui s'était passé en faisant la lessive. La prochaine fois, il l'enlèverait.

La prochaine fois, cette précaution ne serait plus de mise. Le lendemain matin, Cédalie déposa le long sous-vêtement de coton dans son panier d'osier. Dans le dos, les trous causés par la courroie cloutée étaient ensanglantés. Elle le jeta dans un baquet rempli d'eau tiède et entreprit de le frotter vigoureusement contre une planche à laver.

Évidemment, même après ce traitement, le sang restait visible, quoique bien plus pâle. Impossible de suspendre le vêtement sur la corde à linge à l'extérieur ; des paroissiens ne manqueraient pas d'observer sa lessive afin d'alimenter les cancans sur la vie au presbytère. Aussi la vieille domestique utilisa la même précaution qu'avec le linge intime de la jeune fille : elle le mettrait sur une grosse ficelle tendue à travers la cuisine. La proximité du poêle à charbon permettrait de le faire sécher.

Quand, un peu avant midi, le curé Grégoire vint chercher un verre d'eau à la cuisine, il s'arrêta devant le vêtement en murmurant :

— Dieu du ciel ! La tunique de Jésus devait ressembler à ça après la flagellation !

— Si le deuxième p'tit nom de Jésus était Donatien, c'est p't'êt' à lui.

Donatien, comme dans Donatien Chicoine. Le prêtre hocha la tête et retourna, songeur, dans son bureau. Au Grand Séminaire, un certain nombre de candidats à la prêtrise cherchaient leur sanctification dans la mortification de la chair. Une forte douleur dans le dos, ou autour de la cuisse ou du ventre, si le religieux utilisait un cilice, rendait certainement les plaisirs de l'existence moins attrayants. En particulier ceux de la chair.

Grégoire estimait surtout qu'il s'agissait d'un comportement étrange. Après tout, ces jansénistes outrageaient leur corps, une création de Dieu.

Pendant le souper, sans la présence de Sophie, pas une parole n'aurait été échangée. Le curé Grégoire la questionnait sur ses activités de la journée. Les exercices de piano, les leçons de bienséance, de français, d'anglais et même de latin fournissaient les thèmes de la conversation. Assis devant la jeune fille, le vicaire Chicoine gardait la tête inclinée pour l'examiner à la dérobée. Sa contribution aux échanges se limitait à des monosyllabes. Tant de mauvaise grâce amenait les autres à l'ignorer.

Après le repas et une petite heure passée au salon, l'adolescente monta dans sa chambre. D'habitude, le vicaire la suivait quelques minutes plus tard. Cette fois, Grégoire se leva pour l'en empêcher.

— Venez dans mon bureau, le pria-t-il.

Ce genre d'invitation n'augurait rien de bon. Après tout, Chicoine habitait ce presbytère pour apprendre son métier. Une conversation privée servait généralement à adresser des reproches.

— J'ai vu votre grande combinaison, ce matin. Ma mère vous chicanerait si elle vous voyait détruire votre linge de cette façon.

— Je ne le referai plus. Je ne sais pas ce que j'ai pensé en ne prenant même pas la peine de l'enlever.

Son collègue laissa échapper un long soupir.

— J'aurais préféré : "Je ne le ferai plus, s'infliger ce genre de torture est une insulte à Dieu et au bon sens."

Le vicaire fronça les sourcils, puis posa un regard mauvais sur le curé.

— Dieu nous dit de maîtriser la chair.

Comme pour appuyer son point de vue, il se mit à déclamer les Saintes Écritures :

— "Et si ton œil droit te scandalise, arrache-le et jette-le loin de toi ; car il vaut mieux pour toi qu'un de tes membres périsse que si tout ton corps était jeté dans la géhenne."

— Vous, quelle partie de votre corps voudriez-vous arracher ?

Le vicaire baissa la tête. Évidemment, pour éviter le péché, il existait l'automutilation. Il utilisait chaque matin un rasoir pour se se faire la barbe. Un mouvement de la main, et ses érections intempestives disparaîtraient définitivement. Grégoire continua :

— Êtes-vous certain que ce soit la bonne solution ? Certains s'excitent avec des coups de fouet… Ce serait même un service offert dans certains bordels de Montréal.

Il ajouta avec un sourire en coin :

— Enfin, c'est ce que j'entends parfois en confession. L'imagination de mes semblables dans ce domaine me paraît sans bornes.

Chicoine fut sur le point de protester, de clamer que la douleur, loin d'alimenter les mauvaises pensées, les faisait disparaître. Son interlocuteur ne lui en laissa pas le temps.

— D'autres retirent beaucoup d'orgueil du fait de dompter la chair. Plutôt que de vouloir plaire à Dieu, ils veulent se croire meilleurs chrétiens que les autres.

Le curé eut l'impression de toucher juste. Il laissa à Chicoine le temps de s'engager sur le terrain des confidences. Celui-ci préféra rester coi.

— La prière, la méditation, les confessions fréquentes me paraissent plus susceptibles d'amener la paix de l'âme qu'un dos sanguinolent, reprit Grégoire.

— Je me confesse régulièrement au curé d'Iberville.

De l'autre côté de la rivière, la paroisse voisine permettait de satisfaire son désir de discrétion. Car l'aveu de ses fautes les plus intimes à un patron dont on partageait le logis aurait rendu les relations quotidiennes difficiles. Mais c'était aussi une façon de refuser les conseils spirituels du curé.

— J'espère tout de même que mes paroles sauront vous inspirer.

— Oui, certainement.

Chicoine se leva aussitôt, heureux de considérer la conversation comme terminée. Il se dirigeait vers la porte quand Grégoire lança :

— Vous savez, il est inutile de me citer saint Mathieu. C'est prétentieux.

De nouveau, Grégoire évoquait le péché d'orgueil.

— J'ai passé vingt-cinq ans de plus que vous à étudier les Saintes Écritures, poursuivit-il. Je m'y plonge quotidiennement. Si l'on devait comparer nos connaissances dans un examen, je vous battrais sans mal.

Après cette rebuffade, le vicaire quitta les lieux sans un mot. Lors de son prochain passage à Iberville, il devrait ajouter la colère à l'orgueil et à l'impureté sur sa liste de péchés.

Chapitre 4

Dans un collège réservé aux filles, le début du mois de Marie ne pouvait passer inaperçu. Le premier jour, des dizaines d'écolières se réunirent dans la salle académique sous la surveillance de tout le corps professoral. Sœur Saint-Charles-Borromée monta sur l'estrade et commença en disant «Mesdemoiselles, mesdemoiselles» pour attirer leur attention. Le babillage continua, aussi elle s'empara d'une grosse cloche en laiton et la secoua une seule fois. Le bruit ramena immédiatement le silence.

— Mesdemoiselles, le mois de Marie commence en ce jour. Il convient de le souligner de la meilleure manière. Mes sœurs !

Chacune des religieuses se tenait devant sa classe. La maîtresse des petites agita son claquoir : elles sortirent les premières. Puis le défilé se poursuivit jusqu'à ce que toutes les couventines soient rassemblées dans la cour de l'établissement.

— Avril peut bien être terminé, rechigna Aline, nous ne sommes pas habillées pour passer des heures dehors.

La référence au proverbe «en avril, ne te découvre pas d'un fil» n'amusa guère Corinne. Une autre préoccupation la tenaillait.

— Que fait-il ici, celui-là ?

L'abbé Chicoine était debout à côté d'une statue de la Vierge érigée dans un coin, près du mur. Comme pour lui répondre, la mère supérieure dit :

— J'ai invité monsieur l'abbé à venir nous adresser la parole, afin que nous commencions cette période de prières de la meilleure façon. Mais d'abord : "C'est le mois de Mariiiii-e…"

La voix aigrelette de la directrice fut tout de suite couverte par celles des autres religieuses, puis de l'ensemble des élèves.

C'est le mois de Marie
C'est le mois le plus beau.
À la Vierge chérie
Disons un chant nouveau.

Sur le trottoir, des passants s'arrêtaient, parmi lesquels des femmes, des enfants sur le chemin de leur école, mais surtout des hommes, séduits par les voix angéliques ou par la vue de jeunes filles en fleur. Les plus âgées, au fond, échangèrent au-delà de la clôture quelques œillades avec les plus jeunes des promeneurs. La robe noire de l'uniforme scolaire ne les flattait pas, surtout à un moment de l'année où les couleurs claires s'imposaient. Leurs seize ou dix-sept ans compensaient toutefois la médiocrité de leurs tenues.

En entamant le second couplet, Corinne remua les lèvres sans émettre un son, revenue à l'émoi de sa confession de la semaine précédente.

De la saison nouvelle
Qui dira les attraits.
Marie est bien plus belle
Plus doux sont ses bienfaits.

En ces premiers jours du printemps, ce chœur de gamines devait néanmoins se rappeler que le but de toute vie demeurait de se préparer à la mort.

> *Et quand la dernière heure*
> *Viendra finir nos ans*
> *Dans la sainte demeure*
> *Introduis tes enfants.*

Voilà de quoi rendre sinistres des enfants de sept ans.

Ensuite, une dizaine de *Je vous salue Marie* compléta la préparation à entendre la parole de Dieu, par la bouche de l'un de ses représentants sur terre.

— La pureté, déclara l'abbé Chicoine, est une vertu qui nous éloigne des choses malhonnêtes, des plaisirs illicites de la chair, et de tous les péchés qui relèvent de la luxure.

Même les jeunes filles de seize ans se représentaient bien mal les détails de ces fautes. Aux plus jeunes, les mots laissaient entrevoir des horreurs d'autant plus terrifiantes qu'elles en ignoraient totalement la nature.

— Elle confère à l'âme l'innocence des mœurs, et elle est moins une vertu particulière que la persévérance et l'heureux résultat de la chasteté.

Les religieuses devaient se sentir plus près que jamais du paradis. Toutefois, l'ecclésiastique entendait leur rappeler la fragilité de leur situation :

— Aussi, les personnes non mariées ne peuvent-elles être véritablement pures et chastes qu'en purifiant leur âme de tout désir sensuel.

Il faisait référence aux mauvaises pensées auxquelles personne n'échappait vraiment, devant une consœur, une élève ou même un prêtre. À ce moment, Chicoine, grand, noir de poils, visiblement robuste, s'incrustait certainement dans le cœur, sinon plus bas que le cœur, de quelques-unes. Et ces frémissements de la chair nourrissaient les touchers impurs dans l'obscurité complète des cellules.

— La pureté, des jeunes filles de votre âge peuvent l'atteindre. Je vous parlerai seulement de sainte Agnès de Rome. Sur les peintures, on la voit souvent avec un agneau, un symbole d'innocence. Toutefois, le prénom de la sainte lui-même fournit un meilleur symbole : il vient du grec *agnê*, qui signifie pur.

Peut-être quelqu'un dans l'assistance appréciait-il cet exercice d'éloquence. Les plus familiers de la littérature religieuse avaient déjà reconnu la citation intégrale du *Trésor des prédicateurs et de tous les fidèles* du révérend père Warnet. Présenté sous forme de dictionnaire, il permettait à un prêcheur de se concocter une culture hagiographique en quelques minutes. Les couventines, quant à elles, étaient condamnées à faire semblant d'éprouver un grand intérêt tout en réprimant les frissons dus au petit matin frais.

— À douze ans, Agnès a refusé les avances du fils du préfet de Rome. Déjà, elle avait offert sa virginité à Jésus. Le préfet l'a fait conduire, toute nue dans les rues de Rome, vers un…

L'emploi du mot « bordel » lui aurait sali la bouche, aussi il choisit de se censurer. Déjà, l'allusion à la nudité avait amené deux cents femmes, de sept à soixante-dix ans, à retenir leur souffle.

— … vers un mauvais lieu. Alors, pour préserver sa pudeur, Dieu a fait en sorte que ses cheveux poussent très vite pour la dissimuler aux regards.

Au-delà des bondieuseries contenues dans les récits de *La légende dorée*, il y restait assez de merveilleux pour stimuler l'imaginaire.

— Dans le mauvais lieu, un ange l'enveloppa d'une brillante lumière. Tous les débauchés qui étaient là, des païens, se sont mis à prier Notre-Seigneur.

Corinne se souvint de la scène aperçue entre Aldée et Félix. La bonne le traitait de débauché. Le fils du maire fréquentait-il de mauvais lieux ? L'idée lui souleva le cœur.

— Quand le fils du préfet de Rome, cet amoureux déçu, tenta de la violer, Dieu le fit mourir sur place. Le père voulut la brûler vive, mais le feu ne la toucha pas, tout en faisant mourir ses tortionnaires.

Ces événements dépassaient en magie les contes de fées qu'avaient entendus ces demoiselles. Pourtant, après des miracles aussi extraordinaires, l'histoire ne finissait pas avec les mots : «Ils vécurent heureux et eurent beaucoup d'enfants.»

— Finalement, le préfet ordonna à un bourreau de lui trancher la gorge.

— Dégoûtant. On fait ça aux cochons pour les tuer, marmonna Aline à l'intention de son amie.

— Tu vas nous faire punir.

Si une religieuse aperçut l'échange, au moins elle n'en distingua pas les mots. La punition ne dépasserait pas deux pages couvertes de la phrase : «Je ne parlerai pas pendant le sermon de monsieur le vicaire.»

— Quand le couteau allait lui ouvrir la gorge, la sainte dit : "Celui qui le premier m'a choisie, c'est Lui qui me recevra."

Dans la cour, debout devant la Vierge Marie, modèle de toutes les femmes, les religieuses réaffirmèrent en pensée leur engagement à demeurer les épouses du Christ.

— Vous, mes chères enfants, saurez-vous demeurer intactes par amour de Jésus ? Êtes-vous prêtes à affronter la mort plutôt que de vous livrer au péché d'impureté ?

La question déstabilisa d'autant plus les jeunes filles que la plupart ne savaient pas exactement quel péché s'avérait si horrible que mieux valait accepter un couteau en travers de la gorge.

Le prêtre pérora encore pendant quelques minutes, puis la mère supérieure se confondit en remerciements. Nul doute que celle-là endurerait toutes les souffrances pour protéger sa vertu. Après une autre dizaine de *Je vous salue Marie*, les couventines purent enfin regagner le grand bâtiment. Dans l'escalier conduisant aux classes, Aline chuchota :

— L'autre jour, cela ne voulait sans doute rien dire.

Comment un prêtre si déterminé à les garder sur le chemin de la pureté pouvait-il chercher du plaisir en touchant des écolières ? D'ailleurs, une main sur un bras et à la base du cou ne signifiait rien.

— Je ne sais pas. Je me suis sentie tellement mal à l'aise, avoua Corinne.

Entre son instinct et l'éducation reçue, lequel prévaudrait ? Ces hommes étaient consacrés, la grâce de Dieu les gardait sans doute à l'abri de ces tentations.

En sortant du couvent, Sophie Deslauriers arrivait mal à contrôler sa nervosité. Le trajet jusqu'à la maison de la rue De Salaberry se fit en silence. Devant la maison, elle suggéra, sans attendre l'invitation habituelle de Corinne :

— Je vais utiliser la porte de côté, comme les autres.

Elle parlait de l'entrée située à la droite de la demeure, près de laquelle était fixée la plaque de laiton du docteur Turgeon.

— Et ensuite, tu nous rejoindras ? s'enquit Corinne.

— Non, je vais rentrer au presbytère.

Quand elle eut disparu dans la salle d'attente du cabinet médical, Aline commenta :

— Ça me fait drôle de l'entendre dire : "Je rentre au presbytère." Comme si le curé était protestant et qu'il vivait avec sa femme et ses enfants.

Elle semblait à deux doigts de condamner la situation.

— Je préfère ma place à la sienne. Tu viens ? proposa Corinne.

Aline entendait profiter de l'invitation, cette fois sans être encombrée de la grande blonde, comme quelques semaines plus tôt, quand elle avait encore l'exclusivité de ces collations.

Dans la salle d'attente, Sophie prit une chaise libre. Des femmes patientaient avec un ou deux enfants, trois vieux messieurs semblaient songeurs, inquiets sans doute des nouvelles à venir. Dans son uniforme scolaire noir, les genoux bien serrés, les mains posées l'une dans l'autre dans son giron, la couventine sentait tous les regards sur elle.

Son tour vint après une bonne heure. À son entrée dans le cabinet, le docteur Turgeon la reçut avec une question :

— Comment allez-vous ?

— Bien… Enfin, je pense.

Évidemment, sa visite dans un cabinet de médecin l'obligeait à s'en remettre à celui-ci.

— D'abord, montez sur cette balance. Je ne m'attends pas à une grande différence en deux semaines, mais qui sait ?

Le témoin montra une petite livre en plus.

— Je ne vous mesurerai pas de nouveau, vous n'avez certainement pas grandi. Installez-vous sur cette chaise.

Turgeon choisit une pièce de bois pour abaisser la langue de Sophie et examiner le fond de sa gorge. La grande silhouette penchée sur elle l'embarrassa. Quand il fut assis derrière son bureau, le médecin commença :

— Vous avez meilleure mine. Comment se passe la digestion ?

— Bien.

— Aucun vomissement depuis la dernière fois ?

Sophie secoua la tête de droite à gauche.

— Voilà la preuve que vous aviez correctement identifié la cause de vos nausées.

Le médecin se doutait que le couvent, au moins autant que la nourriture du réfectoire, lui tombait sur le cœur.

— Vous n'avez aucun sujet d'inquiétude ? Aucun symptôme ?

Un signe de la tête servit encore une fois de réponse.

— Dans ce cas, je vous déclare guérie. Prenez soin de vous afin de venir le moins souvent possible dans cette pièce.

Déjà, il quittait sa place pour la conduire à la porte.

— Je n'ai pas d'argent sur moi, mais mon oncle vous réglera la consultation, déclara-t-elle en se levant.

— C'est bien ce que j'avais compris. Nous nous reverrons dimanche prochain.

Quand elle vit la main tendue, Sophie s'émut. Il la traitait comme une grande personne. Elle l'accepta en confirmant :

— Oui, je serai avec mon oncle. Merci, et bonne soirée, docteur.

— Bonne soirée et à bientôt.

La jeune fille sortit, soulagée d'être en bonne santé, et surtout de ne pas avoir eu à détacher le moindre petit bouton de ses vêtements. En partant, elle entendit : « C'est à vous, monsieur Fecteau. »

Un curé n'était jamais vraiment en congé. À partir du moment où Grégoire mit le pied sur le trottoir en face du presbytère jusqu'à son entrée dans le bel édifice du bureau de poste, au moins vingt paroissiens le saluèrent, dont la moitié exprimèrent le besoin d'un conseil spirituel pris sur le pouce. La plupart reçurent une invitation à passer au presbytère au cours de la semaine suivante.

Une fois à l'intérieur, malgré ses protestations et son affirmation répétée : « Je peux attendre », tout le monde lui céda sa place jusqu'à ce qu'il soit devant le guichet.

— Ah ! Monsieur le curé, s'exclama le commis, le monde entier a besoin de vos conseils, je pense.

Tout en lui parlant, le postier prit les deux ou trois journaux catholiques habituels dans son casier ainsi qu'une demi-douzaine de lettres. Celle du dessus portait un timbre américain. Voilà qui expliquait l'entrée en matière de l'employé. Tous les notables de Douceville devaient voir leur courrier examiné soigneusement par ce curieux.

— Le monde entier s'adresse au pape, pas à moi.

Le ton s'avéra plus abrupt que l'ecclésiastique le désirait. Cette enveloppe agissait certainement sur son humeur. D'ailleurs, sur le chemin du retour, personne n'osa l'arrêter à cause de son visage renfrogné. Arrivé chez lui, il se réfugia dans son bureau, heureux de ne rencontrer ni sa nièce ni sa ménagère. La porte refermée, il s'assit dans son meilleur fauteuil pour examiner l'enveloppe. Le tampon indiquait le Massachusetts comme point de départ. Une information confirmée par l'adresse de retour : Tilda Donahue, Medford.

Le prêtre posa la lettre sur une table près de son fauteuil. Le bon sens lui disait de la jeter dans la corbeille à papier sans l'ouvrir. Mieux, Cédalie devait être en train de préparer le dîner, autant la jeter dans le feu. Une fois réduite en fumée, il ne risquerait pas de la récupérer plus tard pour en prendre connaissance. Après cinq bonnes minutes, il la reprit pour déchirer le rabat avec son pouce.

L'écriture élégante lui était familière.

Al,

Al pour Alphonse. Évidemment, son prénom n'était pas une caresse pour l'oreille. Puis les Américains semblaient allergiques aux dénominations trop longues, ou étrangères. Ainsi, Clotilde était devenu Tilda.

Te retrouver n'a pas été simple. Finalement je me suis renseignée auprès d'un curé canadien-français des environs. Il a pu m'indiquer le lieu de ta nouvelle cure.

Elle le recherchait donc. L'information le dérangea plus que de raison. En une seconde, il eut l'impression de rajeunir de vingt ans et de perdre autant de livres.

Peter est décédé il y a quelques années. Voilà bien ma chance.

Suivaient quelques détails biographiques. Une jeune femme heureuse d'avoir épousé un homme plus âgé qu'elle, pour devenir veuve neuf ans plus tard. Heureusement, ce Peter avait eu la gentillesse de lui laisser un bel héritage.

J'aimerais la voir. Je ne pense qu'à elle depuis des années. Tu ne peux me refuser cela.

Après quelques lignes supplémentaires sur le même ton, elle concluait :

Tendresse,
Tilda

Tendresse. Gentille, la salutation convenait peu pour s'adresser à un prêtre catholique romain. Il pencha la tête vers l'arrière pour se perdre dans ses pensées. Au point d'oublier de se présenter à table à midi. Sa domestique dut venir le chercher.

Après avoir terminé la vaisselle, Graziella ne s'était accordé aucun moment de repos et Aldée devait subir son anxiété.

— Prépare les patates, là.

— Voyons, nous ne cuisinons jamais le souper pour quatre heures.

— Bin, j'le sais. Comme ça, ce s'ra prête, si y arrive de quoi.

Dans ces moments de tension, mieux valait obtempérer sans discuter. Au pire, il faudrait recommencer le travail un peu plus tard. Quand, en fin d'après-midi, Délia vint dans la cuisine, l'odeur de volaille ne laissait aucun doute sur le menu.

— Tout va bien ?

— Ah ! Madame, j'me sens comme une fille de peine sans expérience.

— Voyons, vous êtes la meilleure cuisinière de Douceville.

La femme du médecin exagérait, chacun le savait dans la pièce, mais le compliment fit tout de même plaisir à la vieille femme.

— Ouais, bin, cuisiner pour des curés, moé, j'ai pas l'habitude.

— Je pense que ça se passe pour eux comme pour nous.

Si la patronne gardait son sérieux, Aldée, de son côté, pencha la tête pour dissimuler son envie de pouffer de rire. Cette petite phrase permettait d'imaginer l'ecclésiastique à toutes les étapes du transit intestinal.

— Sûrement pas, c'est pas du monde comme nous autres.

— Je suis néanmoins certaine qu'il aimera votre souper.

Sur ces mots, Délia mit fin à la conversation en quittant la pièce. L'inquiétude de Graziella ressemblait trop à un moyen de glaner des compliments.

Les invités arrivèrent à cinq heures. En entendant le heurtoir contre la porte, Aldée sortit de la cuisine et fut tout de suite rejointe par madame Turgeon. La bonne, hésitante, s'arrêta dans le couloir.

— Laissez.

L'hôtesse ouvrit elle-même.

— Entrez, entrez. Nous sommes heureux de vous recevoir.

Cependant, elle aussi éprouvait visiblement une certaine nervosité. Personne n'échappait tout à fait au poids des soutanes, dans la province. Sophie, rougissante, entra la première dans la maison. Délia prit son chapeau pour le poser sur une tablette. Quand elle eut tendu la main pour désigner la direction du salon au curé, il la pria, avec un demi-sourire :

— Si vous permettez, je vais échanger quelques mots avec cette demoiselle.

Tout en parlant, il mettait son feutre dans les mains de la domestique. Ébranlée par cette indélicatesse, la maîtresse de maison prit le bras de Sophie pour l'entraîner avec elle.

— Les choses se passent bien, pour vous ? s'enquit l'ecclésiastique.

Dans un murmure, Aldée souffla :

— Je ne l'ai jamais revu.

— Je le sais bien, ce garçon vous rendait malheureuse. Toutefois, comment vous portez-vous ?

— Bien, je pense.

Le prêtre comprenait le moment d'hésitation. Une domestique pouvait difficilement se montrer trop affirmative sur son bien-être. Il lui adressa son sourire le plus bienveillant, lui effleura légèrement l'avant-bras avant de se rendre au salon.

Finalement, Graziella avait tout à fait raison : personne ne pouvait se sentir vraiment à l'aise devant un prêtre. Toutes les personnes dans la pièce lui avaient confessé des fautes plus ou moins graves au fil des ans, et chacune était susceptible d'alimenter leur embarras.

Les enfants se tenaient autour de la table à cartes, une boisson sucrée devant eux. Les adultes, quant à eux, formaient un triangle : Délia sur le canapé, les hommes sur des fauteuils. La conversation sur la température clémente et la floraison précoce des lilas les occupa bien quelques minutes, puis suivit un silence pesant. Pour chasser la gêne, Évariste demanda :

— Vous êtes curé de cette paroisse depuis longtemps, n'est-ce pas ?

— Une dizaine d'années maintenant.

Cela, tout le monde dans la pièce le savait. La suite permettrait tout de même de connaître un peu mieux le religieux.

— Et auparavant ?

L'hésitation se remarqua à peine.

— Au Massachusetts. Vous le savez certainement, on compte là-bas nombre de petits canadas.

Il désignait par ce mot des paroisses à majorité canadienne-française.

— Oui, nous le savons, intervint Délia. Il y a encore une décennie, les nôtres partaient là-bas par dizaines de milliers.

— Vous savez, même si la situation est meilleure aujourd'hui, les départs sont encore très nombreux.

— Pas seulement parmi les cultivateurs ou les ouvriers. Un neveu de mon mari vient d'ouvrir un cabinet médical dans la ville de Lowell.

Cette fois, le malaise de l'ecclésiastique fut plus évident. S'inquiétait-il du départ des professionnels de la province ? La femme du médecin voulut l'excuser :

— Il a tenté sa chance dans le Bas-Saint-Laurent, mais la difficulté de se faire payer l'a incité à partir là-bas. Pourtant, aux États, les Canadiens se concentrent dans le textile ou la chaussure, ou d'autres secteurs d'activité n'ayant jamais enrichi personne, sauf les manufacturiers.

— Dans tous les domaines, les salaires sont toutefois plus élevés qu'ici. Les employés de n'importe quelle filature gagnent mieux leur vie que ceux de notre petite fabrique de chapeaux.

Depuis des années, un anglophone dirigeait une entreprise vouée à la production de chapeaux de paille.

— Cela, je le comprends bien, releva Évariste. Mais du côté de la Willcox & Gibbs…

Le curé Grégoire connaissait des ménages des deux côtés de la frontière. Avec un petit sourire, il expliqua :

— Vous savez pourquoi une compagnie vient s'établir dans la province de Québec ? Justement parce que les salaires y sont inférieurs. À la Willcox & Gibbs comme ailleurs. Je connais bien Lowell, ma paroisse s'y trouvait. L'industrie principale est le textile. Plusieurs manufactures sont situées sur la rive du fleuve Merrimack. Quand je suis parti de là-bas, la moitié de la population venait d'autres pays. Pour la plupart, il s'agissait d'Irlandais et de Canadiens français.

La conversation menaçait de devenir terriblement didactique, aussi Délia entendit conclure :

— Donc, nos jeunes parents devraient se tirer d'affaire là-bas.

— En tout cas, la clientèle a les moyens de payer une consultation au lieu de tenter de soigner un cancer avec des mouches de moutarde.

— Vous savez, avoua le médecin, dans le cas d'un cancer, la plupart du temps les mouches de moutarde sont aussi efficaces que les traitements que je peux leur proposer.

— J'aurais dû choisir un meilleur exemple.

Du côté des jeunes gens, le climat était tout aussi emprunté. Au bout d'un long moment, Georges s'était résolu à demander à la visiteuse :

— Les choses vont bien pour toi, au couvent ?

« Franchement, avec un pareil sens de la conversation, je ferais mieux de me résoudre à un long célibat », se morigéna le garçon. Gentiment, Sophie récapitula les matières scolaires, des plus intéressantes aux plus ennuyeuses.

Le curé Grégoire ferait tout de même une heureuse, ce soir-là. Quand Graziella vint débarrasser la table après le second service, il la complimenta :

— Mademoiselle Nolin, vous méritez votre bonne réputation de cuisinière. Je ne me souviens pas d'avoir aussi bien mangé.

C'était sans doute ce qu'on appelait un pieux mensonge. Si Cédalie, sa ménagère, l'avait entendu, il aurait couru le risque de voir du sable dans sa salade et du vinaigre dans son thé pendant les six prochains mois.

— Oh ! Monsieur le curé, ça me fait tellement plaisir de cuisiner pour vous. C't'un honneur.

Elle resta immobile pendant un instant, son sourire ouvert d'une oreille à l'autre. Sans doute aurait-elle besoin de son prochain congé du mercredi pour aller confesser son vilain péché d'orgueil. Délia la laissa profiter du moment, puis proposa :

— Si vous voulez, je vais vous aider à servir le dessert.

— Bin voyons, j'peux faire ma *job*.

Une fois les couverts sur la desserte, Graziella quitta la pièce. Dans la cuisine, Aldée devait déjà mettre la crème glacée dans des bols.

La maîtresse de maison entendit satisfaire sa curiosité.

— J'ai compris que Sophie était votre nièce, mais elle ne porte pas le même nom que vous.

— Elle est la fille de ma sœur.

Après des années à entendre les confessions de ces gens-là, l'ecclésiastique comprenait leur envie d'en savoir davantage sur lui. Un juste retour des choses, en quelque sorte. Aussi il consentit à poursuivre son explication :

— Ma sœur avait déjà perdu son mari lors de l'épidémie de grippe de 1889. L'accouchement, son premier, lui a été fatal.

Un silence embarrassé suivit l'explication. Sophie pencha la tête, porta sa serviette sous ses yeux pour effacer des larmes.

— Tant de jeunes femmes perdent ainsi la vie, murmura le docteur Turgeon. Les risques sont élevés lors du premier accouchement et le sont encore plus après le cinquième.

L'information statistique ne soulagea la douleur ni du prêtre ni de sa nièce. Le médecin changea de sujet.

— Je suppose que vous avez été ordonné dans le diocèse de Boston. Lowell se trouve tout près.

— Bonté divine, jamais! Monseigneur John Joseph Williams ne laisserait jamais entrer un Canadien français dans son Grand Séminaire. C'est un repaire d'Irlandais. Il préfère accepter que des prêtres de la province aillent occuper les paroisses des petits canadas pendant quelques années, pour revenir ensuite de ce côté-ci de la frontière.

Alphonse Grégoire s'interrompit un instant avant de révéler:

— Je viens du diocèse de Québec, mais à mon retour, mon évêque a jugé bon de m'expédier dans celui de Montréal.

Comme le prêtre ne paraissait pas enclin à raconter sa vie, Évariste choisit d'orienter la conversation vers les questions politiques. En effet, ses projets au sujet de l'hygiène publique ne se réaliseraient qu'avec l'appui affiché du curé de la paroisse.

Au dessert, tout le monde se déclara enchanté de la glace à la fraise. Sophie précisa:

— Je n'en avais jamais mangé auparavant.

Les religieuses devaient se priver de telles gâteries pour assurer le salut de leur âme. Corinne adressa un sourire compatissant à la couventine, tandis que l'abbé Grégoire s'en voulut pour la vie qu'il lui imposait. Quand Aldée entra avec un plateau chargé d'une lourde théière, la fille de la maison demanda, s'adressant à la fois à sa mère et au curé:

— Pouvons-nous, Sophie et moi, aller dans ma chambre?

Délia consulta le prêtre des yeux, puis accepta:

— Oui, bien sûr.

Alors que les deux jeunes filles quittaient la table en murmurant «merci», Georges fit mine de se lever aussi.

Sa mère l'invita à ne pas bouger. Les conversations entre adolescentes se passaient facilement d'oreilles masculines. À la place, elle suggéra :

— Monsieur le curé, nous sommes quatre, que diriez-vous d'une partie d'euchre ?

Comme la conversation était chaotique, mieux valait s'occuper autrement. Personne ne quittait la maison de ses hôtes en sortant de table.

— Avec plaisir. Ainsi, je serai peut-être en mesure de faire bonne figure lors du prochain tournoi organisé par les dames patronnesses.

Georges se consola en se disant que cela était vrai aussi pour lui. Les jeux de cartes faisaient rage parmi les étudiants universitaires, à en croire ce qu'il entendait sur les loisirs de ceux-ci.

Chapitre 5

Dans sa chambre, Corinne s'affala sur son matelas, puis fit signe à son invitée de la rejoindre. Une fois toutes deux adossées à la tête de lit, elle dit :

— Tu n'as jamais connu ta mère.

Même s'il ne s'agissait pas d'une question, Sophie murmura un « jamais » presque muet.

— J'essaie de m'imaginer dans la même situation. Je ne pourrais pas m'en sortir toute seule.

Elle parlait moins de sa survie physique que d'un insupportable sentiment d'abandon. La grande maison de la rue De Salaberry représentait un refuge, elle y était à l'abri des vicissitudes de ce début de siècle.

— Je n'ai pas choisi mon sort. Mon oncle m'a placée dans une famille canadienne tout le temps que nous sommes restés au Massachusetts. Quand nous sommes arrivés ici, j'étais assez grande pour entrer au pensionnat. Les sœurs se sont bien occupées de moi.

Pour la fille du médecin, le couvent paraissait un environnement très austère, et les religieuses des femmes toutes sèches. Après un long silence, Sophie admit :

— Je sais bien que ce n'est pas une vie de famille. Dans ma situation, il faut apprendre à se contenter de ce que l'on a, plutôt que de s'attrister de ce qui manque.

Les religieuses auraient dit «accepter les voies de Dieu». À dix-sept ans, elle employait des mots de vieux afin de se consoler de sa pauvre existence. Pour rompre la morosité, Corinne proposa :

— Le dernier numéro de l'*Album universel* est arrivé aujourd'hui. Tu veux y jeter un coup d'œil ?

— Je ne connais pas…

— Tu vas voir, ce magazine nous informe de tout ce qu'il y a à savoir sur les nouvelles coiffures, les nouvelles robes…

Tout en donnant ces précisions, l'adolescente se levait pour se rendre à sa petite table de travail. La publication se trouvait en bonne place entre un dictionnaire français-latin et sa grammaire anglaise.

Quand le prêtre s'engagea dans la rue De Salaberry, il offrit son bras à sa nièce. Heureusement, Sophie portait une veste, car la température était devenue fraîche. Après avoir parcouru une centaine de verges, elle osa :

— Vous ne me parlez jamais de maman.

— Que veux-tu que je te dise ? Les femmes meurent souvent pendant un accouchement. Surtout lors du premier.

Il reprenait les mots du médecin. Depuis le début de la soirée, Grégoire ressentait un profond malaise. D'abord cette lettre venue des États-Unis, ensuite toutes ces questions chez les Turgeon.

— Ça, je le sais. Était-elle jolie ?

— Oui, très.

— Pouvez-vous me la décrire ?

Sa voix devint presque joyeuse quand il assura :

— Mieux que cela : regarde-toi dans un miroir. Tu lui ressembles comme une goutte d'eau ressemble à une autre.

— Je suis jolie ?

— Tu en doutes ?

— Comment pourrais-je le savoir ?

Sophie gravit l'escalier du presbytère en silence. En entrant, elle répéta :

— Comment puis-je le savoir ? Enfin, je sais bien que je n'ai pas de verrue sur le nez ni de bosse dans le dos. Mais dans un couvent…

« Aucun garçon ne le lui prouve en lui faisant les yeux doux », termina mentalement le prêtre. À son âge, il s'agissait d'une expérience essentielle.

— Veux-tu t'asseoir un moment ?

Ils s'installèrent dans le salon, chacun occupant un fauteuil. Heureusement, tant le vicaire Chicoine que la ménagère dormaient déjà. Leur conversation n'aurait pas de témoin.

— Ta maman était très jolie. Grande, blonde, des yeux bleus, comme toi.

— Elle était gentille ? Et ne me dites pas "comme toi".

Son rire moqueur le convainquit d'opter pour une réponse plus longue.

— Pourtant, elle était gentille comme toi. Toutefois, dans une version moins attentionnée, moins patiente, moins douce.

Toutes ces caractéristiques rendaient Sophie beaucoup plus vulnérable, faisant d'elle la victime toute désignée d'un garçon indélicat.

— Elle ne ressemblait pas comme moi à une bonne sœur ayant fait vœu d'obéissance, je suppose.

Évidemment, avoir passé les deux tiers de son existence dans un couvent ne développait l'audace de personne. La jeune fille enchaîna :

— Pourquoi avez-vous quitté Québec avec moi, après le décès de ma mère, pour rejoindre une paroisse à Lowell ?

— Tu sais, un curé avec un bébé, cela aurait terriblement fait jaser. Aux États-Unis, au milieu des protestants, personne ne s'intéressait à moi ni à toi.

Même les Canadiens français catholiques avaient suffisamment de sujets d'intérêt là-bas pour détourner les yeux de leur pasteur.

— Je me souviens de madame Richard, souffla Sophie.

Elle avait passé les premières années de sa vie dans la famille Richard.

— Je l'espère bien. Tu es restée chez elle jusqu'à notre départ du Massachusetts.

— J'aimerais la revoir.

L'idée de retourner dans la petite ville américaine ne disait rien à l'ecclésiastique. Déjà, le fait qu'elle ait été mentionnée au souper l'avait mis si mal à l'aise.

— Je ne sais pas si ce sera possible. Tu sais, mon archevêque n'est pas très généreux en matière de congés.

— Cette femme est ce qui a le plus ressemblé à une mère, pour moi.

La tristesse fragilisait sa voix.

— Je verrai ce que je peux faire.

Tout compte fait, peut-être pouvait-on séjourner dans cette ville manufacturière sans risquer de rencontres déplaisantes. Toutefois, sa soutane le singularisait parmi les hommes.

— Maintenant, je vais te souhaiter bonne nuit, je voudrais travailler un peu avant de me coucher.

Sophie se leva, lui retourna son souhait puis monta à l'étage. Jamais l'affection entre eux ne s'exprimait par un geste, une caresse. La soutane représentait un obstacle infranchissable, pour l'une et pour l'autre.

Le curé commença par prendre une bouteille de porto dans une armoire, pour s'en verser un verre. Puis il récupéra la lettre de Tilda dissimulée dans les pages du *Traité de la virginité* écrit par Louis De Rougemont, pour la parcourir lentement, pesant chacun des mots. Ensuite, il chercha une feuille de papier et une enveloppe dans un tiroir de son pupitre. Après un moment d'immobilité, une plume dans la main, il commença :

Chère Clotilde,

Pendant un moment, il songea à recommencer, cette fois en omettant le premier mot, pour y renoncer finalement.

Je suis heureux de savoir que tu t'en tires bien.

La suite lui fut plus difficile.

Tu ne peux pas voir Sophie. Elle est certaine que tu es morte lors de sa naissance. Apprendre qu'il en est autrement la bouleverserait trop.

Voilà ! C'était écrit maintenant. Il fallait s'accrocher, ne jamais déroger à la séparation acceptée dix-sept ans plus tôt. Autrement, tout ce qu'il avait construit jusque-là s'effondrerait.

Très bientôt, dès la semaine suivante en fait, le mois de mai s'achèverait. Même si la température était de plus en plus douce, les heures passées devant la statue de la Vierge dans la cour de l'école prendraient heureusement fin. Et surtout, juin était le dernier mois de l'année scolaire ! Toutefois, il restait à Corinne à accomplir une tâche qui la répugnait. Le jeudi soir, après de multiples hésitations, elle demanda :

— Maman, je peux te parler un instant ?

Posée d'une toute petite voix, la question sous-entendait une suite gardée sous silence, que les deux hommes dans le salon comprirent sans mal : « Pour parler de choses intimes. » Évariste leva les yeux de son journal afin d'observer sa fille. La mésaventure avec Félix avait appris au père que l'enfant n'existait plus. Ses problèmes, dorénavant, seraient ceux d'une femme.

— Bien sûr. Montons.

En quittant la pièce, Délia regarda l'horloge sur le linteau de la cheminée, puis précisa pour son époux :

— Je ne redescendrai pas.

Puis à l'intention de son fils :

— Bonne nuit, Georges. Demain, tu vas à l'école.

C'était sa façon de lui rappeler qu'il était l'heure d'aller au lit.

Quand la mère et la fille furent assises sur le lit de Corinne, la jeune fille resta coite. Enfin, elle balbutia :

— Je ne sais pas par où commencer… Je me sens honteuse.

Pareil aveu de la part d'une adolescente habituellement très sage permit à sa mère de deviner immédiatement que la conversation tournerait autour de « ça ». Pourtant, la suite la prit totalement au dépourvu.

— Demain, je ne veux pas me confesser à l'abbé Chicoine.

— Voyons…

— Dimanche, j'irai juste avant la messe. Avec le curé Grégoire.

Bien sûr, à ce moment-là aussi, le vicaire se chargeait une fois sur deux de donner l'absolution aux paroissiens, mais dans un confessionnal, ce serait un moindre mal : elle ne serait pas à portée de main.

— L'un ou l'autre, quelle différence ?

Aussitôt, Corinne comprit qu'elle s'était trompée de stratégie. Comme il aurait été plus sage de prétexter un malaise physique pour rester à la maison ce jour-là ! Puisque sa mère avait une trop bonne idée du rythme de ses règles, des problèmes de digestion auraient fourni un meilleur prétexte. Avec un père médecin, jouer la maladie n'était pas si simple. Toutefois, un doigt au fond de la gorge, un peu de vomi dans le couloir conduisant à la salle à manger, et elle aurait passé une journée au lit à se faire dorloter.

— L'abbé Chicoine ne me plaît pas.

Devant les sourcils froncés de Délia, elle dut pousser son plaidoyer plus loin.

— Il me gêne.

Ce ne serait pas encore suffisant pour la convaincre. Pourtant, elle ne trouvait pas le courage de dire à haute voix le motif de son inquiétude.

— Change de place avec moi.

Délia hésita d'abord, puis elle obtempéra. L'adolescente ne poussa pas l'aplomb de reproduire exactement la scène du mois précédent, mais elle prit une chaise pour la placer de façon à être à angle droit avec sa mère.

— À l'école, je dois me mettre à genoux sur le sol, tout près de lui, si près que si je ne tenais pas mes mains comme ça, elles seraient sur sa cuisse.

Corinne avait les mains jointes contre sa propre poitrine. Puis elle posa sa paume gauche sur le bras droit de Délia, la fit glisser jusqu'à l'épaule, la glissa sous les cheveux pour caresser la nuque.

— La dernière fois, il a fait ça.

Pendant un moment, la mère plongea ses yeux bleus dans ceux de sa fille, puis elle passa son bras autour de ses épaules pour lui embrasser la joue.

— Peut-être était-ce innocent…

La tristesse assombrit les yeux de l'adolescente.

— Cependant, j'ai tendance à croire en ton instinct. Demain, tu seras malade et ton père téléphonera à la directrice. Je souhaite juste que tu aies la même méfiance à l'égard des beaux parleurs.

Pour la première fois depuis des semaines, et de façon allusive, Délia abordait la question de son engouement pour Félix.

— Je pense que ce sera le cas… si la situation se répète avec un autre.

Délia l'embrassa encore, chuchota «bonne nuit». Quand elle quitta la chambre, son front se marquait d'un pli. L'idée qu'un prêtre soit attiré par une jeune fille lui paraissait vraiment improbable. Toutefois, ne pas respecter la crainte de sa fille aurait ruiné à jamais la confiance entre elles.

L'épouse du médecin regagna sa chambre fort déroutée par les confidences de Corinne. Que des hommes mûrs – souvent bien plus âgés que le vicaire, à qui elle donnait environ vingt-cinq ans – s'intéressent à des gamines à peine pubères, elle le savait. Mais les prêtres devaient être plus vertueux que ce genre de débauchés.

Évariste la trouva assise, une brosse à la main, devant la table portant une demi-douzaine de pots de crème et de poudre. Devant son air songeur, il s'enquit :

— Quelque chose ne va pas ?

— Demain matin, tu téléphoneras toi-même à la directrice du couvent pour lui dire que Corinne est malade. De ta part, elle ne pourra douter.

— Corinne est malade ?

Pourtant, à son œil averti, l'adolescente lui semblait en parfaite santé.

— Non. Toutefois, elle désire à tout prix échapper à la proximité de l'abbé Chicoine.

Une moue crispa les lèvres du médecin. Il posa les fesses au bord du lit pour attendre la suite.

— D'après ses confidences, le vicaire profite de la confession pour s'autoriser des gestes… Enfin, des gestes qui ne me surprendraient pas de la part de Félix. Mais d'un prêtre, oui !

Le visage de son mari s'assombrit.

— Tu crois à ça, de la part d'un homme d'Église ? reprit-elle.

— Sous leur soutane, ils disposent du même équipement que moi, en plus ou moins bon état.

— Mais ils prononcent des vœux.

Cette fois, Évariste lui adressa un sourire ironique.

— Le mariage aussi s'accompagne de vœux.

— Ce qui n'empêche pas certains de les trahir.

— À moins que tu ne penses que cela n'arrive jamais dans notre merveilleuse cité de Douceville.

Ainsi, sans hésiter, son mari prêtait foi au récit de Corinne. Délia sentit la rage l'envahir. Personne n'incarnait mieux l'autorité que ces ecclésiastiques, et leur ascendant sur les jeunes personnes était sans limites.

— C'est au curé que tu devrais téléphoner demain, lança Délia avec colère.

De son côté, si Évariste ne croyait guère à la chasteté des prêtres, que l'intérêt de l'un d'eux se porte sur une fille l'étonnait. Au collège, les garçons confiaient parfois à voix basse les attentions de certains prêtres à leur égard. Le médecin avait cru que cela les caractérisait tous.

— Dans quel but ? Lui dire : "Monsieur le curé, votre vicaire est un cochon" ?

Évidemment, cela ne servirait à rien. S'attaquer à un membre de l'Église ne servait jamais à rien. Délia rangea sa brosse pour aller s'étendre sous les couvertures.

Le lendemain matin, quand Graziella poussa la desserte dans la salle à manger, suivie d'Aldée portant un plateau, Délia les accueillit en les prévenant :

— Ce matin, Corinne ne se joindra pas à nous. Elle n'est pas bien.

— C'tu grave ?

Les yeux de Graziella se portèrent tout naturellement sur le médecin. Dans cette maison, lui seul évaluait la santé des corps.

— Rien de très grave. Vous pourrez lui porter quelque chose à manger tout à l'heure. Comme du café et une tartine.

Ainsi, l'adolescente entendait jouer sérieusement le jeu de l'indisposition, au point de garder le lit. Tandis que les domestiques faisaient le service, Georges demanda :

— Qu'est-ce qu'elle a ?

— Cela relève du secret professionnel, mais je ne doute pas qu'elle descendra à l'heure du dîner.

Corinne profiterait de quelques heures à rêvasser au lit, puis rapidement l'ennui la gagnerait.

Après le repas, le médecin se rendit dans son bureau afin de téléphoner. À cette heure, les élèves externes devaient arriver au couvent. Sœur Saint-Charles-Borromée avait dû confier l'accueil à d'autres, car elle répondit.

— Ma mère, docteur Turgeon à l'appareil. Ce matin, Corinne ne se présentera pas en classe. Vous lui remettrez son bulletin lundi.

Le ton péremptoire surprit la religieuse. Elle n'en avait pas l'habitude dans ses relations avec les laïcs. Compte tenu des confidences de la veille, le praticien ne se sentait pas le cœur à allonger les formules de politesse.

— Pourquoi sera-t-elle absente ?

— Un petit malaise. Rien de trop grave. Juste assez pour lui faire rater une journée d'école.

Les souhaits de bonne journée prirent un instant, puis ils raccrochèrent.

Graziella avait posé deux tranches de pain directement sur la cuisinière à charbon, pour ensuite les beurrer généreusement. Elle ajouta un petit récipient de confiture de fraise, puis signala à Aldée :

— Moé pis les escaliers, ça fait deux. Ça fait que tu vas monter ça à la petite.

La domestique hésita un bref instant. Au cours des dernières semaines, elle avait évité les tête-à-tête avec Corinne. Cette fois, impossible de s'y soustraire. Le plateau dans les mains, elle gravit l'escalier avec précaution, attentive à ne pas renverser le café au lait. À l'étage, elle frappa le bas de la porte du bout du pied.

— Oui ?

— Mademoiselle, je vous apporte à déjeuner.

— Entre.

Peser sur le bec-de-cane sans tout laisser tomber par terre ne fut pas une mince affaire. Dans la chambre, Corinne entassait des oreillers pour adopter la position assise. La bonne posa le plateau sur ses genoux.

— Assieds-toi un instant.

Le malaise d'Aldée s'accrut en flèche. Voilà longtemps qu'elle redoutait cette conversation. Mais la jeune patronne, qui avait un an de moins qu'elle, ne suggérait pas, elle donnait des ordres. Heureusement, la chaise était à plusieurs pieds du lit, l'entretien serait moins intimidant.

— Jusqu'à la fin du mois dernier, j'étais persuadée que tu avais cherché l'attention de Félix. Pas le contraire.

Aldée remua sur sa chaise, de plus en plus gênée.

— Maintenant, je me rends compte que c'est un peu plus compliqué. Parfois…

Corinne s'interrompit, se demandant jusqu'où pousser la candeur.

— Parfois, on souhaite passer inaperçue, et on ne sait pas comment repousser quelqu'un.

Aldée comprenait que sa maîtresse faisait référence à une expérience récente. Pourtant, le jeune Pinsonneault n'avait pas remis les pieds dans la maison depuis plusieurs semaines. Un autre garçon avait-il croisé son chemin ? Le silence s'alourdit dans la pièce, il lui fallait le rompre.

— Je n'ai jamais cherché à attirer son attention.

Au moment de leur première rencontre, c'était la vérité. Ensuite, le charme de Félix avait opéré sur elle.

Un jeune bourgeois jouissait sans doute d'autant d'ascendant sur une domestique qu'un prêtre sur une fille de notable. Corinne hocha la tête, puis changea tout à fait de sujet :

— Tu vois un autre garçon, je pense.

Aldée ne pouvait en aucun cas réclamer qu'on respecte sa vie privée dans cette maison. Dans les qualifications d'une domestique, la bonne moralité pesait plus que toutes les autres.

— Oui. Un menuisier. Il travaille dans la ville depuis peu.

— Tu as de la chance. Moi, je me demande quand cela m'arrivera.

Tout de même, ses seize ans l'empêcheraient d'être traitée de vieille fille avant longtemps. Aldée se leva.

— Mademoiselle, je dois reprendre le travail.

— Oui, bien sûr. Je m'excuse de te retarder ainsi.

Ces mots s'accompagnaient d'une moue boudeuse. Comment pouvait-on préférer les tâches domestiques à sa présence ?

En arrivant au couvent le vendredi matin, Aline s'était inquiétée à haute voix de l'absence de Corinne. La religieuse enseignante lui avait répondu très sèchement :

— Je n'ai pas la garde de mademoiselle Turgeon.

Puis la sœur était passée à la leçon de catéchisme.

À l'heure du dîner, la brunette fut tentée de s'arrêter chez les Turgeon afin de prendre de ses nouvelles. Mais sa mère l'attendait à la maison, elle ne pouvait lui faire faux bond.

L'après-midi commença par un long examen de conscience. La maîtresse agissait un peu comme la bergère auprès de son troupeau de pécheresses, d'abord en conviant les couventines à dire une prière. Toutes les voix se conjuguèrent :

Mon Dieu, donnez-moi les lumières nécessaires pour connaître mes péchés, et la grâce de les détester de tout mon cœur...

Plus de vingt voix chantantes prononcèrent les derniers mots de la prière. Ensuite, les mains jointes devant leur poitrine, la tête penchée vers leur pupitre, elles devaient fouiller leur conscience en attendant l'arrivée du vicaire Chicoine. L'ombre noire apparut bientôt, un sourire satisfait sur les lèvres.

— Mesdemoiselles, j'espère que vous avez bien travaillé au cours des semaines passées. C'est la dernière fois de l'année où nous nous voyons pour une remise de bulletins mensuelle. Notre prochaine rencontre se déroulera dans la salle académique en vue de la célébration de la fin de l'année scolaire. La qualité de votre travail apportera la fierté ou la honte à vos parents.

Le rappel ne servait à rien, toutes les élèves marquaient les jours restants sur leur calendrier.

— Mais auparavant, afin de couronner nos prières du mois de Marie, vous participerez la semaine prochaine à une retraite fermée portant sur la chasteté. Et maintenant, les bulletins.

Une pile de feuillets cartonnés était posée sur le bureau.

— Mademoiselle Bolduc, vous êtes encore la première. Félicitations.

La vie n'apportait cependant pas que le meilleur à cette jeune fille : en plus d'un visage ingrat, ses parents lui avaient laissé le prénom Zénaïde en héritage.

Le prêtre appela les couventines l'une après l'autre ; Aline Tremblay fut la sixième. Quand il eut terminé, il demanda à la maîtresse :

— Il en manque une, n'est-ce pas ? Blonde...

Si le nom de Corinne lui échappait, il se souvenait bien de ses attributs physiques.

— Mademoiselle Turgeon est malade aujourd'hui.

Puis arriva le moment de la confession. En attendant son tour, chacune poursuivit son examen de conscience.

En s'agenouillant près du vicaire, Aline marmonna les paroles habituelles :

— Mon père, je m'accuse…

Elle espérait écourter ce sacrement en débitant très vite la liste convenue de ses fautes. C'était compter sans les intentions du vicaire :

— Plus lentement, ma fille. Dieu ne pardonne pas à toute vitesse.

À ces mots, il posa sa main sur le bras de la couventine, le serra, puis le tira vers l'avant. Malgré sa résistance, les avant-bras d'Aline se posèrent sur la cuisse du confesseur. Puis elle sentit ses doigts serrer sa nuque pour l'obliger à pencher la tête.

— Recommencez.

Tout en récitant sa courte liste, le visage de la jeune fille s'approcha tant du corps du prêtre qu'elle discerna l'excroissance sous la soutane. Quand ce fut fini, elle n'entendit rien des paroles d'absolution, ni de la teneur de sa pénitence. Hébétée, elle retourna en classe.

Il restait un groupe d'élèves à confesser, les plus grandes. Sophie Deslauriers regarda le vicaire prendre sa place habituelle devant la classe. Il posa le regard sur elle, esquissa un sourire ambigu. Ce matin-là, son curé lui avait appris que la magnifique blonde ne lui avouerait pas ses fautes. Elle était la seconde à lui échapper dans la même journée.

Cela expliqua son humeur rageuse avec les autres.

Aline Tremblay avait marché vers la rue Richelieu avec des larmes dans les yeux. Elle grimpa en vitesse l'escalier conduisant à l'appartement de l'étage, puis surgit dans la cuisine. Sa mère y était, de même que ses trois jeunes frères.

— Maman, je voudrais te parler.

La femme ne leva même pas les yeux de ses chaudrons.

— Je t'écoute.

— Pas devant eux.

Le désir de confidentialité attira l'attention de la mère. Les petits drames scolaires habituels ne nécessitaient pas une telle discrétion.

— Là, je dois préparer le repas. Tu sais bin que ton père a pas beaucoup de temps pour manger.

Plus exactement, l'absence de commis obligeait à laisser ouverte la porte donnant sur l'escalier conduisant au commerce, pour lui permettre d'accourir si quelqu'un entrait. Certains jours, madame Tremblay lui descendait son repas pour éviter la perte du moindre client. Devant les yeux désemparés de sa fille, elle ajouta :

— Quand ceux-là seront couchés, nous parlerons.

Cela signifiait dans trois heures, peut-être quatre.

— D'ici là, tu vas m'aider.

Au moins, cette tâche l'empêcherait de trop penser aux événements de la journée.

À dix heures, madame Tremblay rejoignit sa fille dans la chambre de celle-ci. À ce moment de la soirée, les garçons dormaient sans doute, alors que l'époux sirotait tranquillement une bière dans le salon.

— Que voulais-tu me dire ?

La voix contenait une pointe d'impatience, comme si les longues heures de travail accumulées la rendaient peu réceptive aux émois d'une adolescente. Elle tira une chaise près du lit où sa fille était assise.

Le moment venu de se confier, Aline eut du mal à trouver les mots.

— Aujourd'hui, il y avait confession à l'école.

— Comme chaque dernier vendredi du mois, je sais.

L'humeur de sa mère la rendit plus hésitante encore.

— C'est l'abbé Chicoine. Quand j'étais à genoux près de lui, il m'a touchée.

Surprise, madame Tremblay écarquilla les yeux.

— Quelle sorte d'horreur tu me sors là ?

— Ce n'est pas la première fois. Pendant la confession, il touche mon bras, mon cou.

— Je te touche, moi aussi. Même ton père…

— Pas comme ça. Lui, c'est… un cochon.

— Aline, là, tu vas trop loin. Dire des choses pareilles d'un prêtre, c'est sacrilège.

Un peu plus et la commerçante se serait signée comme devant une possédée.

— Puis il m'a serrée. Je dois avoir des marques.

L'adolescente pencha la tête vers l'avant tout en soulevant ses cheveux. À la lumière électrique, la mère crut en effet distinguer une tache bleutée.

— T'as dû faire quelque chose de terrible, pour exciter sa colère.

Après une hésitation, magnanime, elle ajouta :

— Bin, si t'as fait une confession complète, pis que t'as le ferme propos de ne pas recommencer, t'es pardonnée.

Tout en parlant, la femme se creusait la tête afin de savoir quel type de faute pouvait susciter une colère pareille de la part d'un ecclésiastique.

— Il m'a tirée vers lui, au-dessus de ses cuisses, insista Aline. Et j'ai vu qu'il… bandait.

Aussitôt la main de la mère s'envola, leste, pour atteindre la joue d'Aline. La moitié du visage en feu, la fille cria :

— Je l'ai vu sous sa soutane !

L'esprit de la mère s'emballait. D'abord, comment sa fille connaissait-elle cette réaction physique ? L'automne précédent, elle avait bien parlé de Jules, le fils du juge Nantel, puis de Georges Turgeon depuis quelques semaines. Jamais elle ne s'était imaginée qu'il se passait « quelque chose » entre elle et ces garçons.

— Là, tu vas te taire, parce que si jamais Dieu vient te chercher cette nuit, t'iras drette en enfer.

Dans les moments de grande émotion, le langage de madame Tremblay perdait totalement son petit vernis bien imparfait de parvenue pour retrouver les accents de son enfance.

— Et demain, je te conduirai à l'église, pour te confesser une aut' fois. Pis si le curé est pas là, on ira au presbytère.

— Je l'ai vu !

La commerçante leva la main, menaçante, pour imposer le silence à son enfant. Aline avait envie de crier de douleur devant cette trahison. Désormais, elle savait qu'elle avait une mauvaise mère.

Chapitre 6

Toute la nuit, Aline Tremblay s'était répandue en larmes dans la solitude de son lit. Heureusement, en tant que seule fille de la famille, elle bénéficiait du privilège de ne pas devoir partager sa chambre.

Au matin, les paupières enflées, les yeux rougis, elle se présenta pour le déjeuner avec un visage lamentable.

— Bin là, la p'tite, t'aurais perdu un pain d'ta fournée pis t'aurais pas l'air plus misérable, commenta son père avec un gentil sourire.

Il aurait pu dire « un chien de ta chienne », ou utiliser toute autre expression issue de la sagesse populaire. La mère allait de la cuisinière à la table pour apporter du pain, des œufs, du beurre. Au passage, elle lâcha :

— T'sé, les affaires de femmes…

L'allusion à ces questions gênait toujours Rosaire. Il orienta la conversation sur les ventes de la veille et celles de la journée à venir. En quittant la table, il proposa à sa fille :

— Tu descends ? Le samedi, c'est toujours une bonne journée.

Ce jour-là, Aline venait souvent l'aider.

— Non, intervint l'épouse. À matin, on a queque chose à faire toués deux. A te r'joindra plus tard.

Le visage du père exprima sa surprise, puis il présuma que l'activité prévue tombait sous la désignation générale et imprécise des « affaires de femmes ». À peine fut-il descendu dans son commerce que la mère ordonna :

— Maintenant, mets ton chapeau, pis suis-moi.

Comme Aline ne bougeait pas, elle expliqua :

— Là, tu viens à confesse.

— J'me suis confessée hier.

— Même si t'as fait une confession complète, après c'que tu m'as dit hier, t'es partie drette vers l'enfer.

L'adolescente voulut protester, puis préféra se soumettre plutôt que de tenter de discuter.

Comme la religion était au cœur de la vie des Canadiens français, ils pouvaient compter sur un service dévoué de la part de leurs pasteurs. Si le curé acceptait de se mettre une heure ou deux à la disposition de ses ouailles chaque après-midi, le vicaire faisait la même chose dans la matinée. Le samedi, la veille du jour du Seigneur, de nombreuses personnes souhaitaient se confesser.

En conséquence, Aline dut faire la queue. Assise sur un banc, sa mère la surveillait afin d'être certaine qu'elle ne tourne pas les talons. En s'agenouillant sur le prie-Dieu, la couventine tira le rideau pour échapper au regard maternel. Mais à l'ouverture du guichet, tout son corps se raidit. La silhouette de Chicoine se reconnaissait aisément. Son silence dura si longtemps que l'ecclésiastique lança :

— Vous êtes là pour vous confesser.

— Pardonnez-moi, mon père…

La jeune fille tâchait de modifier sa voix pour éviter de dévoiler son identité. Elle indiqua que sa dernière confession remontait à un mois, afin qu'il ne fasse pas le lien avec sa visite de la veille, au couvent. Pourtant, le prêtre se doutait de quelque chose car il demanda :

— Vous allez à l'école ?

— Non, je suis vendeuse.

D'instinct, elle mentait en demeurant proche de la réalité. D'ailleurs, dans son énumération de fautes partagées par toute la population de son âge et de son sexe, Aline eut la précaution de faire allusion à sa colère contre certains clients, à sa jalousie à l'égard des plus riches. Quand elle s'arrêta, il la relança :

— Vous n'avez pas de cavalier ? Pas de petits jeux honteux ?

— Oh ! Non, mon père.

Si le vicaire était sceptique, il n'insista pas. Trois *Je vous salue Marie* représentaient une pénitence banale. Pourtant, en allant rejoindre sa mère, l'adolescente parla de trois chapelets. Mieux valait mentionner une punition plus sérieuse, sinon la commerçante douterait de l'honnêteté de la confession de sa fille. À la prétention sacrilège qu'un homme de Dieu puisse éprouver des désirs libidineux, on ne pouvait répondre par un châtiment trop clément.

— Bin, tu les diras demain, là tu vas aller aider ton père.

L'idée de passer le reste de la journée au magasin, hors de la vue de sa mère, rasséréna Aline.

Le lundi suivant, en arrivant au couvent, Corinne trouva Aline sur le trottoir, plus maussade que lors de ses pires jours du mois.

— Vendredi dernier, tu n'es pas venue.

Il s'agissait d'une accusation, la jeune fille le comprit aussitôt.

— Je ne me sentais pas bien. Papa a téléphoné pour dire que je manquerais la journée.

Cette fois, Aline se sentit en colère contre elle-même. L'idée ne lui était même pas venue de feindre la maladie pour éviter la confession. Elle aussi connaissait le truc du doigt enfoncé au fond de la gorge. Cependant, son père ne se serait pas empressé de contacter la mère supérieure pour l'excuser, parce qu'il n'appartenait pas au même monde que le docteur Turgeon. Les membres de l'Église, même les religieuses, l'impressionnaient beaucoup trop.

Corinne remarquait le malaise de son amie.

— Il s'est passé quelque chose ?

— Que veux-tu qu'il se passe un jour de remise des bulletins ? J'ai reçu le mien.

Tout en bavardant, elles étaient entrées dans le couvent pour gagner la salle académique plutôt que les classes. Ce matin commençait la retraite fermée, le point culminant du mois de Marie. Pendant deux jours, on leur chanterait les bienfaits de la chasteté, du don à Dieu, avec l'espoir de susciter des vocations religieuses. Pour la majorité des élèves de la classe des deux jeunes filles, la scolarité se terminerait dans moins d'un mois. Ces deux jours apporteraient le moment de vérité, celui de l'appel de Dieu, ou du choix du mariage.

— C'était aussi le jour de la confession. S'est-il passé quelque chose ? répéta Corinne.

Aline se troubla vraiment. Elle détourna vivement la tête pour murmurer :

— J'ai débité ma liste de péchés, comme toutes les autres fois.

Résolue à échapper à une autre question, elle se découvrit un désir impérieux de parler à une autre élève et s'écarta. Corinne tenta de la rejoindre afin de connaître la cause de son désarroi. Une voix venue de la scène, au bout de la salle, l'arrêta :

— Mesdemoiselles, même une journée comme aujourd'hui, vous ne pouvez contrôler vos babillages !

Sœur Saint-Charles-Borromée était flanquée de deux prêtres. Curieusement, deux hommes parleraient de chasteté à des jeunes filles. Heureusement, le vicaire Chicoine ne comptait pas parmi eux. Ceux-là venaient du collège pour garçons voisin. On les avait choisis vieux et perclus, afin de ne perturber aucune âme adolescente. Des écolières de dix ans entendraient des vieillards proches de leur fin aligner des citations des pères de l'Église pendant deux jours.

Évariste Turgeon siégeait au conseil de ville depuis près de quatre mois. Il s'était présenté à l'élection en février avec l'espoir d'améliorer les conditions de vie de ses concitoyens. À titre de président du comité municipal d'hygiène, il lui revenait de présenter aux autres élus des projets susceptibles d'atteindre ce but.

— Actuellement, les maisons de quelques rues autour du centre de la ville sont dotées de l'eau courante. Il conviendrait d'en doubler le nombre au cours de la prochaine année.

Les réunions se tenaient dans la salle du conseil de ville. Les élus occupaient des chaises distribuées autour d'une longue table de façon à faire face à l'assistance, deux douzaines de personnes. Parmi ces gens, trois épouses accompagnaient leur mari. Privées du droit de vote, les femmes ne se passionnaient guère pour la politique.

— Ouais, pis combien ça coûtera ? grogna le maire Pinsonneault.

— L'évaluation n'est pas encore terminée.

Le médecin cita quelques chiffres, s'inspirant de travaux du même genre effectués dans d'autres municipalités. Un échange de lettres avait suffi pour les connaître.

— Bin, moé, avant d'entreprendre des travaux, j'veux savoir combien ça coûte. C'est comme ça qu'ça marche, dans l'commerce.

Le premier magistrat utilisait toujours cet argument pour justifier ses décisions. Marchand prospère, il entendait appliquer ses propres méthodes à l'administration municipale.

— Ici, on parle de l'intérêt de la communauté, pas de celle d'un individu. Il faut aussi estimer combien il en coûte de refuser une dépense.

— Économiser une piasse, c'est gagner une piasse.

Maintenant que Turgeon connaissait mieux ses dossiers, les réunions tournaient souvent en dialogues de sourds. Le directeur de la Banque de Montréal siégeait aussi au conseil. Visiblement agacé par la tournure de la discussion, il demanda :

— Pouvez-vous illustrer le coût d'une dépense que l'on refuse de faire ?

— Tout le monde sait que des maladies comme le choléra se développent à cause d'une eau impropre à la consommation. Le premier coût, ce sont les enfants que l'on enterre. Si vous faites le tour des maisons de la ville, vous verrez la différence entre celles qui ont l'eau courante et les autres.

Un murmure parcourut l'assistance.

— Tout le monde a d'l'eau, à Douceville, intervint Pinsonneault.

— Achetée à des vendeurs peu scrupuleux, ou tirée de puits creusés à trois pieds de la bécosse.

Pendant quelques minutes encore, le médecin entretint ses collègues de nappe phréatique et de vente d'eau prélevée dans la rivière, tout près du lieu où se déversaient les égouts.

— Les bébés qui meurent, c'est d'la *bad luck*.

— Qui frappe toujours les mêmes, intervint Turgeon.

Tout le monde connaissait au moins de vue ses deux enfants en bonne santé.

— Je vous laisse mesurer le prix de toutes ces morts. Dites-moi si en sauver juste le tiers ne vaudrait pas le coût de l'aqueduc, conclut-il.

— D'un point de vue que comprendra monsieur le maire, renchérit le banquier, les investisseurs hésitent à venir dans une ville aux services déficients.

— J'ai amené la Willcox & Gibbs icitte.

Le maire entendait se bâtir une carrière interminable sur ce bon coup, oubliant l'implication de son prédécesseur dans le projet.

Peu après, la réunion prit fin. En partant, quelques échevins saluèrent le docteur avec une mine désolée. Pinsonneault ramassa ses documents sur la table, puis sortit en lâchant :

— Turgeon, tu nous montreras tes calculs la prochaine fois.

Le médecin resta seul avec le secrétaire de la municipalité, un jeune avocat du nom de Xavier Marcil. Les yeux baissés sur le grand livre des délibérations, le jeune homme critiqua l'élu :

— Il parle fort et heurte la sensibilité des gens. Cela ne le rend ni plus aimable ni plus compétent pour autant.

Répétées, ces paroles lui vaudraient son renvoi. Évariste le remercia d'un sourire, puis proposa :

— Si vous le voulez, nous pourrions rentrer ensemble.

— Le temps de ranger cela.

Une armoire verrouillée dans l'antichambre du bureau du maire permettait de mettre les documents officiels à l'abri des curieux. Le médecin attendit le jeune homme dans l'entrée du vaste édifice. Après quelques pas, il lui confia :

— C'est le maire lui-même qui est venu me demander de me présenter aux élections. Il m'a invité chez lui à souper, je l'ai invité à mon tour. À le voir s'opposer à tout ce que je propose, je me demande bien pourquoi.

— Pour lui permettre de poser comme un libéral. De dire "Y a le docteur su' l'comité d'hygiène qui s'occupe de ça", quand quelqu'un s'inquiète de la qualité de l'eau ou de la viande, ou des odeurs.

Le printemps révélait tous les détritus accumulés dans les arrière-cours. Avec le soleil de l'été, la puanteur se répandrait dans les environs. Les réclamations de mesures énergiques prendraient fin avec le retour de l'automne.

— Et le reste du temps, il me met des bâtons dans les roues.

Bientôt, ils arrivèrent devant une modeste maison au parement de bois. L'avocat habitait là. Évariste eut envie de s'informer de son état de santé, et de la raison pour laquelle il n'était pas venu au cabinet lors de son dernier rendez-vous. Puis il se résolut à ne pas faire de consultation sur un bout de trottoir.

— Nous nous reverrons lundi prochain, monsieur Marcil.

Il tendit la main, le jeune homme la prit.

— Si Son Honneur ne change pas de secrétaire d'ici là. Demain, quelqu'un lui dira que nous avons marché ensemble. Bonne nuit, docteur.

D'abord, le médecin s'inquiéta du pessimisme du commentaire. De telles pensées n'aideraient pas ce patient insomniaque à dormir. Puis il songea que Pinsonneault pouvait réellement en vouloir à l'employé municipal d'avoir fraternisé avec l'échevin devenu une nuisance à la table du conseil.

— Bin, j'suppose que tu t'en vas à l'église.

Graziella adressait à Aldée son sourire à demi édenté. Les visites à l'église avaient servi de prétexte à ses fréquentations avec Félix Pinsonneault tout au long de l'hiver. Depuis ce temps, la cuisinière ne manquait jamais de le lui rappeler chaque mercredi.

— Pas à l'église, mais juste en face. Je serai dans le parc. Alors, si jamais vous voulez vérifier, libre à vous.

— Voyons, vouère si je f'rais ça, espionner des jeunesses.

Le ton goguenard indiquait que ce genre d'indélicatesse ne la rebuterait pas tant que ça.

— Y va t'trouver à son goût, assura-t-elle en changeant de sujet.

— C'est mademoiselle qu'il trouverait à son goût. Moi, je la remplis à moitié.

De nouveau, Aldée avait reçu une robe de Corinne, avec d'autres vêtements. Même des chaussures. Dans ce cas, sa jeune patronne ne pouvait pas plaider une prise de poids récente. Il s'agissait de charité pure et simple.

— Bon, tu r'commences. Du beau linge, c'est du beau linge, qu'y vienne de n'importe où. Pis t'aimerais-tu mieux qu'une autre que mam'zelle Corinne l'aye porté ?

Graziella jugeait cet orgueil totalement déplacé. Au lieu de poursuivre cette discussion, Aldée la salua :

— Maintenant, c'est vrai, j'y vais.

Elle gagna la rue avec plaisir. On était le 30 mai, la chaleur était enfin revenue après des mois de froid. Comme

Aldée n'avait pas pris de chapeau, ni même de foulard, elle n'aurait pas pu entrer à l'église. Toutefois, depuis sa place dans le parc, la vue du temple était imprenable.

Aldée reconnut sur le parvis ses vieilles compagnes de prières de l'hiver précédent, ces grenouilles de bénitier désireuses de fréquenter le confessionnal plusieurs jours dans la semaine. Deux d'entre elles vinrent s'installer sur un banc voisin. L'âge les avait vraisemblablement rendues un peu sourdes, car la domestique entendit distinctement :

— Bin, v'là la blonde. Y a pas à dire, c'est pus une enfant.

Sur le trottoir, Sophie Deslauriers passait sous leurs yeux. Elle gravit l'escalier conduisant à la porte du presbytère, y entra.

— Non. C't'une belle p'tite femme. J'y ai demandé son âge.

— À la fille ?

— Non, au curé. J'y ai dit : "Vous avez d'la belle visite, hein. Comment ça se fait qu'a va encore à l'école ? A doit bin avoir vingt ans."

La vieille savait soutirer des informations : dire le faux pour connaître le vrai.

— Bin, a l'a dix-sept ans.

— À c't'âge-là, moé, j'étais mariée.

— Celle-là d'vrait être une sœur. Là, est pas à sa place.

À leurs yeux, la vocation religieuse allait de soi pour une personne vivant au presbytère.

— En tout cas, qu'a soye là fait jaser.

— Ouais, ça fait jaser.

Et ces deux commères participaient certainement à de nombreuses conversations murmurées. Quelques minutes plus tard, la jeune couventine réapparut sur le perron du presbytère, cette fois avec l'abbé Grégoire.

— Pis v'là qu'y se montre avec elle. J'me d'mande si l'évêque sait ça.

À ce moment, un bruit attira l'attention d'Aldée. Jean-Baptiste Vallières se tenait près de son banc, ses vêtements de travail sur le dos. Il arrivait directement de l'usine de la compagnie Willcox & Gibbs. D'ailleurs, la comparaison entre sa tenue de tous les jours et les vêtements élégants de la domestique le mit mal à l'aise.

— J'aurais dû passer chez moi pour me changer.

— Ou moi, garder mon uniforme de bonne.

Le sujet revenait entre eux pour la troisième fois, et ce ne serait pas la dernière. Il préférait la voir à son avantage, et ne pas retarder leur rencontre par un détour chez lui. Tout en parlant, il lui avait offert son bras, elle se leva pour le prendre. Leur promenade les conduisait invariablement au bord de la rivière Richelieu. En passant devant les hangars du Club nautique, Aldée s'inquiétait. S'il apprenait l'étendue de ses privautés antérieures, comment réagirait-il ?

Depuis le vendredi précédent, Aline Tremblay présentait sans cesse un visage triste. Quand, la veille, Corinne lui avait demandé la raison de cette mauvaise humeur, elle avait répondu avec une certaine impatience dans la voix : « Je n'ai rien. Je suis fatiguée de l'école, sans doute. » En passant devant la demeure de la rue De Salaberry, elle avait ignoré l'invitation à entrer.

Aussi, le mercredi, quand la fille du médecin la convia de nouveau, la réponse négative ne la surprit guère.

— Et toi, Sophie ?

La nièce du curé Grégoire effectuait volontiers le trajet avec les deux autres, et une fois sur deux, elle se montrait disposée à accepter. Pendant cet échange, Aline avait continué son chemin. Le «à demain» des deux autres ne reçut pas de réponse. En pénétrant dans la maison, la visiteuse remarqua :

— Je me sens mal à l'aise. C'est à cause de moi qu'Aline prend la fuite comme ça.

— Non, je ne pense pas.

— Auparavant, vous étiez les meilleures amies, n'est-ce pas ? Enfin, je vous voyais si souvent ensemble, à l'école.

Corinne s'émut que Sophie utilise le passé. Depuis près de dix ans, Aline et elle se fréquentaient assidûment, mais les choses avaient changé récemment. L'éloignement de sa camarade correspondait en effet à la présence de Sophie.

— J'espère que ce n'est pas de la jalousie. Je ne le crois pas, elle m'invitait déjà beaucoup moins souvent à aller chez elle.

En toute honnêteté, l'adolescente devait aussi admettre que depuis le Mardi gras, elle avait été encline à repousser l'invitation en prétextant : «Chez moi, c'est sur notre chemin à toutes les deux.» Les dix minutes de marche supplémentaires représentaient un piètre argument. Aussi, elle continua :

— Tu sais, sa mère descend souvent au commerce pour aider son père, à ce temps-ci de l'année. Il semble que les mariages prévus en été favorisent la vente de meubles. Comme Aline a trois jeunes frères, il lui faut participer aux travaux domestiques.

Sans être fausse, l'affirmation n'expliquait pas tout.

— Aimerais-tu du thé ?

Sans attendre de réponse, Corinne enchaîna :

— Comme c'est l'après-midi de congé d'Aldée, nous irons dans la cuisine.

Graziella aussi devait se reposer ce jour-là, mais elles la trouvèrent néanmoins occupée à la préparation du repas. Elle n'avait pas mieux à faire.

— Bonjour, commença la jeune fille de la maison, je vais nous préparer du thé.

— Ah! Les p'tites demoiselles. L'école est déjà finie?

— Comme tous les jours à la même heure.

Corinne prit une bouilloire sur une tablette, la remplit d'eau pour la poser sur la cuisinière à charbon.

— Est-ce que je peux aider? proposa Sophie, intimidée.

— Tu le croiras p't'êt' pas, mais a sait faire bouillir de l'eau, s'amusa la cuisinière.

Spontanément, elle tutoyait la jeune fille de la maison et ses amies. Dans ce cas, l'âge l'emportait sur les appartenances sociales.

— Graziella, ne vous moquez pas de moi, sinon je viendrai me mettre dans vos jambes tous les jours de l'été afin d'apprendre.

La menace eut l'effet escompté et la vieille femme abandonna ses moqueries. Surtout, elle n'avait pas eu l'occasion de satisfaire sa curiosité lors de la visite du curé et de sa nièce; les besoins du service à table l'avaient empêchée d'écouter attentivement les conversations.

— Toi, t'es une p'tite Deslauriers. C'est pas un nom de par icitte.

— C'est presque celui du premier ministre.

— Ouais, des lauriers, lui y en a juste un, pis toé, t'en as plusieurs. Ça vient-tu du bout de Québec?

Cette curiosité franchement affichée gêna Sophie plus que de raison.

— Je ne sais pas trop. Il y a dix ans, je suis venue des États-Unis. Dans la région de Lowell, il n'y en avait pas d'autre.

Corinne constata l'embarras de son amie, alors elle tenta de lui venir en aide en changeant de sujet.

— Tu mangerais des biscuits?

Déjà, elle ouvrait une armoire afin de prendre une boîte portant le nom Viau en grosses lettres rouges.

— Si toi, tu en prends.

— Moi, je continue mon carême, mais toi, tu n'as pas besoin de te priver.

Machinalement, la visiteuse baissa les yeux sur sa poitrine. En effet, quelques livres de plus, harmonieusement réparties, ne gâcheraient rien. À ce moment, un bruit résonna dans l'entrée.

— Tu ne seras pas seule à en déguster, voilà mon frère qui revient de l'école.

Chaque après-midi, Corinne se demandait s'il ne serait pas flanqué de Félix. Dans ce cas, elle ignorait quelle contenance elle adopterait. Georges se rendit directement dans la cuisine.

— Les maudites versions latines… se plaignit-il.

Puis, apercevant la visiteuse, il se reprit :

— Oh ! Excusez-moi, je ne savais pas que vous étiez là.

— Tu as droit à des égards, railla Corinne. Quand il y a quelqu'un, il fait attention à sa façon de s'exprimer. Quand je suis la seule dans une pièce, pour lui, c'est comme s'il n'y avait personne.

La remontrance gêna son frère.

— C'est une mauvaise habitude. Tu sais, quand on passe la journée entre garçons…

L'allusion à l'effet civilisateur de la gent féminine tira un sourire à Sophie. Pour elle, les gens de l'autre sexe demeuraient entourés de mystère. Parmi eux, seuls les porteurs de soutane lui étaient familiers.

— L'eau doit être assez chaude, décida Georges en prenant la bouilloire pour en verser le contenu dans la théière.

— Seigneur, murmura Graziella en levant les yeux vers le plafond, la fin du monde doit être proche.

Décidément, toutes paraissaient disposées à ridiculiser les efforts du jeune homme pour bien paraître. Corinne lui donna le coup de grâce :

— Il faut verser l'eau sur le thé, pas mettre le thé dans l'eau.

— Bon, alors je vais laisser faire les expertes.

En quittant la pièce, il croisa le regard de Sophie. Elle lui adressa un sourire désolé. Tout de même, obtenir sa sympathie valait mieux que rien. Il croisa sa mère qui entrait dans la cuisine. Délia commença par saluer la visiteuse, puis s'enquit :

— Vas-tu souper avec nous ?

— Mon oncle s'inquiétera peut-être.

— Évariste est à l'hôpital aujourd'hui, tu peux utiliser le téléphone dans son bureau pour le prévenir. Corinne va te montrer.

Auparavant, la fille de la maison termina la préparation du thé. Elle la laisserait en passant dans le salon, avec les biscuits. Pendant ce temps, la bourgeoise mettait un tablier en avouant :

— Graziella, je suis confuse de vous laisser tout faire, le jour de votre congé.

— Bin, ce s'ra à charge de revanche.

Délia resta muette. Évidemment, si l'un de ces jours, la cuisinière souhaitait aller voir une cousine à l'autre bout du Québec, ou se livrer à une autre expédition de même nature, en toute justice il faudrait lui accorder un congé et lui payer le billet de train en plus.

Quand Aline Tremblay entra dans l'appartement familial, ses petits frères étaient déjà là. Après avoir échangé quelques mots avec eux, elle se présenta dans la cuisine d'un pas hésitant. Au cours des derniers jours, la communication entre la mère et la fille avait été difficile. Les mots échangés ne tomberaient jamais dans l'oubli, le manque de confiance non plus.

— Tu t'es pas arrêtée chez les Turgeon ?

— Non, ça ne me disait rien.

— C'est pas plus mal. Chus pas sûre qu'y z'ont pas une mauvaise influence su toé.

Pour ce qu'elle connaissait d'eux, ces gens lui paraissaient trop indulgents, sans compter leur prétention de tout savoir mieux que les autres. Voilà que le docteur souhaitait augmenter les taxes municipales afin de développer le réseau d'aqueduc. Puisque les commerçants de la rue Richelieu profitaient déjà de cet équipement, ce n'était pas une raison pour dépenser les profits de leur boutique pour étendre le service aux autres quartiers.

— Pis ces gens là sont pas de not' monde.

Après tout, les professionnels regardaient les marchands de haut.

— Je vais enlever ça.

Aline parlait de son uniforme. Tout en retirant son tablier, la mère ordonna :

— Occupe-toi de la suite, j'vas aider ton père.

Corinne avait vu juste : à ce moment de l'année, Rosaire Tremblay avait besoin d'être épaulé, que ce soit par sa femme ou sa fille.

Chapitre 7

En pénétrant dans le bureau du médecin, le visage de Sophie rosit. Le souvenir des mains sur son ventre l'intimidait. Elle obtint sans mal la communication avec le presbytère. Son oncle n'était pas là, mais Cédalie lui ferait le message, sans faute.

— Pensez-vous qu'il me dirait oui ?

— Bin sûr, la p'tite. Voir un peu de monde de ton âge, ça te fera du bien.

Même la domestique s'inquiétait de la pauvreté de sa vie sociale. Quand Sophie raccrocha, Corinne abandonna sa contemplation des livres de son père, rangés dans un meuble à porte vitrée fermé à clé. Pour faire l'objet de précautions pareilles, ces ouvrages devaient contenir de nombreux secrets sur le fonctionnement du corps humain. Tout en y songeant, elle proposa à sa camarade :

— Maintenant, allons rejoindre Georges. Tu as de la chance, je ne l'ai jamais vu montrer tant d'attention à quelqu'un.

Voilà qui n'enlèverait pas le rose aux joues de son invitée.

Sophie Deslauriers ne connaissait rien à la vie d'une famille. Voir vivre les Turgeon la rendit mélancolique. Ses hôtes firent leur possible pour l'intégrer à la conversation. Ses réponses se limitaient souvent à un seul mot, accompagné de sourires empreints de tellement de gentillesse que personne ne lui en tenait rigueur.

Un peu après sept heures, Corinne demanda :

— Pouvons-nous aller dans ma chambre ?

Les parents voulurent bien les excuser. Une fois en haut, elle remarqua :

— Décidément, Georges finira par se transformer en statue de sel devant toi.

— Tu dis ça pour me taquiner.

L'adolescente laissait toujours traîner des vêtements sur le plancher ou sur le lit. Sophie prit une camisole décorée de petits oiseaux bleus, la caressa du bout des doigts.

— Je ne possède rien d'aussi joli.

Son amie voulut dire « Voyons, tu plaisantes », puis se retint juste à temps. Au couvent, elle devait s'affubler de sous-vêtements de religieuse. Elle ne savait pas à quoi cela ressemblait, sans doute des pièces de tissu raides et grisâtres.

— À part les uniformes scolaires, je possède une seule robe, pour aller à la messe.

Dans les circonstances, Corinne devait-elle lui présenter ses condoléances ? À la place, elle choisit d'alimenter l'envie de son amie.

— Mes parents sont assez généreux. Regarde.

Elle ouvrit la porte de sa penderie pour lui montrer toute sa richesse vestimentaire. Elle jeta quatre robes sur son lit.

— Je t'en prêterais bien une, mais elle arriverait à ça de tes chevilles.

Entre ses mains, la jeune fille montrait une longueur de six pouces au moins, peut-être plus. Pour des filles de leur âge, ce ne serait pas trop court, mais quand on voulait se faire passer pour une adulte, il fallait ne rien montrer de ses chevilles.

— Oh! Je ne disais pas cela pour que tu m'en prêtes une. Je ne saurais même pas où la porter.

Les Turgeon recevaient régulièrement ou allaient manger ailleurs. Cela fournissait à leur fille quelques occasions de se faire belle. Les chiffons occupèrent les couventines une quarantaine de minutes, puis Sophie déclara:

— Il doit être tard. Mon oncle va s'inquiéter.

Il était passé huit heures, alors Corinne ne fit rien pour la retenir. La visiteuse alla dans l'entrée du salon pour remercier ses hôtes. Georges leva la tête de son livre pour proposer:

— Je vais te raccompagner, si tu veux.

— Non, ce ne sera pas nécessaire, c'est tout près.

— Il est tard, ce serait plus prudent.

Déjà, il quittait le canapé. Évariste posa les yeux sur sa femme, un sourire amusé aux lèvres. Après avoir conduit son amie à la porte, Corinne revint, franchement hilare.

— Mon frère veut devenir le protecteur de toutes les filles de la ville. Depuis des mois, il fait la même chose avec Aline.

— Ce n'est pas une mauvaise façon de se rendre aimable, observa Délia.

En s'asseyant, Corinne esquissa une grimace. À cause de son attitude quelques semaines plus tôt, lors de cette histoire impliquant Félix, elle avait bien du mal à trouver le moindre charme à son frangin.

Dehors, Sophie croisa les bras sur sa poitrine pour se protéger de la fraîcheur de l'air. Bien qu'il soit en laine, l'uniforme des élèves de la Congrégation de Notre-Dame ne suffisait pas à la tenir au chaud, même en cet avant-dernier jour de mai.

— Cette année, tu finis l'école, n'est-ce pas?

Leur scolarité faisait l'objet habituel des conversations entre personnes de cet âge. Sur tout autre sujet, aucun n'aurait su s'exprimer bien longtemps.

— Oui. Et même cette année, j'ai l'impression de perdre mon temps.

— Que veux-tu dire ?

— Comme je passais mes étés au pensionnat, les sœurs m'occupaient en me proposant de prendre de l'avance sur le programme.

L'usage de l'imparfait indiquait qu'à ses yeux, cette période de sa vie tirait à sa fin.

— Que comptes-tu faire, ensuite ?

— Je ne sais pas.

Le sujet ne cessait de la préoccuper. À moins de se faire religieuse, elle ne pourrait pas rester au couvent. Quant à se blottir au presbytère pour les années à venir, ce n'était pas envisageable. Les jeunes filles passaient du logis de leur père à celui de leur époux, d'habitude. Aucune ne se réfugiait chez le curé dans l'attente du bon parti.

Déjà, le couple s'attardait devant le bâtiment situé à côté de l'église.

— Je te remercie de m'avoir accompagnée, dit-elle à Georges en se tournant vers lui.

— C'est tout naturel.

Il y eut un moment de gêne, puis elle murmura :

— Bonne nuit.

Il lui retourna son souhait, puis la regarda gravir les quelques marches jusqu'à la porte. À l'étage, quelqu'un écartait le rideau pour les observer.

La jolie couventine rejoignit son oncle dans le salon. Elle craignit un instant de se faire reprocher son absence au souper, mais très vite, il la rassura :

— Je suis heureux que tu fréquentes les Turgeon. Ils m'ont fait une parfaite impression, lors du souper.

— Je me sens tellement gourde en leur présence.

— Voyons…

La conversation se poursuivit pendant quelques minutes sur ses craintes, bien exagérées, de ne pas savoir bien se tenir en société. Ensuite, elle se rendit à l'étage. Avant d'aller se coucher, elle s'approcha silencieusement de la salle de bain, fixant le plancher pour discerner un éventuel rai de lumière sous la porte. Elle frappa légèrement, pour s'assurer que la pièce était libre. Cette prudence était la conséquence du voisinage de l'abbé Chicoine.

Quelques minutes plus tard, elle revint dans sa chambre, referma soigneusement derrière elle. Elle ôta ses vêtements dans la plus totale obscurité, puis se glissa sous les couvertures.

Jamais Sophie Deslauriers n'aurait pu expliquer rationnellement la raison de toutes ces précautions. Son instinct, sans doute. Car le vicaire collait son oreille contre le bois de la porte de sa propre chambre pour suivre chacun de ses mouvements. Puis, au bout de longues minutes, il sortait dans le couloir et s'installait près de sa chambre à elle, pour écouter les bruits. Dans le silence de la nuit, il croyait entendre sa respiration.

Siméon Nantel, juge à la cour municipale, habitait une grande demeure à la façade en pierre dans la rue Saint-Georges. En cet après-midi de juin, il décidait du sort de certains de ses semblables au palais de justice situé à deux pâtés de maisons.

Pendant ce temps, son épouse tenait une cour d'une autre sorte. Des femmes de notables étaient installées sur le canapé et les fauteuils du salon. Comme les places manquaient, des chaises avaient été apportées de la salle à manger. Chacune de ces dames tenait une soucoupe dans une main, une tasse dans l'autre. Délia Turgeon huma la boisson chaude. Tout de même, elle devait accorder une qualité à madame Nantel : elle servait un thé de meilleure qualité que ceux vendus dans les divers magasins de Douceville.

Leur hôtesse passait de l'une à l'autre avec une assiette chargée de gâteaux. Condescendre à faire le service elle-même témoignait de son humilité. Évidemment, quand des voisines l'appelaient par son prénom, Floranette, cela rognait un brin son piédestal. La femme du médecin ne s'en privait pas :

— Non merci, Floranette. Je me contenterai de cette excellente boisson.

À son arrivée dans la ville, la pauvre s'était présentée comme Flora, mais de vieilles compagnes de couvent avaient éventé son secret. Madame la juge – c'était de loin la désignation qu'elle préférait – regagna son siège, puis annonça :

— Mesdames, je vous ai demandé de venir ici afin de parler du prochain thé dansant qui aura lieu au Club nautique. Ce sera une occasion idéale pour souligner la fin de l'année scolaire de nos enfants.

L'idée avait été lancée quelques semaines plus tôt, lors d'une soirée de bienfaisance au bénéfice de l'hôpital. Depuis, elle avait fait son chemin.

— Chaque fois, des gens jasent dans la ville, souleva une des invitées.

Dans ce contexte, jaser signifiait réprouver.

— Certainement des personnes qui savent qu'elles ne seront pas invitées.

Floranette avait probablement raison. La fois précédente, cette activité avait réuni les enfants des dames patronnesses, des mères jouissant de suffisamment de loisirs pour passer des après-midis à boire du thé, à organiser des bazars et des compétitions d'euchre pour amasser des fonds. Si personne ne demandait de voir le bilan financier de quelqu'un avant de l'admettre dans ce cercle étroit, la plupart avaient assez de ressources pour embaucher au moins une domestique chargée de l'entretien de la maison.

— Ou celles qui écoutent les recommandations de l'abbé Chicoine.

L'intervention venait de madame Pinsonneault. En tant qu'épouse du premier magistrat, sa présence était essentielle. Elle était parfaitement informée des intentions du conseil de ville. Ses mots pesaient souvent comme une directive.

En entendant le nom du vicaire, Délia ne put s'empêcher de demander :

— Il s'oppose à la tenue d'un thé dansant ?

— Comme la majorité des prêtres de la province. Le thé les laisse indifférents, mais pas la danse.

Félanire Pinsonneault avait accepté les gâteaux. Son embonpoint était tel qu'une petite gâterie de plus n'y changerait rien. Si la petite rébellion contre son mari lui avait rendu les Turgeon sympathiques pendant un temps, ce n'était plus le cas. Sans doute souffrait-elle de ce que son aîné, Félix, ait été banni de la demeure du docteur. Première admiratrice de ce garçon, la mère tolérait mal qu'on ne partage pas son engouement.

— D'autres prêtres ne sont pas du même avis, répliqua Délia. L'activité qui a eu lieu l'automne dernier avait reçu l'appui du curé Grégoire.

— Mais le vicaire Chicoine s'y opposait.

L'épouse du médecin eut du mal à ne pas s'écrier : « Le sale hypocrite ! » Félanire Pinsonneault continua :

— La danse conduit au péché. Même nos meilleurs petits gars pensent à mal avec une jeune fille dans les bras. Certaines sont tellement aguicheuses.

Sans doute croyait-elle que son pauvre fils était la victime de femmes voluptueuses. Imaginer Aldée ou même Corinne comme des séductrices aurait amusé la femme du médecin dans d'autres circonstances. Madame la juge Nantel voyait sa petite réunion prendre une tournure fâcheuse.

— Le mieux serait de tirer cela au clair avec monsieur le curé. Délia, viendrez-vous avec moi ?

La bourgeoise tentait de créer une alliance des esprits libéraux dans ce cercle. Cette stratégie n'échappait pas à la femme du maire.

— Maintenant, mesdames, je dois retourner à la maison, auprès de mes enfants.

Les derniers mots de madame Pinsonneault contenaient un reproche implicite à l'égard de ces femmes qui continuaient de boire du thé au lieu de s'occuper de leur progéniture. Toutefois, quand elle voulut se lever, elle ne put s'aider de ses mains encombrées par la tasse et la soucoupe. Elle retomba lourdement au fond de son fauteuil.

— Je vais vous aider, intervint madame Nantel en la débarrassant de la vaisselle.

Délia se leva aussi pour tendre les mains et la prendre sous un bras. L'épouse du premier magistrat perdit beaucoup de sa dignité, et l'obligation de remercier les deux femmes venues la secourir accrut son embarras. Après des salutations lancées à la ronde, elle se dirigea vers la porte, escortée par son hôtesse.

Tout de même, ses remarques avaient produit leur effet. Plusieurs invitées quittèrent aussi la maison du juge. Seule resta l'épouse du médecin.

— Quand pourras-tu m'accompagner au presbytère ?

En présence de toutes les autres, madame la juge Nantel se forçait au vouvoiement. En tête-à-tête, elle se montrait plus familière avec certaines.

— Quand le curé voudra bien nous recevoir.

Le sourire de Délia devint moqueur. Madame Pinsonneault, toute à son rôle de mère, ne jouissait pas d'autant de liberté qu'elle.

— Je téléphonerai demain.

— Alors, tu me communiqueras le moment. Maintenant, je vais rentrer aussi.

— Veux-tu une autre tasse de thé ?

La visiteuse accepta de bonne grâce. Quelques minutes plus tard, une domestique déposait une seconde théière sur un guéridon. Les deux femmes occupèrent des fauteuils placés de part et d'autre.

— Je m'excuse d'insister, mais je passe mes journées dans cette grande maison vide. Sans les activités de bienfaisance, ma vie deviendrait bien ennuyante.

— Ton fils pourrait revenir à Douceville, maintenant.

La femme du juge secoua la tête de droite à gauche.

— Selon mon époux, le Collège de Montréal est de loin supérieur à celui de Douceville. Puis, comme il termine sa sixième année là-bas, peut-être est-il préférable qu'il ne change pas d'établissement.

— Pour la scolarité, peut-être. Mais la vie de pensionnaire ne sourit pas à tout le monde. J'imagine mal Georges, ou Corinne, manger dans un réfectoire et dormir dans un dortoir.

Ses deux rejetons appréciaient trop le confort de la maison familiale pour accepter une existence aussi spartiate.

— C'est là un autre sujet sur lequel monsieur le juge a des idées très arrêtées. Selon lui, des amitiés susceptibles de durer toute une vie se forment au pensionnat. Dans son cas, je crois plutôt qu'il échappait ainsi à l'affreux climat de la maison de son père.

Siméon Nantel, lui-même fils et petit-fils de juge, estimait sans doute la discipline des prêtres enseignants plutôt légère.

— Enfin, il nous rejoindra dans moins d'un mois.

L'hôtesse abandonna le sujet pour en aborder tout de suite un autre :

— Tu connais le curé Grégoire mieux que moi. Comment est-il ?

Pourtant, le prêtre fréquentait la belle demeure Nantel avec une certaine régularité depuis l'arrivée du magistrat à Douceville.

— Je ne le connais pas personnellement, ou si peu. Mais il a su se faire apprécier dès sa nomination dans cette ville il y a une dizaine d'années. Aucune condamnation intempestive du haut de la chaire, beaucoup de bienveillance.

— La jeune fille qui habite au presbytère est une parente à lui, n'est-ce pas ?

— Sa nièce, la fille de sa sœur décédée. Elle logeait au couvent jusqu'à ces dernières semaines. En fait, comme elle ne supportait plus la nourriture là-bas, mon mari a recommandé son déménagement.

Délia porta la main à sa bouche, puis murmura :

— Je viens de commettre une affreuse indiscrétion.

Si Évariste abordait avec elle la condition de quelques rares patients, c'était parce qu'il tablait sur son silence absolu.

— Je ne pense pas que tu trahisses un bien grand secret. J'ai détesté la nourriture servie au couvent des sœurs de Sainte-Anne.

— Et moi celle des sœurs de la Congrégation.

En cela, elles ressemblaient à une majorité des pensionnaires. Les réminiscences des années d'école les retinrent jusqu'au départ de Délia, un peu avant six heures.

Trois jours plus tard, en début d'après-midi, madame la juge Nantel s'engagea dans la rue De Salaberry. Du trottoir, elle contempla la grande demeure, comme pour en jauger la valeur, puis se présenta à la porte des Turgeon. Délia alla lui ouvrir.

— Suis-je en retard?

— Non, mais le mercredi, les domestiques prennent congé. Je t'attendais près de la fenêtre.

Tout en parlant, l'épouse du médecin déposa un chapeau d'une ampleur tout à fait ridicule sur ses cheveux remontés très haut. Celui de sa compagne ne le cédait en rien quant à la taille. Puis Délia enfila des gants de dentelle.

— Allons-y.

— Tu ne prends pas ton ombrelle?

— M'exposer un peu aux intempéries ne devrait pas ruiner mon teint.

Pourtant, le soleil de juin réchauffait la peau. En marchant, elles se tinrent par le bras. Tous les hommes de quinze à soixante-dix ans levaient leur chapeau en les croisant, tout en marmonnant un «mesdames». Les plus sensibles à leurs charmes se retournaient pour les regarder s'éloigner.

Le trajet jusqu'au presbytère dura à peine quelques minutes. Le curé lui-même ouvrit après quelques coups contre la porte.

— Mesdames, quel plaisir de vous voir!

Il serra la main de l'une, puis de l'autre, et proposa:

— Avec ce beau temps, que diriez-vous de vous asseoir derrière la maison ?

Avec un sourire, il précisa :

— Ne craignez rien, nous serons à l'ombre.

Il n'ignorait rien du souci des élégantes de conserver un teint très pâle. Il les devança tout en disant :

— Vous accepterez bien une limonade ?

Toutes deux l'assurèrent que ce serait avec joie. Au passage, Grégoire pria Cédalie de venir les servir, puis guida les dames jusque dans la cour. Un grand arbre s'étalait sur une bonne moitié. Sous les branches, une table et des chaises permettaient de recevoir une nombreuse compagnie. Il invita les femmes à s'asseoir, puis s'installa en face d'elles.

— Alors, à part le plaisir de la rencontre, qu'est-ce qui vous amène ici ? Vous songez à une activité charitable ?

Les visiteuses se consultèrent du regard, puis l'épouse du juge se lança :

— Oui, en quelque sorte. L'automne dernier, nous avons organisé un thé dansant à l'intention de nos grands enfants.

— La réception rappelait le bal du gouverneur, se moqua l'ecclésiastique.

Au siècle précédent, cette activité fournissait l'opportunité à des enfants de notables de rencontrer des représentants de l'autre sexe. Pour des jeunes gens scolarisés toute leur vie dans des institutions séparées, les occasions manquaient terriblement quand il s'agissait de trouver le bon parti.

— En infiniment plus modeste, précisa Floranette.

Désireuse de mettre son grain de sel, Délia enchaîna :

— Nous aimerions organiser de nouveau un tel événement. Ils termineront leurs examens bientôt, ce serait une belle récompense pour les efforts consentis.

— Mais la bienfaisance, dans tout cela ?

Comme la femme du médecin ignorait pourquoi sa compagne avait accepté cet argument, elle la laissa répondre.

— Nous pourrions exiger un prix d'entrée, un ou deux dollars, et remettre la somme à l'hôpital.

— Cela permettrait certainement de rallier les quelques bonnes âmes qui se sont inquiétées de la vertu de tous nos adolescents l'automne dernier.

L'ecclésiastique esquissa un sourire. Évidemment, une partie de ses ouailles l'avaient jugé beaucoup trop moderne lorsqu'il avait autorisé la tenue de cette activité.

— Surtout que monsieur le vicaire Chicoine comptait parmi eux.

En prononçant ces mots, Délia ne put chasser totalement la colère de sa voix. Elle aurait voulu s'écrier : «Ce vicieux veut empêcher les jeunes de danser sous prétexte de protéger leur chasteté, alors que lui-même représente un danger!» Mais une telle condamnation lui aurait valu un anathème.

L'arrivée de la domestique avec les boissons procura une heureuse diversion. La femme du médecin se leva pour l'aider à faire le service, afin de se calmer.

— Autorisez-vous notre projet? s'enquit Floranette.

En reprenant place sur sa chaise, Délia suggéra :

— Pour être assuré de la moralité de l'activité, vous pourriez assister à cette réunion avec votre nièce. Je suis certaine que Sophie apprécierait beaucoup.

Le prêtre resta coi un long moment. La jeune fille répétait qu'elle n'avait pas la vocation religieuse. Ou il devrait veiller à son entretien pendant toute son existence – un défi bien exigeant pour un ecclésiastique vieillissant –, ou il devrait lui accorder la chance de faire des rencontres.

— Tenez votre petite réception, j'annoncerai en chaire le motif charitable qui vous anime. Je n'y assisterai pas, mais je veux bien passer dans la salle, pour m'esquiver avant la danse.

— Merci, monsieur le curé, s'exclama Floranette. Tout se passera bien…

Le prêtre leva la main pour l'interrompre.

— Je suis certain que tout se passera bien. Tant de personnes irréprochables seront là pour s'en assurer.

— Tous les parents qui ne seront pas au travail y assisteront.

Le curé avala une gorgée de limonade, puis se mit à commenter la température clémente, les semailles qui battaient leur plein, les espoirs d'une bonne récolte. La protection des mœurs l'attirait moins que la succession des travaux et des saisons.

Tous les jours où elle ne devait pas s'astreindre au cours de piano, Corinne hâtait le pas pour aller dîner à la maison. Depuis son emménagement au presbytère, Sophie s'imposait le même régime. Parfois, elles faisaient le trajet ensemble. Le mardi 12 juin, en chemin, la fille du médecin lâcha :

— Savais-tu que quelques bourgeoises unissent leurs efforts pour organiser un thé dansant à la fin de l'année scolaire ?

— Non… Je ne sais même pas ce qu'est un thé dansant.

Corinne lui jeta un regard en biais. L'ignorance que montrait Sophie des choses les plus élémentaires la surprenait toujours. Non seulement le couvent lui avait-il servi de prison, mais ses lectures se limitaient certainement aux livres pieux et aux journaux catholiques.

— Ce n'est rien de compliqué. À l'heure du thé, sous le regard des parents, il est possible de danser.

— Tu y as déjà assisté ?

— Une fois, l'an dernier.

Elles arrivaient déjà devant la demeure du docteur Turgeon. Corinne voulut savoir :

— Aimerais-tu venir ?

— Je ne sais même pas danser.

— Ce n'est pas compliqué, tu sais. De toute façon, le garçon est supposé guider, et nous suivons.

L'argument n'eut pas l'heur de convaincre Sophie. Elles se quittèrent en se disant : « à tantôt ».

Puisque les deux prêtres se consacraient aux tâches liées au service paroissial, Sophie prenait régulièrement son repas dans la cuisine, en compagnie de la domestique. Ce jour-là, le curé Grégoire était présent, aussi elle se joignit à lui. Une petite table se trouvait dans son bureau, qu'ils préférèrent à la salle à manger plus formelle.

— Les religieuses ne te font pas trop mauvaise mine ? questionna l'oncle après quelques cuillérées de potage.

— Je suppose que les déserteurs, dans l'armée, sont traités de la même façon. Elles me regardent comme si j'avais trahi un engagement auprès d'elles.

Après avoir exercé un contrôle étroit sur tous les aspects de sa vie, la voir refuser de devenir religieuse paraissait un outrage aux sœurs.

— Dans l'armée, les déserteurs sont fusillés ; je suis certain que tu ne risques rien à cet égard. Elles sont déçues, tout simplement.

L'idée de revêtir l'habit religieux, juste pour faire plaisir à tout ce monde, traversa l'esprit de Sophie. Toutefois, son naturel revint tout de suite.

— Cet été, je ne veux pas y retourner non plus !

— Je comprends. Tu as terminé le programme et tu ne veux pas être religieuse. Je pourrais toujours leur demander de te prendre en pension…

L'adolescente parut si horrifiée que le curé corrigea aussitôt :

— Mais si tu ne veux pas y retourner, tu resteras ici.

Alphonse Grégoire préférait ne pas penser aux aspects les plus délicats de cette cohabitation. L'accueillir le temps de recouvrer la santé était une chose, la garder pour toujours, une autre. Un presbytère habité par deux prêtres ne représentait pas le cadre de vie idéal pour une jeune et jolie femme. Surtout que celle-ci entendait mener une vie semblable à celle des personnes de son âge.

D'ailleurs, elle lui dit :

— Tout à l'heure, Corinne m'a parlé d'un thé dansant. Elle m'a demandé si je souhaitais y aller.

C'était une façon peu compromettante de signifier son intérêt. Grégoire ne s'y trompa guère.

— Que lui as-tu répondu ?

— Que je ne sais pas danser. Et je n'ai pas de robe convenable.

Au cours des dernières semaines, le samedi et le dimanche, elle avait délaissé l'uniforme scolaire austère au profit d'un vêtement très sage, d'un bleu si profond qu'il aurait convenu à une femme vivant un demi-deuil. La robe était assez modeste pour ne pas déparer une Dame de Sainte-Anne âgée de quarante ans.

— Ce n'est pas une réponse. Aimerais-tu y aller ?

La jeune fille s'émut. Son embarras valait une réponse positive.

— Tu sais, du moment où tu ne penses pas devenir religieuse, l'état habituel des femmes, c'est le mariage. Pour cela, mieux vaut rencontrer des garçons.

Comme le silence durait, Grégoire crut bon d'insister :

— Alors, veux-tu y aller ?

— … Oui, fit elle dans un murmure.

— Donc, nous tenterons de rendre ton souhait possible, sans que tu aies trop à rougir de ta tenue.

L'accord étant donné, il ne resterait plus à la jeune fille qu'à s'inquiéter de sa gaucherie. La perspective de danser devant témoins l'effrayait, mais qu'aucun garçon ne l'invite l'angoissait davantage.

— Quand ce thé dansant aura-t-il lieu ?

— Nos dames patronnesses sont responsables de la logistique et de l'organisation. Ce ne sera sûrement pas un dimanche. Alors, si elles veulent vraiment couronner ainsi l'année scolaire, je parierais sur le 23 ou le 30 juin.

Donc dans moins de deux ou trois semaines. Cela lui laissait bien peu de temps pour réaliser les apprentissages requis.

Chapitre 8

Si Délia Turgeon consacrait une grande partie de ses journées à faire des courses ou à rencontrer ses voisines, les longs moments d'inaction ne manquaient pas. Le lendemain matin, elle parcourait les journaux quand la sonnerie lointaine du téléphone vint la distraire.

— Il faudrait un second appareil du côté du logis, marmonna-t-elle.

Le téléphone étant dans le cabinet de son époux, parfois, un appel interrompait une consultation. Turgeon notait le numéro du correspondant pour le rappeler, ou pour le transmettre à sa femme ou à ses enfants. Délia s'assit sur le fauteuil du médecin, puis décrocha.

— Je suis désolée de vous avoir fait attendre, commença-t-elle.

— Je n'ai pas attendu si longtemps, répliqua une voix masculine amusée.

Délia en reconnaissait le ton, sans toutefois pouvoir mettre un nom dessus. Son interlocuteur continua :

— Ici le curé Grégoire. Vous allez bien, madame Turgeon ?

— Oui, monsieur le curé. Que puis-je faire pour vous ?

— Ce serait un peu compliqué de vous expliquer cela au téléphone.

Délia songea tout de suite aux confidences de Corinne. Sa fille avait-elle répété ses soupçons sur Chicoine, provoquant ainsi une intervention du pasteur ? La suite l'intrigua encore plus :

— J'aimerais vous rencontrer. Vous allez me juger terriblement impoli, mais je souhaite me faire inviter à prendre le thé, cet après-midi.

Décidément, Délia allait de surprise en surprise.

— Oui, bien sûr. Je vous attendrai à quatre heures.

— Je vous remercie. J'y serai.

En raccrochant, elle réfléchit. Les sujets que l'on ne pouvait aborder au téléphone – ce moyen de communication, avec une employée de Bell Canada susceptible d'écouter la conversation, manquait affreusement de discrétion –, n'étaient généralement pas très agréables.

Malgré une première expérience très positive, Graziella s'émut de l'identité du visiteur de marque. Dans sa hiérarchie personnelle, un prêtre occupait la meilleure place.

— Vous croyez que ça suffira ? Vous savez, j'pourrais préparer queque chose.

— Il s'agit de prendre le thé, lui rappela Délia. Les biscuits de monsieur Viau feront tout à fait l'affaire.

— J'vas mettre l'eau su' l'poêle tout suite.

La bourgeoise se priva de lui expliquer que l'eau bouillante gâchait tout à fait le goût du thé. Elle quitta la cuisine pour se rendre au salon. Une petite table avait été tirée au milieu de la pièce, des chaises disposées de part et d'autre. La visite impromptue du curé suscitait un vrai branle-bas de combat.

À l'heure annoncée, des coups retentirent contre la porte. La femme du médecin alla ouvrir elle-même puisque Aldée profitait de son congé hebdomadaire.

— Bienvenue, monsieur le curé, le salua-t-elle en s'effaçant pour le laisser passer.

— Je vous remercie de votre accueil. Je ne le mérite pas, après m'être imposé ainsi.

— Voyons, ma porte vous est toujours ouverte.

Toutes les portes demeuraient en permanence ouvertes aux porteurs de soutane, ni l'un ni l'autre n'en doutait.

Ils étaient à peine assis quand Graziella entra avec un plateau dans les mains. Dans une assiette, les têtes-de-nègres composaient une jolie pyramide.

— Posez cela ici, ordonna Délia.

— Oui, madame. Bonjour, monsieur le curé.

— Bonjour, mademoiselle Nolin. Comment allez-vous ?

Comme très peu de gens s'adressaient à elle en utilisant son nom, la cuisinière mit une seconde à se rendre compte qu'on lui parlait.

— Oh ! J'essaie de faire aller. Mais à mon âge, le corps se rebiffe.

Tout aussi âgé, le prêtre paraissait en bien meilleure santé. Sa tâche devait être plus légère.

— Alors, je me souviendrai de vous dans mes prières.

Le visage de Graziella s'illumina, comme si Jésus venait de lui dire : « Lève-toi et marche. »

— Merci, m'sieur le curé. Ça va aller mieux, chus certaine.

Elle resta figée, comme pour chercher autre chose à dire. Quand Délia commença à verser du thé dans la tasse de son visiteur, le geste agit sur la vieille femme comme une invitation à sortir. La bourgeoise présenta au curé l'assiette de biscuits.

— Ce monsieur Viau nous rend tous un peu plus gourmand, je le crains, commenta-t-il.

La faute devait lui sembler bénigne, car il prit un biscuit. Comme Délia ne l'imitait pas, il ajouta avec un sourire :

— Je suis désolé, je ne disais pas cela pour vous en priver.

— Dans mon cas, si j'arrive à éviter le péché de gourmandise, je succombe à l'orgueil. Ma silhouette pèse plus que ma conscience, alors.

Elle but une gorgée de thé, puis reprit d'une voix moins assurée :

— Je dois avouer que votre coup de fil m'a beaucoup intriguée.

Si sa visite était motivée par son désir de revenir sur sa décision au sujet du thé dansant, il se serait adressé à madame Nantel. Ce devait être autre chose.

— Je m'excuse encore de m'imposer ainsi. Hier, ma nièce m'exprimait son désir de participer à la petite fête prévue pour la fin de l'année scolaire.

Si la confidence effaçait toute inquiétude chez Délia, elle ne comprenait pas plus la raison de sa visite.

— Quant à moi, je ne crois pas que mon archevêque me féliciterait si je décidais d'y assister. Alors, je voulais vous demander si vous accepteriez de l'y emmener avec vous.

Alors qu'elle se tourmentait à l'idée des reproches que l'ecclésiastique lui adresserait, il la trouvait assez morale pour lui confier Sophie.

— Ainsi, personne ne trouverait à redire sur sa présence. Puis je pense que votre fille est la seule amie de ma nièce.

— Vous n'avez pas à insister. Elle pourra se joindre à nous, et je m'assurerai que tout se passe bien.

Un instant, Délia eut envie de préciser que Georges aussi aimerait compter parmi les amis de la jeune fille. Elle se retint, pour ne pas inquiéter le prêtre.

— Je vous remercie, en mon nom et au sien.

Grégoire devait être vraiment soulagé, car il avala son biscuit en quelques bouchées avant de poursuivre :

— Je sais que j'abuse, mais j'irai plus loin. Hier, elle me confiait ne posséder aucune robe convenant pour l'occasion.

— Toutes les femmes âgées de quinze ans et plus vous diraient la même chose.

— Je crois son cas plus dramatique que celui des autres filles. Elle ne possède qu'une seule robe, à part son uniforme scolaire.

Délia crut deviner, alors elle intervint :

— Malheureusement, les tenues de Corinne seraient trop courtes...

«Et trop amples au niveau du buste», finit-elle pour elle-même.

— Et elle serait tellement déçue si je lui prêtais l'une des miennes. Ce serait une insulte à son jeune âge.

L'abbé Grégoire lui adressa un petit sourire de connivence.

— Oubliez un instant ma soutane.

L'entrée en matière intrigua son hôtesse.

— Aucune femme ne serait déçue d'être aussi élégante que vous. Même les plus jeunes.

Oui, sans sa soutane, cet homme se serait bien débrouillé pour conter fleurette à une femme. Il continua :

— Je ne pensais pas à un emprunt. Je me demandais si vous ne pourriez pas l'aider à faire un choix... pertinent. Évidemment, je paierai pour tout.

La précision était nécessaire. Les représentants de Dieu oubliaient facilement l'obligation de payer la facture, après avoir reçu quelque chose.

— Je crois que je le pourrais. Évidemment, elle devra m'accompagner dans les magasins.

— Évidemment. Vous pourriez acheter plus d'une robe, ainsi que des vêtements que je ne suis même pas capable de nommer.

L'ecclésiastique souhaitait renouveler la garde-robe entière de sa nièce. Un geste généreux de sa part. Délia acquiesça d'un signe de la tête.

Une fois ses désirs exprimés et la collaboration de sa paroissienne acquise, le curé chercha des sujets de conversation anodins. Avant de partir, un peu plus tard, il assura :

— Je me sens vraiment gêné de vous demander cela. Je ne peux que vous répéter que le jour où vous voudrez aller dans les magasins, Sophie aura de quoi payer son dû.

Au moins, il se souciait vraiment de ne pas peser sur le budget de sa complice.

— Croyez-moi, aucune femme ne se rend dans un magasin sans éprouver du plaisir. Il ne s'agira pas d'une mortification.

Ces mots rassurèrent le curé. Il rentra au presbytère certain que sa nièce tiendrait sa place dans un lot de charmantes jeunes filles.

Évariste recevait des patients dans la maison de la rue De Salaberry jusque vers six heures. Délia regarda le dernier de ceux-ci s'engager sur le trottoir après être sorti du cabinet, puis elle alla rejoindre son époux. Le récit de la visite du curé prit quelques minutes. À la fin, le médecin commenta, amusé :

— Voilà une nouveauté pour une dame patronnesse : emmener la nièce du curé dans les magasins.

— En bonne chrétienne, je ne pouvais dire non.

Le sourire de son épouse fit deviner au praticien que ses propres ressources financières seraient mises à mal.

— Crois-tu que les boutiques de Douceville offriront de quoi rendre cette gamine présentable ?

— J'espère qu'elle sera un peu mieux que présentable, tout de même. Sophie a tout ce qu'il faut pour plaire.

Le médecin hocha la tête. Une jolie blonde, peut-être un peu trop maigre. Les prochaines années régleraient très probablement ce petit problème.

— Afin de prévenir toute jalousie, Corinne viendra avec nous.

— Je me disais, aussi. Autrement, la pauvre se sentira laissée pour compte.

Certes, cet acte de générosité lui coûterait cher, alors il préférait s'en amuser.

— Nous prendrons le train pour Montréal samedi matin.

Avant qu'il n'ait le temps de protester, Délia ajouta :

— Ce sera un peu comme la visite de Georges à Montréal.

Voilà qui fit taire toute objection, au nom d'un traitement égal de ses enfants. De toute façon, Évariste acceptait de bonne grâce de gâter sa femme et sa fille. Il releva :

— Voilà une curieuse demande de la part de notre curé.

— Tu imagines s'il l'accompagnait pour acheter des dessous ?

— Non. Mais à dix-sept ans, une fille peut faire ce genre d'achat toute seule.

En tout cas, Corinne le pourrait, même si ses choix feraient probablement sourciller ses parents.

— Sophie, je n'en suis pas si sûre. Elle connaît sans doute la mode en vogue chez les sœurs de la Congrégation de Notre-Dame, et rien d'autre.

— Alors, il faut conclure que ta garde-robe convient très bien à Grégoire. Élégante, bien que sage.

— Dans les circonstances, il s'agit plutôt de celle de notre fille. Les deux qualificatifs s'appliquent aussi très bien à elle.

Délia consulta la pendule posée sur le pupitre de son époux.

— Bon, je vais aller voir si Graziella a besoin de moi pour le souper. À tout à l'heure.

— Je classe mes papiers et je vous rejoins.

Ils s'accordèrent le temps d'un baiser avant que chacun reprenne ses activités.

Le lendemain soir, à table, Corinne montrait un visage resplendissant.

— Nous irons chez Morgan, n'est-ce pas ?

— Nous y passerons sans doute, mais tu sais, les prix dans l'ouest de la ville…

L'adolescente jeta à son père un regard en biais, puis hocha la tête. Déjà, elle comprenait la nécessité d'être raisonnable.

— Je pourrais vous accompagner, intervint Georges. Moi aussi, j'ai besoin de vêtements.

— Non, ce sera entre filles.

Corinne tenait à passer cette journée avec sa mère. La présence de Sophie la décevait, mais elle savait que son amie saurait se faire discrète.

— Courir les magasins, c'est la version féminine des virées au parc Sohmer, laissa tomber Délia.

Après cette précision, le garçon fit mine de se réjouir de la bonne fortune de sa sœur. Il s'agissait de la meilleure stratégie pour obtenir, dans un avenir prochain, son propre moment de liberté.

Sur le quai de la gare du Grand Tronc de Douceville, Délia Turgeon paraissait flanquée de ses deux filles, des adolescentes aux cheveux blonds, l'une grande et mince, l'autre plus petite et aux rondeurs plutôt avantageuses. Un observateur aurait jugé que la première lui ressemblait, et que l'autre tenait sans doute de son père. L'hérédité jouait parfois ce genre de tour.

— Pourquoi n'arrive-t-il pas ? se plaignit Corinne.

Malgré ses efforts pour passer pour une grande personne, son attitude rappelait souvent celle d'une petite fille.

— Regarde l'horloge au mur, conseilla sa mère. À huit heures moins trois, difficile d'accuser le conducteur du train de huit heures d'être en retard.

Sa fille fit une moue boudeuse. Sophie en profita pour chuchoter :

— Madame Turgeon, je vous remercie encore de me prendre avec vous.

— Tu sais, j'ai compris dès la première fois où tu me l'as dit. Inutile de revenir sur le sujet toutes les dix minutes.

L'adolescente baissa les yeux, gênée. La femme passa son bras autour de sa taille tout en lui adressant son plus beau sourire. La nièce du curé ne savait trop quelle contenance adopter. Les religieuses ne l'avaient guère habituée à ce genre de gentillesse, et encore moins aux contacts physiques.

Corinne poussa un soupir de satisfaction en entendant le son de la locomotive. Quand le train s'arrêta, le bruit des freins couvrit son : « Ce n'est pas trop tôt ! »

— Nous avons des places en première classe, annonça Délia en leur montrant un wagon à l'avant du train.

Son époux gagnait assez pour lui permettre de voyager en tout confort. Elle laissa les jeunes filles monter, pour les suivre immédiatement. Le troisième compartiment sur leur gauche était vide ; avec un peu de chance aucun autre voyageur ne viendrait les rejoindre. Ses préjugés lui faisaient croire que les hommes capables de payer le prix du passage en première classe feraient preuve d'une meilleure éducation que ceux cantonnés à la deuxième. Car même à son âge, elle suscitait encore l'attention trop insistante de certains. Ce jour-là, avec ses cheveux relevés sur la nuque et un joli chapeau fleuri, elle présentait un profil particulièrement séduisant. La robe d'un bleu azur soulignait la couleur de ses yeux.

Évidemment, en plus d'une relative sécurité, ces compartiments procuraient aussi des banquettes moelleuses et un accès à la voiture-restaurant. Le trajet se déroulerait dans le grand confort.

À Montréal, les gens effectuaient la plupart de leurs déplacements à pied. Délia ne se sentait pas ce courage, surtout que le magasin Morgan était situé rue Sainte-Catherine, juste en face du carré Philips. Le tramway fournirait au trio un moyen plus agréable de parcourir le trajet, d'autant plus que des hommes se firent un plaisir de leur céder leur siège.

En descendant juste en face du grand commerce, Corinne nota, ironique :

— Papa s'inquiétait des prix à cet endroit.

— Ton futur époux sera certainement très heureux de te trouver disposée à prendre soin de ses finances. Moi, je me sens un brin irresponsable, aujourd'hui.

L'épouse du médecin prit ses deux compagnes par le bras, et elles entrèrent ensemble dans le magasin à rayons. Des employés ouvrirent pour elles les grandes portes couvertes de laiton en les saluant en anglais. Dans ce lieu, personne ne parlait le français. Les deux jeunes filles connurent un petit moment de frayeur dans l'ascenseur – pour Sophie, il s'agissait d'une première –, le temps de se rendre au *department* des vêtements pour femme.

Puis fusèrent des «oh!» et des «ah!» devant les rouleaux de joli tissu léger qui ferait l'admiration des hommes au cours de l'été 1906.

— Quelle couleur choisir? s'interrogea Corinne en plaçant de jolies mousselines devant son corps. Je suis toujours en bleu.

— Parce que c'est seyant, pour une blonde aux yeux bleus.

— Mais j'ai l'air de porter toujours la même chose.

Cependant, les roses ou les jaunes la flattaient moins. Quant aux gris et aux marrons, ils étaient trop tristes pour la belle saison.

— Et toi, Sophie, quelles sont tes couleurs préférées?

La nièce du curé rosit et souffla:

— Je porte vraiment toujours la même robe, à part mon uniforme scolaire. Et elle est bleue.

Son sourire intimidé lui valut une pression sur l'avant-bras.

— Nous sommes justement ici pour pallier cette difficulté.

— Je ne sais pas quel montant mon oncle peut se permettre.

— Seigneur! Les sœurs de la Congrégation ont accompli un extraordinaire travail pour t'apprendre la modestie.

Délia s'amusait de la situation: des jeunes filles très raisonnables et une adulte encline à la dépense.

— Bon, pour la remise des diplômes, la tradition exige que vous soyez en blanc. Nous trouverons ce qu'il faut chez Dupuis Frères. Mais j'espère que l'été vous réservera quelques occasions de vous faire vraiment jolies, et je pense que le bleu demeure le meilleur choix. Pour vous deux. Et pour moi aussi.

Évariste se montrerait très généreux à l'égard des deux femmes de sa vie. Quant à l'abbé Grégoire, il ne serait pas en reste.

Une heure plus tard, toutes trois revinrent sur le trottoir, sans aucun sac, et un peu anxieuses. Le service de confection du magasin Morgan devrait mettre leurs robes dans le train suffisamment tôt pour qu'elles puissent les revêtir au thé dansant du Club nautique. Le délai était très court.

— Maintenant, nous allons à l'est de la rue Saint-Laurent, leur annonça Délia. Les prix seront certainement plus convenables.

Toutes trois montèrent dans un tramway pour atteindre le magasin Dupuis Frères.

Délia souhaitait véritablement profiter au maximum de son escapade dans la grande ville. Largement après l'heure du lunch, elle entrait dans la salle à manger de l'hôtel Windsor, peut-être l'établissement le plus chic de Montréal. En se dirigeant vers une table derrière la mère et sa fille, Sophie admirait les caissons au plafond, les moulures et les appliques de plâtre. Toute cette opulence la laissait bouche bée.

Une fois assise, elle ne put taire son émotion.

— Je n'ai jamais vu d'endroit aussi somptueux. Tous ces gens transpirent l'argent.

L'épouse du médecin jeta un regard circulaire dans la salle. Quelques hommes discutaient encore affaires, un cognac ou un whisky posé devant eux et un gros cigare entre les doigts. Cependant, aussi tard dans l'après-midi, la clientèle se composait essentiellement de femmes, des bourgeoises aux robes somptueuses, portant de larges chapeaux ornés de fleurs.

— Ah! Nous déparons peut-être un peu cet endroit.

Mais Délia n'en croyait rien. Elle posa ses sacs en papier sur le sol, adressant son plus beau sourire aux quelques clients tournés dans sa direction.

— Alors, êtes-vous satisfaites de vos achats?

— Crois-tu vraiment que nous recevrons nos robes d'ici le 23 juin? s'énerva Corinne. Pire encore, pour la blanche destinée à la remise des diplômes, c'est le 22, vendredi prochain. Cela viendra si vite!

— Nous allons vivre d'espoir.

L'adolescente fronça les sourcils devant pareille légèreté. Sa mère reprit, cette fois plus compréhensive:

— On nous a assurées que ce serait le cas. Pourquoi en douter?

Sa fille se rasséréna un peu. Avec un sourire satisfait, elle souligna:

— Tu joues le rôle de ma bonne fée, et je ressemblerai à Cendrillon lors du café dansant au Club nautique. Cependant, dans le conte de Charles Perrault, aucun papa ne recevait de facture.

— Mais compter les femmes de la maison parmi les élégantes n'a pas de prix.

Délia accepta le menu que lui tendait le serveur. Il lui fallut deux ou trois minutes de consultation avec ses invitées avant que chacune fasse un choix. Puis l'épouse du médecin fixa son regard sur Sophie, afin d'obtenir son opinion.

— Je n'ai jamais eu autant de vêtements. Heureusement que vous étiez là, toutes les deux, pour m'aider à choisir.

Corinne, particulièrement, s'était montrée généreuse de ses conseils. L'exercice lui avait donné l'impression de doubler le nombre de ses achats. Des pantalons aux chemises, des bas aux vêtements de nuit, en passant par la ceinture destinée à tenir en place les chiffons durant la « période » du mois, son amie avait quêté les approbations. Elle possédait maintenant un véritable trousseau.

— Je m'inquiète un peu de la réaction de mon oncle, quand il connaîtra le montant.

Madame Turgeon s'était aussi posé cette question quand elle lui avait conseillé l'achat d'une jolie robe blanche garnie de dentelle. Toutefois, le curé lui avait paru entiché de cette nièce : après la petite surprise, il retrouverait sans doute le sourire.

— Je suis certaine qu'il te jugera plutôt raisonnable.

Si nécessaire, elle se chargerait de lui expliquer toute la complexité d'une garde-robe féminine. À l'arrivée des assiettes sur la table, la conversation porta sur les personnes fortunées de la province, celles présentes dans cette salle à manger, et les villégiateurs qui séjourneraient dans les belles maisons situées le long de la rivière Richelieu pendant tout l'été.

Huit jours plus tard, comme cela arrivait souvent, les deux enfants Turgeon furent les premiers à être prêts pour la messe. Avec ce beau temps, ils sortirent pour s'asseoir sur la longue galerie. Georges demanda :

— Tu n'iras pas communier, tout à l'heure ?

Il s'agissait d'une question pour la forme, Corinne étant allée demander une tartine à la cuisine.

— Non, ce matin, j'étais trop affamée pour attendre le dîner.

Cette réponse convenait mieux que de dire : « Je suis en état de péché, et je ne voulais pas risquer de tomber sur

Chicoine ce matin. » Devoir confesser sa colère contre un membre du clergé était déjà intimidant, impossible de le faire devant celui qu'elle détestait. Les deux prêtres se partageaient la tâche et les horaires de chacun étaient affichés.

— Moi non plus, je n'irai pas. Je ne l'aime pas plus que toi.

Si le garçon avait saisi sa ruse pour se priver de la sainte table sans faire soupçonner une âme trop chargée, ses parents la devineraient aussi. Elle préféra orienter la conversation sur un sujet moins intimidant :

— Je suis contente que l'année scolaire s'achève. Ces dernières semaines, le cœur n'y était plus.

Georges saisit l'allusion aux indélicatesses de Félix. Il ne souhaitait pas du tout s'engager sur ce terrain.

— Que feras-tu l'an prochain ?

— Je ne sais pas trop. Les parents vont m'inciter à étudier encore, mais aucune de mes amies ne continuera.

— Aline ?

— Les Tremblay ne voudront sans doute pas investir une telle somme. Elle a trois jeunes frères.

La scolarisation des filles représentait un mauvais investissement, car elles ne s'engageaient dans aucune carrière. Il fallait des moyens importants pour y consentir sans sourciller.

— Et Sophie ?

Corinne esquissa un sourire taquin. Depuis sa première visite à la maison, la grande jeune fille intéressait le garçon.

— Elle ne peut pas rester au couvent pour l'éternité, à moins de se décider pour la vocation religieuse. Dans ce cas, on l'expédiera à Montréal.

Georges ne cacha pas sa déception devant une perspective semblable. Les parents choisirent ce moment pour sortir sur le perron.

— Ah ! Vous voilà. Je me demandais où vous étiez passés, s'exclama Délia.

Son sourire disait plutôt: «Désolée, nous nous sommes attardés en haut.» Le frère et la sœur se doutaient que leurs parents profitaient des avantages légitimes du mariage pendant les jours de congé, sans se faire une idée précise de la chose.

— Nous y allons?

La famille s'engagea sur le trottoir, parmi des dizaines d'autres. Dans cette rue, les domestiques fréquentaient la basse messe, les patrons la grande. Le père et le fils ouvraient la marche, la mère et la fille les suivaient.

— Tu es magnifique dans cette robe.

Pourtant Corinne portait un vêtement de l'année précédente, et s'impatientait en attendant celle du magasin Morgan. Le tissu léger, bleu, la flattait. Son chapeau de paille la faisait paraître un peu trop jeune à son goût. Mais à seize ans, difficile de s'en plaindre. D'ailleurs, suivie par quelques regards admiratifs, tandis qu'elle se rendait sur le parvis de l'église, son pas se fit un peu dansant.

Dans le temple, son sourire s'estompa toutefois quand elle passa devant le confessionnal. Chicoine se terrait dans cette grande boîte. Elle l'imagina prêt à l'interpeller au passage pour la forcer à confesser ses fautes. Ce ne fut qu'une fois dans le banc des Turgeon que la fille du médecin se sentit de nouveau en sécurité. Peu après, les enfants de chœur prirent place, puis le curé Grégoire fit son entrée. Les chants, l'odeur d'encens, les psalmodies en latin produisirent leurs effets soporifiques.

Lors du prône, l'officiant entretint ses ouailles de la charité chrétienne. Il consacrait peu de temps à fustiger les pécheurs et beaucoup plus à encourager la vertu. Puis il passa aux annonces susceptibles d'intéresser les paroissiens. À Douceville, il était peu probable d'annoncer la vente d'un cochon à la criée. Après la mention des activités de quelques associations pieuses, il enchaîna:

— Samedi prochain, les dames bienfaitrices de l'hôpital tiendront un thé dansant au Club nautique à l'intention des jeunes gens de nos écoles supérieures. Un prix d'entrée devra être acquitté et les sommes recueillies seront remises à nos sœurs hospitalières.

Cette déclaration ne servait qu'à témoigner son accord avec l'activité et à faire taire les protestations.

Chapitre 9

Pendant tout le repas, l'abbé Chicoine avait mastiqué sa nourriture avec une énergie de fauve. La tension était si palpable que Sophie craignait de renouer avec ses haut-le-cœur du couvent. Quand elle eut avalé sa dernière bouchée, elle se leva de table sur ces mots :

— Je m'excuse de vous quitter, mais le docteur Turgeon m'a recommandé de faire un peu d'exercice. Je vais aller marcher.

— D'accord, nous nous reverrons plus tard.

Du bout des lèvres, elle souhaita un bon après-midi au vicaire, puis sortit. Le silence s'alourdit tant dans la pièce que bientôt Grégoire se leva à son tour de sa chaise :

— Je vais aller lire mon bréviaire sur la galerie.

— Attendez…

La voix de son collègue était au moins deux tons trop élevée. Il se reprit en contrôlant mieux sa colère :

— J'aimerais vous parler un instant.

Le curé reprit son siège, puis attendit. Enfin, Chicoine lança :

— Comment pouvez-vous donner votre accord à ce projet de thé dansant ?

— Que voulez-vous dire ?

— Lors de ces danses, les garçons tiennent des filles dans leurs bras.

S'il avait dû confesser Barbe-bleue, il aurait sans doute eu le même air dégoûté.

— À moins de s'en tenir au menuet ou aux danses des sauvages, habituellement les couples se touchent.

Le vicaire parut si horrifié du ton léger de la répartie que le curé crut bon d'ajouter :

— Voyons, ces jeunes gens vont danser en présence de leurs parents. Pour les jeunes filles, ce sera l'occasion de se montrer dans l'espoir de rencontrer un bon parti.

Il s'agissait en quelque sorte de placer les adolescentes en vitrine, pour attirer les chalands. Une telle opportunité pouvait amener un garçon à demander à un père la permission de rendre visite à l'heureuse élue à la maison.

— Quand des parents chrétiens leur permettent de se livrer à ce genre de… chose, ils se rendent responsables de toutes les fautes commises contre la modestie.

Alphonse Grégoire se lassait de cette conversation.

— À ce que je sache, je suis toujours le curé de cette paroisse. Vous mènerez la vôtre à votre guise.

Le regard de Chicoine devenait mauvais. Bien inutilement, son supérieur précisa :

— Après tout, vous n'êtes pas mon évêque, pour venir ainsi me faire la leçon.

Son interlocuteur se tut momentanément, puis il revint à la charge :

— Votre nièce… Je suppose que vous la laisserez aller là.

— Cela ne vous regarde pas du tout, mais oui, je la laisserai y aller. Si je ne portais pas une soutane, je serais parmi tous ces gens.

Alphonse Grégoire se leva de nouveau, cette fois sans que son collègue cherche à le retenir. Pendant une bonne heure, malgré le bréviaire grand ouvert sous ses yeux, il ne lut pas une ligne, tant il était exaspéré. Ce ne fut qu'au retour de Sophie qu'il retrouva le sourire.

Délia s'était donné la peine de téléphoner au curé Grégoire au retour de la petite expédition dans les grands magasins de Montréal. Comme elle le pensait, en entendant le prix des achats, l'ecclésiastique était resté silencieux à l'autre bout du fil, avant de confirmer :

—Demain après-midi, au cours de ma promenade dans les rues de la ville, je déposerai un chèque chez vous.

Il fallait prendre au sérieux la promesse d'un prêtre. Il s'exécuta au moment annoncé. En lui remettant le papier, Grégoire avait murmuré quelque chose au sujet de l'anxiété de sa nièce devant la perspective de se montrer sur une piste de danse. Avec un sourire en coin, l'épouse du médecin avait affirmé :

— Je verrai ce que je peux faire.

C'était un engagement à se transformer en professeur de danse.

Le lendemain, assise sur une chaise en rotin sur sa vaste galerie, la bourgeoise regardait déambuler les passants en buvant un thé glacé. Trois petites silhouettes noires apparurent sur le trottoir. Les couventines semblaient obéir à un deuil perpétuel. Quand elles furent devant l'opulente demeure, Délia appela :

— Sophie, tu voudras bien entrer un moment ?

Elle offrit aussitôt :

— Bien sûr, toi aussi, Aline.

Plus tôt dans la journée, Corinne n'avait pu se retenir de mentionner à son amie ses achats effectués dans les plus grands magasins de Montréal, en précisant « avec Sophie ». Déjà, Aline ressentait un sentiment d'exclusion. La brève hésitation de la maîtresse de maison enfonça le clou.

— Non merci, madame. Je dois rentrer à la maison pour aider mes parents. Bonne soirée.

Toutes trois lui retournèrent son souhait, en s'adressant à son dos. Quand les adolescentes l'eurent rejointe sur la galerie, Délia expliqua :

— Dans moins d'une semaine, vous étrennerez vos plus jolies robes au Club nautique. Ce serait une bonne idée de faire une petite révision des pas de danse, à mon avis.

— Moi, je ne saurai pas.

Sans se donner la peine de répondre, la femme du médecin récupéra son verre à demi vide, puis les invita à la suivre. Dans le salon, Corinne s'étonna :

— Pourtant, au couvent, les filles de dernière année ont des cours de danse, non ?

Les étudiantes en fin d'études avaient droit à ce petit supplément de formation, avec l'étiquette et la conversation anglaise, entre autres matières.

— Danser avec sœur Sainte-Marie-Vitaline en gardant trois pieds de distance avec elle, ça ne ressemble pas à ce qui se passera au Club nautique.

— Les garçons seront plus nombreux qu'au couvent, ricana Délia.

La présence de jeunes hommes expliquait certainement la réticence de Sophie. La maîtresse de maison sortit quelques disques d'une armoire, puis en posa un sur le gramophone. Les notes d'une valse envahirent la pièce.

— Je ferai l'homme, décréta-t-elle en s'approchant les mains tendues. Remarque, je ne suis pas certaine de bien jouer ce rôle, mais les adolescents présents au thé dansant ne le sauront pas plus.

Sophie se montra gauche, mais en répétant l'expérience chaque fin d'après-midi jusqu'au samedi suivant, sa performance vaudrait celle de la plupart des autres filles. Corinne, à côté de l'appareil, se chargeait d'activer la manivelle et de remettre l'aiguille au début du sillon. Quelques minutes plus tard, Délia vint vers elle.

— Maintenant, à ton tour, ma belle.

Le duo mère-fille tourna sur lui-même en murmurant «un-deux-trois». Elles entendirent la porte d'entrée s'ouvrir et se refermer, puis Georges apparut.

— Tu tombes à pic, nous avons besoin d'un homme.

— … Lui, un homme, se gaussa Corinne.

— Tut tut tut! la reprit sa mère. Allez, dévoue-toi un peu, continua-t-elle à l'intention de son fils.

Son propre ton contenait une trace de moquerie suffisante pour le vexer. Le garçon n'avait d'autre choix que de montrer sa compétence. Il invita Sophie.

— Si je peux me permettre…

Rougissante, elle accepta d'un léger signe de la tête. Quand une main se posa sur son flanc, elle se raidit. Puis l'autre main de Georges s'empara de la sienne.

— Nous y allons?

La blonde hocha la tête et son cavalier se mit, lui aussi, à souligner les pas en comptant jusqu'à trois. Tous deux étaient trop nerveux pour prendre plaisir à l'exercice. Déjà, la proximité de madame Turgeon avait dérangé Sophie, celle de son fils augmenta sa gêne. Pourtant, même en se tenant à dix-huit pouces de distance, son malaise s'avérait moins pénible qu'avec sœur Sainte-Marie-Vitaline.

Dans une petite ville, le collège et le couvent se partageaient les enfants des mêmes familles. Les cérémonies de fin d'année ne pouvaient avoir lieu le même jour. Aussi, le vendredi 22 juin, la salle académique des sœurs de la Congrégation bruissait du son des conversations. Heureusement, tous les parents ne se présentaient pas, ni toutes les élèves : la cérémonie concernait uniquement celles qui terminaient le cours élémentaire, le cours complémentaire ou le cours supérieur. Autrement, l'espace aurait manqué.

— Nous ressemblons à des mariées, commenta Corinne à l'intention d'Aline.

Son amie pencha la tête pour regarder sa robe blanche, puis celle de sa camarade. Comme d'habitude, la fille des commerçants portait un vêtement ayant connu deux ou trois propriétaires, et celle du médecin une tenue toute neuve. La différence des conditions lui parut encore plus dure à supporter, cette fois.

— Ou à des novices s'apprêtant à prononcer leurs vœux perpétuels. Les sœurs ne renoncent jamais. Même aujourd'hui, elles tenteront de nous influencer.

La cueillette des vocations animait les religieuses jusqu'au dernier jour de la scolarité.

— Reviendras-tu l'an prochain ? voulut savoir Corinne.

— Nous avons terminé le programme.

— Mais plusieurs font encore une année. Regarde.

Elle désignait les plus âgées, parmi lesquelles se tenait Sophie Deslauriers, avec ses airs de princesse. Les sœurs respectaient la terminologie du département de l'Instruction publique pour désigner les étapes du cours d'études, tout en se réservant le droit de faire des aménagements.

— Pour préparer de parfaites épouses de notables. Moi, au mieux, je marierai un commerçant. Savoir comment recevoir un ministre ne me servira à rien.

Corinne ne sut quoi répondre. Son amie ne rêvait plus à un fils de juge, ni même à celui d'un médecin. Depuis la fin du mois de mai, sa destinée lui semblait sombre.

— Que feras-tu ?

— Ma mère voudra peut-être retourner travailler dans le magasin, et je m'occuperai de la maison. J'espère convaincre mon père de me prendre en bas, plutôt. Au moins, je verrais du monde, grâce aux visites des clients.

Plus précisément, du monde la verrait. Multiplier les chances de croiser un bon parti valait mieux que d'attendre l'heureux hasard d'une rencontre fortuite sur le parvis de l'église. Le marchand choisirait sans doute ce scénario. La présence d'une jolie fille favorisait l'achalandage.

— Demain soir, tu viendras ?

Corinne évoquait la soirée au Club nautique. Le curé Grégoire avait présenté le thé dansant comme une activité charitable. Déjà, des bazars se tenaient l'été, où des jeunes filles et des femmes d'âge mûr vendaient des tartes et des gâteaux. Le profit allait directement dans les coffres d'une société de bienfaisance.

— … Je ne sais pas trop. Mon père ferme la boutique assez tard, ma mère s'occupe de mes trois frères.

Ainsi, personne ne serait en mesure de la « chaperonner ».

— Tu viendras à notre table, comme la dernière fois.

À cette occasion, Georges s'était montré charmant. Renouveler l'expérience lui ferait plaisir. Comme son amie hésitait, Corinne proposa :

— Ta mère est là. Je vais le lui demander pour toi.

Aline voulut protester, mais déjà sa camarade franchissait les quelques pas la séparant de la marchande.

Qu'une autre demande une permission à sa place s'avérait vexant.

— Madame Tremblay, demain soir, vous permettrez à Aline de se joindre à nous, n'est-ce pas?

La mère de son amie la détailla des pieds à la tête avant d'éluder:

— Je ne sais pas si c'est une bonne idée. Tu sais, la danse, tout le monde n'est pas pour.

L'opposition du vicaire Chicoine n'avait pas échappé à Corinne. Pareille hypocrisie de la part d'un prêtre la laissait pantoise. Si les jeunes gens ne méritaient pas sa confiance, qui le pourrait? D'un autre côté, une bonne fille devait se montrer respectueuse des grandes personnes.

— L'automne dernier, Aline était à notre table. Alors, si vous acceptez que nous l'invitions de nouveau, nous en serions heureux.

— Merci, tu es gentille. J'y penserai.

Corinne retrouvait la charmante dame chez qui elle se présentait parfois après l'école.

— Souhaitez-vous vous asseoir avec nous?

Délia et Georges Turgeon occupaient des chaises voisines. Un vendredi, Évariste n'avait pu se libérer, il devait se consacrer à ses patients. Madame Tremblay allait accepter l'invitation quand l'épouse d'un notaire se joignit à la famille du médecin.

— Non, nous avons des places là-bas.

L'épouse d'un marchand ne souhaitait pas côtoyer ces gens-là. Corinne abandonna la partie pour rejoindre sa mère.

Au cours des deux heures suivantes, des couventines défilèrent en trois vagues distinctes afin de recevoir un parchemin signé de la main de la mère supérieure. La blonde succéda à la brune sur la scène, conformément à leurs résultats pendant toute leur scolarité.

L'après-midi, le curé Grégoire confessait ses paroissiennes les plus âgées. Les vieilles dames préféraient confier leurs fautes à une personne familière, qui les connaissait bien. Dans le cas des plus jeunes, la réaction était contraire. Peut-être que d'avouer à un pasteur connu depuis plus de dix ans son envie du châle d'une voisine s'avérait plus facile que d'admettre son désir pour le mari de celle-ci. Un désir qui passait complètement après le sixième enfant.

Pour les pécheurs possédant encore toute leur vigueur, le vicaire Chicoine offrait une oreille moins familière, donc plus anonyme. Trois après-midis par semaine, vers six heures, il se rendait à l'église et attendait ses ouailles. Parfois, personne ne venait. Le vendredi 22 juin, l'ecclésiastique lisait son bréviaire, assis dans un banc de la dernière rangée. Il quitta son siège en entendant l'une des portes latérales s'ouvrir et se refermer.

Une femme de vingt ans environ avançait vers lui. Sa robe de coton plutôt fripée, ses chaussures éculées permettaient d'identifier une ouvrière. Les vendeuses ou les commis se devaient d'être un peu plus élégantes.

— Voulez-vous vous confesser, madame ?

— … Mademoiselle.

Malgré sa tenue négligée, elle s'avérait plutôt agréable à regarder.

— Mademoiselle, souhaitez-vous vous confesser ?

Une pointe de nervosité marquait la voix du prêtre. La femme hocha la tête de haut en bas. Il lui désigna le confessionnal, une grande construction composée de trois sections. Il s'installa dans celle du centre, elle entra à droite. Assis dans la grande boîte, il replaça son étole autour de son cou, puis fit glisser le rectangle de bois pour dégager l'ouverture fermée par un grillage.

La pénitente commença :

— Bénissez-moi mon père parce que j'ai péché…

Aux formules toutes faites succéda une liste de fautes très banales. Puis la femme s'arrêta au milieu d'une phrase.

— Quelque chose d'autre, ma fille ?

— C'est mon fiancé. Y m'fait des choses.

L'abbé Chicoine remua sur son siège, replaçant sa queue pour lui donner tout l'espace.

— Quel genre de choses ?

— Bin… vous l'savez.

— Comment voulez-vous que je le sache ?

Évidemment, un prêtre ne pouvait pas vraiment savoir. Ces gens échappaient aux réalités trop crues.

— Y m'embrasse su' la bouche, pis y met ses mains là.

— Où ça ?

— Vous l'savez.

Elle marqua une hésitation, puis avoua doucement :

— Sous ma jupe.

— Parce que vous le laissez faire.

Derrière l'ouverture couverte d'une grille, il pouvait observer les traits réguliers, et même le regard légèrement effaré de la paroissienne.

— Quand une honnête femme veut préserver sa vertu, sa force est surhumaine.

— Bin, quand un gars est bandé, y est fort en verrat !

Chicoine se massait l'entrejambe depuis un moment.

— Confessez-vous aussi pour ces mots grossiers, ma fille. Puis faites en sorte que cet homme ne puisse plus vous toucher. Là, vous êtes une source de tentation pour lui.

Pour le pauvre prêtre assis tout près d'elle aussi. Malgré la cloison, Chicoine croyait sentir la chaleur de son corps.

La confession se termina peu après, laissant la paroissienne profondément troublée. Pourtant, elle ne s'empressait pas d'aller occuper un banc pour commencer sa pénitence de trois chapelets.

— Autre chose, ma fille ?

— Bin, c'est qu'on veut s'marier, lui pis moé. Faudrait rencontrer m'sieur le curé. Y a des affaires à préparer, j'suppose.

— Pourquoi déranger le curé avec ça ? Je peux fort bien m'en occuper. Venez me rencontrer le jour de la Saint-Jean.

— Vous pensez ?

— Évidemment. Puis emmenez votre… fiancé. Vous viendrez à la sacristie, à une heure de l'après-midi.

Le vicaire ne souhaitait pas tenir cette réunion au presbytère avec Grégoire, ou la nièce de celui-ci, dans une pièce voisine. Après une longue hésitation, la jeune femme se leva. Elle allait quitter le confessionnal quand le prêtre s'enquit :

— Votre nom, mademoiselle ?

Aussitôt, il justifia sa question :

— Je dois savoir avec qui j'ai rendez-vous.

— … Malvina. Malvina Péladeau.

— Alors, à dimanche, mademoiselle Péladeau.

Il entendit ses pas s'éloigner sur le plancher de l'église, puis une porte s'ouvrir et se refermer. Chicoine ne sortit pas tout de suite de sa cachette. Auparavant, il devait s'occuper de sa raideur au bas du ventre.

Le lendemain, un contingent de notables se rendirent au collège de Douceville. Parmi eux se glissaient des artisans et même des agriculteurs. Les futurs curés se recrutaient dans les couches modestes de la société, au sein des garçons prêts à s'engager dans un célibat perpétuel pour bénéficier d'études gratuites et d'un emploi assuré ensuite.

Cette fois, libéré de ses patients, le docteur Turgeon se joignit aux siens. Il était encadré par son épouse et sa fille. Corinne s'appuya contre son épaule pour l'interroger :

— Penses-tu que Georges remportera un prix ?

— Ses chances sont les mêmes que les tiennes, puisqu'il occupe à peu près le même rang dans la classe.

En d'autres mots, il en avait peu. Des notes raisonnablement bonnes leur suffisaient à tous les deux, alors pourquoi gaspiller tous leurs loisirs pour recevoir deux ou trois gros livres reliés de toile rouge faisant office de prix de fin d'année ?

— Mais moi, j'ai obtenu mon certificat de fin d'études, pas lui. Me voilà libre.

Évariste jugea plus opportun de ne pas lui rappeler combien les études permises aux jeunes filles étaient courtes, assez courtes pour leur interdire l'accès à toutes les professions. Dans ces circonstances, pavoiser ne se justifiait pas.

— Tu pourrais poursuivre l'an prochain.

— Il ne restera que de futures bonnes sœurs, au couvent.

— Tu exagères, au moins une fille sur deux, parmi celles qui vont continuer, sera mariée dans deux ou trois ans. Si tu mets fin à ta scolarité, ce sera pour passer tes grandes journées à la maison. Remarque, Graziella se fera un plaisir de t'apprendre ses recettes, et peut-être pourrons-nous nous passer des services d'Aldée. Faire le ménage des chambres te fournira un parfait passe-temps.

Évariste n'aimait pas donner des ordres à ses enfants, il préférait les convaincre. Délia écoutait, amusée par ses arguments. Éventuellement, elle utiliserait les mêmes.

— Tu ne me demanderais pas ça.

— Probablement pas. Surtout si tu peux me suggérer une façon positive d'utiliser ton temps, comme t'inscrire à la dernière année au couvent.

— Les filles de mon âge attendent leur cavalier.

— Tout en brodant, en faisant la cuisine, en s'occupant de leurs frères et sœurs. Je te verrais bien aussi dans toutes les activités de bienfaisance de ta mère.

Le père ne se trompait pas. Ses moyens ne lui permettaient pas d'avoir une fille passant toutes ses journées à courir les magasins, et Douceville n'offrait pas une bien grande liste de loisirs honnêtes et peu coûteux. Au moins, le médecin ne soulignait pas l'absence de tout prétendant à l'horizon pour justifier un retour au couvent.

Heureusement, l'arrivée du directeur du collège sur la scène de la grande salle interrompit la conversation. Il remercia les notables de leur présence, commençant par l'archevêque du diocèse pour terminer avec le député du comté, tout en nommant le curé au passage. Le long défilé des collégiens commença. On leur épargnerait à tout le moins une pièce de théâtre au thème religieux ou nationaliste. Sans oublier que les jeunes gens célébreraient le début des grande vacances d'une façon bien plus agréable en fin d'après-midi.

Au terme d'une cérémonie au cours de laquelle Georges Turgeon avait reçu un livre et quelques mentions d'honneur – des récompenses tout à fait inattendues, même de son père –, la famille quitta le collège. Le garçon avait juste assez bien réussi pour espérer être admis sans problème à la faculté de médecine dans quelques années. Personne ne lui demanderait de faire mieux.

Dehors, Corinne prit la tête du petit groupe en le pressant :

— Dépêchons-nous, je dois encore me préparer.

— Tu es très bien comme ça, déclara son frère, nous pouvons y aller directement. Là, nous risquons d'arriver en retard.

— Maman, explique-lui !

Délia avait une longue expérience du rôle d'arbitre. Elle prit le bras de son grand garçon :

— Nous passerons par la maison parce que ta sœur ira au thé dansant vêtue de la jolie robe achetée la semaine dernière.

— Les curés se sont entêtés à nous faire un vrai sermon, nous serons en retard.

Les prêtres enseignants ressentaient le besoin de renforcer la résolution des élèves à demeurer vertueux tout l'été. Le recrutement pour le Grand Séminaire exigeait de répéter sans cesse le même message.

— Comme tous les participants à la petite fête assistaient à la collation des grades, ils arriveront à la même heure que toi.

Quelques minutes plus tard, Georges et son père patientaient dans le salon. À l'étage, la mère et la fille semblaient se préparer à assister à un bal dans la grande société montréalaise, ou à un événement plus prestigieux encore.

Quand elles réapparurent, Délia portait une jolie robe bleue aux manches gigot, et un chapeau très large orné d'une plume d'autruche. Son corset soulignait ses hanches et sa poitrine tout en serrant sa taille au point de lui donner une silhouette de jeune fille. Corinne, malgré une tendance à accumuler quelques livres indésirables, n'avait pas besoin de cet artifice. De toute façon, dans sa robe de tulle bleue avec un chapeau assorti, personne ne lui reprocherait la plus petite disgrâce physique. La couleur convenait à une jeune personne très sage.

— Seigneur, où avez-vous mis ma sœur ? demanda Georges. Elle va nous mettre en retard.

— Très drôle, répliqua l'adolescente. Pouvons-nous y aller ?

Maintenant, il lui tardait de se montrer dans ses plus beaux atours.

— Ah ! C'est toi ! La chenille est devenue un papillon.

— Cesse de taquiner cette magnifique jeune femme, ordonna Évariste en se levant pour aller rejoindre sa fille.

Dehors, il lui offrit son bras.

— Tu te rappelles que nous devons passer par le presbytère ? lui signala Corinne.

— Je m'en souviens. Je ne voudrais pas laisser une demoiselle sans escorte, exposée à tous les dangers de Douceville.

Derrière eux, Georges posait sa main juste au-dessus du coude de sa mère.

— Tu la trouves jolie ? voulut savoir Délia.

— Bien sûr. Regarde-la.

Le léger déhanchement de l'adolescente témoignait de son plaisir de se sentir élégante.

— J'ai compris que c'était le sens de ta plaisanterie, continua-t-elle. Mais pourquoi ne pas le lui dire clairement ?

— C'est ma sœur.

La mère serra les doigts posés au creux de son coude en esquissant un sourire.

— Évidemment.

Dans le bureau de son oncle, Sophie Deslauriers regardait intensément la pendule posée sur une petite table, comme si son regard avait le pouvoir d'arrêter les aiguilles.

— Que font-ils ? Nous allons être en retard.

— Voyons, la remise des prix dure toujours assez longtemps.

— Ils m'ont peut-être oubliée.

Alphonse Grégoire lui adressa un sourire plein de tendresse. L'adolescente était passée par bien des angoisses au cours de la semaine précédente. La robe n'était arrivée que la veille. Heureusement, elle tombait parfaitement : l'ourlet frôlait le plancher, comme il convenait pour une jeune femme.

— Tu crois que je suis assez chic ?

— En tant que curé, je ne peux en juger… Mais en tant qu'homme, je t'assure que tu es ravissante. Puis Cédalie m'a surprise. Tes cheveux sont très beaux.

La vieille domestique conservait de sa jeunesse le souvenir d'avoir tressé des boucles blondes. Le résultat, embelli par de délicates fleurs en soie, était démodé, mais la rendait magnifique. Sophie rougit de plaisir.

— J'en profite pour te donner ceci.

Tout en parlant, le prêtre fouillait dans un tiroir de son bureau. Il lui tendit une mince liasse de billets de un dollar.

— Garde cet argent sur toi.

— Voyons, je n'en ai pas besoin.

— Si ce soir tu dois payer un cocher…

Le curé riait en même temps qu'il parlait. Dans une ville comme la leur, chacun parcourait à pied les rues de la ville. Plus sérieusement, il reprit :

— Le propre des imprévus, c'est d'être imprévisibles. Conserve ces billets sur toi, pour ne pas être dans la gêne si un incident survient. Tu as bien un petit sac pour accompagner cette robe.

— Oui, du même tissu. Selon Corinne, les jeunes filles y mettent un carnet pour aller au bal, afin de noter les noms de tous les garçons désireux de danser avec elles.

Elle s'arrêta, légèrement ennuyée. Son oncle la soup-çonnerait de vanité, ou pire.

— Évidemment, moi je n'en ai pas. Seulement un mouchoir.

Les dix billets de un dollar tiendraient dans le petit carré de dentelle.

— Nous serons en retard, s'énerva-t-elle en fixant de nouveau l'horloge.

— Allons attendre dehors. Comme ça, nous les verrons venir de loin.

Grégoire la laissa passer devant lui, très fier de voir sa nièce devenir peu à peu une si jolie femme.

En approchant du presbytère, les Turgeon aperçurent monsieur le curé debout sur le trottoir, flanqué d'une charmante blonde étrennant elle aussi une belle robe bleue. Le vêtement était plus sage que celui de Corinne, avec une dentelle légère montant jusqu'au milieu du cou. Plutôt que de porter un chapeau, Sophie avait fait tresser et remonter ses cheveux très haut sur sa nuque, pour les piquer de petites fleurs blanches.

— Désolé, nous sommes en retard, s'excusa Évariste. Ces dames ont voulu se montrer à la hauteur des célébra-tions à venir.

— Et là, ce sont les célébrations qui ne seront plus à la hauteur.

Tout de suite, Alphonse Grégoire regretta ses mots. Un homme de sa condition ne devait remarquer ni les poitrines, ni les fesses galbées, ni les tailles souples. Délia mit ses doigts dans la main de l'ecclésiastique tout en lui adressant un sourire ironique. Le malaise du prêtre ne lui échappait pas. Puis le curé serra la main de Corinne.

De son côté, Georges était tout intimidé de saluer Sophie. Décidément, l'absence de lien de parenté rendait une fille bien plus jolie.

— Vous nous attendiez depuis longtemps ? s'informa-t-il.

— Quelques minutes.

— Plusieurs minutes, intervint le prêtre, que nous avons passées assis sur la galerie en buvant un thé glacé. Voyez-vous, comme ma nièce n'a assisté à aucune remise de prix cet après-midi, je pense qu'elle portait cette jolie robe dès l'heure du dîner.

Sophie le reprit à voix basse :

— Mon oncle !

— Je la comprends très bien d'être heureuse de se découvrir charmante. Je vous remercie pour vos précieux conseils, madame Turgeon. Maintenant, nous pouvons y aller.

— Vous venez avec nous, monsieur le curé ? s'étonna le médecin.

— Juste pour dire un mot, afin de ne laisser planer aucun doute sur mon appui à cette activité.

Le ton grinçant pouvait laisser croire que la soirée lui déplaisait absolument. En réalité, Alphonse Grégoire ne décolérait pas depuis que son vicaire avait essayé de lui imposer ses vues. Tout compte fait, il se présenterait au thé dansant juste pour démontrer son indépendance envers l'opinion d'un subalterne.

Corinne s'accrochait au bras de son père. Alors, le curé s'adressa à Délia :

— Je ne vous offrirai pas mon bras pour des raisons évidentes, mais voulez-vous marcher avec moi ?

— Avec plaisir.

Des yeux, elle signifia à Georges de se conduire comme un parfait gentilhomme. Celui-ci rougit en proposant :

— Sophie, si tu veux bien m'accompagner.

Il n'osait pas lui offrir son bras. L'adolescente était aussi intimidée que lui. Elle hocha la tête de haut en bas en murmurant un remerciement. Le petit groupe se dirigea vers la rivière Richelieu.

Chapitre 10

Dans sa chambre à l'étage du presbytère, Donatien Chicoine se tenait tout près de la fenêtre, le regard fixé sur le trottoir. Il avait assisté à la rencontre, aux quelques mots échangés entre le curé et la famille Turgeon. Sous ses yeux, trois jolies femmes rivalisaient d'élégance. La plus âgée, à près de quarante ans, affichait une assurance tranquille. Devant elle, même sa soutane ne l'aurait pas protégé. Elle aurait vu son âme noire, torturée par le désir. Jamais le vicaire ne se serait risqué à la fixer de façon insistante, certain de se faire rabrouer. Les deux plus jeunes, en bleu aussi, ne trompaient personne malgré leur allure de vestales.

— Une tenue virginale pour des salopes.

Ses confessions, ou, du moins, ce qu'il croyait entendre en confession, le lui apprenaient : sous des dehors innocents, toutes ces filles d'Ève songeaient à la même chose. Sa main appuya sur sa cuisse. Les pointes du cilice s'enfoncèrent dans sa chair. La douleur lui tira une grimace, sans réduire son érection pour autant.

Finalement, Délia ne s'était pas trompée de beaucoup : les élèves du collège représentaient les trois quarts des garçons susceptibles d'assister à la petite fête. Lors de l'entrée des Turgeon dans la grande salle du Club nautique, trois musiciens immobiles sur la scène attendaient l'arrivée de tous les invités, leurs instruments dans les mains.

En voyant Délia et sa famille, accompagnées de l'abbé Grégoire, madame la juge Nantel quitta sa table pour venir vers eux.

— Monsieur le curé, nous sommes tellement honorés de vous avoir parmi vous.

— Ce sera pour bien peu de temps.

— Tout de même, c'est un honneur. Venez, j'aimerais vous présenter mon fils.

L'abbé Grégoire adressa un sourire navré au médecin et à sa femme, puis il emboîta le pas à la présidente de la plupart des associations de bienfaisance de Douceville.

— Il ne connaît pas encore "Juuules", je suppose ? railla Georges.

— Oh ! Tu ne vas pas recommencer avec ça ! réagit Corinne.

L'automne précédent, le fils du juge avait fait l'objet de quelques échanges aigres-doux entre elle et son amie Aline. Délia murmura un « tut tut tut » pour prévenir une saute d'humeur de sa fille. Après avoir jeté un regard circulaire, elle désigna une table.

— Nous pourrions nous asseoir là.

Georges se dévoua afin de dénicher une cinquième chaise pour Sophie. Quand la famille fut installée, un serveur vint prendre leur commande. Comme il s'agissait d'un thé dansant, le choix demeurait limité : earl grey, darjeeling ou assam. Quant aux biscuits, tout le monde regretterait l'absence de ceux de monsieur Viau.

Ils venaient tout juste d'être servis quand Aline apparut dans la grande salle du Club nautique. Elle s'immobilisa, hésitante, à vingt pas des Turgeon.

— Je pense qu'elle se sent mal à l'aise, glissa Délia à l'oreille de sa fille.

— Mal à l'aise ? Voyons…

— Va la chercher.

Corinne poussa un petit soupir, puis fit comme sa mère le lui demandait, sans y mettre de délicatesse, toutefois.

— Qu'est-ce que tu fais plantée là ? lança-t-elle en s'approchant de son amie.

— Vous avez du monde.

— Ne fais pas l'idiote. Viens.

Il ne s'agissait pas de la meilleure façon de la rassurer. Heureusement, Georges alla prendre une autre chaise à une table voisine. En s'asseyant, Aline examina la tenue des deux autres jeunes filles. Sa réticence à les rejoindre tenait aussi à la modestie de sa propre robe. La cotonnade d'un vieux rose convenait bien pour une noce à Chambly, mais parmi ces filles de notables, elle se sentait comme la souris des champs.

— Nous ne t'avons pas vue bien souvent, ces dernières semaines, remarqua Délia.

— Au magasin, mes parents ont besoin de moi.

Pendant les mois à venir, elle espérait y passer le plus clair de son temps, afin de prendre ses distances avec sa mère.

La conversation ne décolla pas vraiment. Comme la salle s'était lentement remplie, l'abbé Grégoire quitta la table des Nantel pour rejoindre les musiciens sur l'estrade. Toutes les personnes présentes le suivirent des yeux, les conversations s'éteignirent. L'attention n'aurait pas été plus concentrée à l'église, au moment du prône.

— Dans cet endroit, je n'ose pas commencer par "mes chers frères, mes chères sœurs".

De bons paroissiens se devaient de rire au moins un peu aux mots d'humour de leur pasteur.

— Alors, mesdames, mesdemoiselles et messieurs, je suis venu féliciter tous les jeunes gens qui terminent une difficile année scolaire.

Depuis son arrivée, Georges observait les tables environnantes. De rares jeunes hommes ayant quitté l'école depuis quelques années se trouvaient dans la salle. Comme il suffisait simplement d'acheter un billet pour entrer et que les profits serviraient les bonnes œuvres, on ne refusait personne.

— Je vous souhaite une bonne fin d'après-midi et un bon début de soirée. Nous nous reverrons tous dimanche.

L'ecclésiastique quitta la petite scène sous les applaudissements de ses paroissiens. S'arrêtant à la table des Turgeon, il pria Évariste :

— Je peux compter sur vous pour ramener cette jeune personne à la maison ?

Sa main effleura l'épaule de Sophie au passage. Pour laisser sa parente sous la protection de quelqu'un, il s'adressait tout naturellement à un homme. Pourtant, ce fut Délia qui accepta :

— Évidemment. Mais verriez-vous un inconvénient à ce que nous l'invitions à manger à la maison ensuite ?

— Pas du tout. J'en profite pour vous remercier encore pour votre tournée des magasins.

— Ce fut un plaisir.

Le sourire enjoué de la jolie femme convainquit le curé qu'elle lui disait la vérité. Après un « à tout à l'heure » murmuré à l'oreille de Sophie, il quitta les lieux.

Le départ du curé agit comme un signal pour les musiciens. Quand les premières mesures s'élevèrent, Évariste contempla la scène devant ses yeux. Garçons et filles se répartissaient de part et d'autre de la salle, avec pour seules exceptions les tables où se trouvaient des frères et sœurs. Tous et toutes demeuraient aussi gauches que lors de la première activité du genre.

Il allait se dévouer et inviter Corinne à ouvrir le bal quand un grand jeune homme quitta sa place pour venir dans leur direction. Un instant plus tard, après un salut de la tête aux autres convives, Jules Nantel proposa, en regardant Corinne dans les yeux :

— Mademoiselle, voulez-vous danser ?

Intimidée, elle opina de la tête, puis accepta la main tendue pour l'aider à se lever. Le couple commença à tournoyer dans la salle. Peu à peu, l'audace devint contagieuse. Aline Tremblay regardait Georges à la dérobée. La dernière fois, sa présence lui avait évité de faire tapisserie. Or, celui-ci ne quittait pas Sophie des yeux.

— Tu viens ? lui dit-il.

— Je ne sais pas.

— Nous nous sommes exercés ensemble.

— Alors, tu as bien vu…

Le garçon n'entendait pas se laisser convaincre. Il se leva le premier, attendit qu'elle fasse comme lui. Après quelques secondes, elle s'exécuta. Dans le vaste espace dégagé entre les tables faisant office de piste de danse, il posa une main sur sa taille, la trouvant fine et souple tout à la fois. L'absence de corset lui permettait de sentir l'élasticité de la chair sous sa paume.

Pourtant, ce fut surtout sa petite main dans la sienne qui provoqua la réaction sous sa ceinture. Cela se remarquait-il ? Spontanément, il s'inquiéta de ce que sa partenaire le voie, puis se trouva ridicule. Sophie paraissait tellement concentrée sur les mouvements de ses pieds qu'elle ne s'apercevrait de rien. Cette pensée le rassura.

— Tu vois, ça se passe bien.

— Je me sens aussi souple qu'un morceau de bois.

« Oh non ! » songea-t-il. Jamais un morceau de bois ne lui ferait cet effet. À la regarder de près, l'envie lui venait de lui embrasser la joue. La peau lui semblait d'une infinie douceur. Elle tenait ses paupières baissées, sans doute à cause de sa timidité. Les cils blonds s'avéraient très longs, vus de près. Les tresses compliquées, les petites fleurs en soie lui donnaient un air charmant.

— Moi, je trouve que nous nous tirons bien d'affaire. Je conserve tous mes orteils, et toi les tiens. Puis nous n'avons encore heurté personne.

Le commentaire tira à Sophie un petit rire amusé. Moins concentrée, elle lui cogna un pied.

— Excuse-moi.

De nouveau il entendit son rire, cette fois assez fort pour attirer l'attention des autres danseurs. Corinne tourna les yeux vers eux, puis redonna toute son attention au fils du juge.

En sentant la main de Jules sur sa taille, la chaleur lui était montée aux joues. Grand et efflanqué, le garçon la faisait paraître plus petite. Ses yeux arrivaient juste au niveau de son nœud de cravate. Il portait un col de celluloïd sur sa chemise généreusement amidonnée, d'un blanc immaculé. Sans doute grâce au travail du couple de Chinois tenant une buanderie, rue Richelieu.

La différence de taille entre eux faisait en sorte qu'une des mains de son cavalier se trouvait dangereusement près de son sein. Plutôt que de s'abandonner à une langueur de plus en plus envahissante, elle décida de faire la conversation.

— Vous reste-t-il encore de longues années au collège ?

Elle connaissait la réponse. Toutes les adolescentes accumulaient des informations biographiques sur les partis présentables de la ville.

— Deux ans.

— N'aimeriez-vous pas poursuivre au collège de Douceville, en septembre ?

— Non, la vie de pensionnaire me plaît.

— Vous tenez aux avantages de la grande ville.

Le ton était juste assez moqueur pour tirer un sourire au garçon.

— Vous savez, nos heures de loisir sont comptées, et mes parents s'attendent à ce que je passe tous mes jours de congé avec eux. Au moins, je leur échappe le reste du temps.

Le voile de tristesse, dans la voix, fit penser à Corinne que la vie dans la luxueuse demeure du juge devait sans doute être très morose, pour qu'il préfère les visages sévères de prêtres enseignants.

— Ensuite, vous aurez la chance de fréquenter l'université.

— Et de vivre dans une pension parmi des gens normaux.

Jules voulait sans doute dire : sans une soutane sur le dos. Après six ans d'école primaire sous la direction de frères et huit ans sous celle de prêtres enseignants, la sensation de liberté promettait d'être grisante.

La musique s'arrêta, mais le garçon garda ses doigts dans sa paume, son autre main sur son flanc.

— Vous m'accordez la suivante ?

Dans ce genre de soirée, on devait danser avec le plus grand nombre d'invités possible, dans le but de reconnaître le bon parti parmi la multitude. Cependant, son instinct lui indiquait que cette fois, ce ne serait pas la meilleure stratégie.

— Avec plaisir.

Tout de même, il la lâcha en attendant les premières notes de la seconde valse, puis la reprit dans ses bras.

❀

— Manifestement, observa Évariste, nos enfants semblent avoir trouvé un partenaire pour la soirée.

— Je suppose que chacun pourrait tomber plus mal, répliqua sa femme.

De l'autre côté de la table, Aline baissait la tête, tout en se mordant la lèvre inférieure. L'automne précédent, Georges s'était montré un partenaire avenant. Aujourd'hui, il jetait son dévolu sur une blonde aussi grande que lui ! Le cours des brunettes était à la baisse.

Devant sa mine si triste, l'idée de l'inviter traversa l'esprit du médecin. Quelques minutes plus tôt, il songeait à convier Corinne. Mais ce qui aurait semblé une délicate attention à l'égard de sa fille passerait moins bien avec une camarade de celle-ci. Aussi, ce fut son épouse qui se retrouva dans ses bras.

— La petite Tremblay paraît sur le point d'éclater en sanglots, signala-t-il.

— Disons que les deuils se succèdent dans son existence, récemment.

— … Elle a perdu quelqu'un ?

Délia commença par s'amuser de sa question, puis retrouva son sérieux pour expliquer :

— Plusieurs personnes. Ta fille danse avec le garçon qui la rendait toute rougissante il y a peu de mois. Par le passé, notre fils s'est montré bien gentil avec elle, mais présentement, il semble en pâmoison devant une blonde. Ajoute à cela une amitié vieille de dix ans qui se terminera sans doute.

— Avec Corinne ? Elles se fréquentent depuis leur premier jour d'école !

— Elles se voient de moins en moins. Je me demande toutefois si sa grise mine n'a que ce motif, ou s'il y a autre chose.

Peut-être Aline se lassait-elle d'être le centre d'attention du couple depuis un moment, ou de se sentir exclue dans cette assemblée où toutes les autres attiraient l'attention de garçons de leur âge. Elle se leva avant que les Turgeon ne reviennent à la table, puis marcha vers la sortie d'un pas vif. Beaucoup trop tôt, car deux ou trois timides rassemblaient leur courage depuis deux pièces musicales. À la troisième, ils se seraient certainement intéressés à une jolie brunette un peu triste.

Quand, les joues brûlantes d'excitation, Corinne reprit sa place, elle ne remarqua même pas son absence.

L'abbé Grégoire était rentré au presbytère d'un pas lent afin de profiter de l'agréable soirée. Comme la plupart des gens étaient attablés pour le souper, il échappa aux consultations spirituelles improvisées sur le trottoir.

Quand il entra dans sa grande demeure, la ménagère expliquait à Chicoine :

— Non, moé, j'servirai pas avant le retour de monsieur le curé.

— Il est allé danser, le curé. Ni vous ni moi ne savons quand il reviendra.

— Le curé est de retour, lança-t-il depuis l'entrée de la salle à manger. Vous pouvez nous servir, Cédalie.

L'ecclésiastique prit sa place à table, inspira profondément afin de calmer sa colère, puis jugea utile de préciser :

— Je ne suis pas allé danser. Je me suis rendu à une petite fête où nos paroissiens soulignaient la fin de l'année scolaire. Ce genre d'attention permet de maintenir de bonnes relations au sein de la communauté.

Chicoine réussit à ravaler les paroles lui venant à l'esprit, pour éviter que la cohabitation ne devienne rapidement intolérable. Son supérieur venait de justifier la danse. Pourtant, dans la province, la majorité des évêques la tenaient pour suspecte, pendant que les autres la condamnaient tout à fait.

— Autant ne pas nous étendre sur le sujet, suggéra le vicaire. Nos opinions divergent.

Grégoire avala son repas avec difficulté. Son instinct lui soufflait que cette histoire aurait une suite.

En revenant à la maison dans la rue De Salaberry, tout le monde affichait sa satisfaction. Délia se réjouissait du bon déroulement de l'activité et de la bénédiction du curé Grégoire. Georges marchait à la hauteur de Sophie, heureux d'avoir dansé avec elle, et maintenant soucieux de continuer dans la même voie. Corinne, quant à elle, tenait à échanger ses impressions avec sa mère.

— Je le pensais prétentieux, mais au fond, c'est un timide.

Jules lui avait réservé sa première danse, pour enchaîner tout de suite avec une seconde. Cela lui semblait de bon augure.

— Voilà qui te change de Félix, n'est-ce pas ?

La jeune fille serra les doigts sur le creux du coude maternel. Ces promenades dans les rues, bras dessus, bras dessous, comptaient parmi les meilleurs moments de sa courte existence.

— Ne te moque pas de moi.

— Je ne me moque pas. Je te fais observer que parfois des individus plein d'assurance et toujours souriants se révèlent finalement inamicaux. D'autres, qui semblent arrogants à première vue, sont tout simplement timides.

Le fils du maire devenait rapidement un mauvais souvenir. Bientôt, le croiser dans la rue la laisserait tout à fait indifférente. Après quelques secondes, elle reprit, un ton plus bas :

— Tu penses qu'Aline est partie parce que je dansais avec Jules ?

— Disons que cela n'a pas dû améliorer son humeur, déjà maussade à son arrivée.

Délia connaissait assez la brunette pour savoir que son visage fermé, lors de son arrivée au Club nautique, témoignait d'un moral assez bas.

— Ajoute à cela l'absence de toute invitation à danser et tu as une jeune personne certaine de ne pas être à la bonne place.

La femme du médecin regrettait bien un peu de ne pas lui avoir fait la conversation, mais ses propres enfants avaient retenu son attention, sans compter l'invitation d'Évariste à danser. Son époux avait déjà atteint la porte de la maison. Il leur ouvrit pour les laisser passer d'abord, puis ensuite son fils et Sophie.

Puisque l'heure du retour des Turgeon était incertaine, Graziella avait préparé un repas froid. Avec l'aide de la patronne et d'Aldée, quelques minutes suffirent pour mettre le couvert et les plats sur la table. Quand la maîtresse de la maison s'attabla, Sophie lui dit en baissant les yeux :

— Madame, je me sens mal à l'aise de m'imposer comme ça.

— Pourquoi dire que tu t'imposes ? Nous sommes heureux de ta présence chez nous.

Personne n'entendit le «merci» murmuré. Délia lui demanda :

— Tu es satisfaite de ta soirée ?

— Oui, je vous remercie encore. Pour la tournée des magasins, et pour votre accueil aujourd'hui.

Décidément, Sophie tenait à se présenter comme une jeune fille reconnaissante. Autant l'amener à parler d'un autre sujet.

— Nous savions déjà que Georges était le meilleur danseur de Douceville…

— Maman ! se plaignit le garçon.

— Mais que penses-tu de tes autres cavaliers ?

Sophie cessa de jouer la petite fille polie pour pouffer de rire. Une demi-douzaine de jeunes gens lui avaient tenu la taille le temps d'une danse ou deux.

— Je ne sais pas trop…

— Voyons, cesse de jouer à l'innocente.

— Mais c'est vrai. J'ai parlé ce soir à plus de garçons que pendant toute ma vie. Comment voulez-vous que je me fasse une idée ?

Elle n'exagérait même pas. Passer l'année scolaire et les vacances d'été au couvent limitaient les possibilités. Cette fois, ce fut au tour de son hôtesse de se sentir gênée.

— Oh ! Je m'excuse, je n'y avais pas pensé.

L'invitée continua sans se formaliser :

— Malgré mon manque d'expérience dans le domaine, je les ai trouvés gentils. Certains plus que d'autres.

À ces mots, ses yeux se portèrent sur Georges. Délia apprécia la performance. D'instinct, Sophie savait jouer à la séductrice. Avec un gentil garçon, les risques de blessure demeuraient limités. La mère de famille répéta les mêmes questions à l'intention de sa fille, pour obtenir sensiblement les mêmes réponses.

Un peu avant neuf heures, Sophie Deslauriers exprima le désir de rentrer au presbytère, tout en renouvelant ses remerciements. Sans hésiter, le garçon de la maison proposa de la protéger des dangers accompagnant la tombée de la nuit.

Dehors, Georges eut envie de lui offrir son bras, puis la timidité l'en empêcha. Pourtant, depuis quelques heures, Sophie lui réservait ses plus charmants sourires. Tout de même, avant d'arriver au presbytère, elle trouva suffisamment de courage pour lui dire :

— Je te remercie pour tout à l'heure.

Devant son silence, elle précisa :

— M'inviter à danser, comme ça.

— Cela m'a semblé la chose la plus naturelle.

Ils se tinrent un instant dans le cône de lumière d'un lampadaire, juste au pied de l'escalier conduisant à la porte du presbytère.

— Alors merci encore, répéta-t-elle, cette fois de façon presque inaudible.

— Je suis celui des deux qui devrait te remercier. Penses-tu aller au parc, demain ?

Ce serait le jour de la Saint-Jean. Tous les ans, des associations professionnelles ou nationalistes organisaient des compétitions sportives. Un défilé parcourait même les rues de la ville. Pour la première fois, Georges donnait un rendez-vous à quelqu'un.

— Oui, sans doute.

— Nous nous verrons là-bas, alors.

Devait-il lui tendre la main ? Ce serait ridicule. Pendant toute la nuit, il se fustigerait pour son manque d'assurance, et vivrait en imagination la conclusion manquée de la soirée : une bise sur la joue. Il réussit néanmoins à formuler un « bonne nuit » d'une voix caressante.

Depuis la fenêtre de sa chambre, le vicaire Chicoine avait une nouvelle fois surveillé toute la scène. La robe bleue, les longs cheveux blonds tressés, les petites fleurs dans la coiffure… Lui ne pensait pas seulement à lui embrasser la joue.

La fête de la Saint-Jean réunit une bonne moitié de la population de Douceville. Que le 24 juin 1906 tombe un dimanche permettait cette grande affluence. Le curé Grégoire avait pris la précaution d'écourter son sermon afin de donner à ses ouailles le temps de dîner avant le clou des célébrations : le défilé.

Vers une heure, les Turgeon se tenaient sur le trottoir de la rue Richelieu. Enfin, pas tous ! À cause de son statut de conseiller municipal et de responsable du dossier de l'hygiène publique, Évariste ne serait pas un simple spectateur cette année-là, mais un participant.

— Ça va me faire bizarre de voir papa sur un char allégorique, ricana Georges. Peut-être qu'ils vont lui coller une barbe noire et le faire passer pour Jacques Cartier.

— Cesse de faire ton drôle, le gronda Délia en lui pinçant doucement un bras. Ton père sera dans une voiture avec les autres échevins…

— … et Son Honneur le maire.

Les applaudissements s'élevèrent sur leur gauche, puis, après quelques minutes, un premier char défila devant eux. Il s'agissait d'une voiture de livraison tirée par deux chevaux. L'adolescent n'avait pas tout à fait tort : une petite construction de planches évoquait la proue d'un navire, un bout de drap suspendu à une perche de six pieds tenait lieu de voile, et un petit homme affublé d'une barbe noire – vraisemblablement la sienne, plutôt qu'un postiche – incarnait Jacques Cartier. Sur un panneau on pouvait lire : « Honneur au Canada français. »

Les héros de la Nouvelle-France formaient un panthéon de modèles à présenter aux adolescents. Ensuite, une belle grande voiture automobile décapotable fermait le cortège, comme Délia l'avait rappelé à son fils. À l'avant, à côté du conducteur, se tenait debout Horace Pinsonneault. Il saluait la foule d'un mouvement de la main, comme s'il se prenait pour la reine Victoria paradant dans les rues de Londres.

Les échevins s'entassaient sur les banquettes arrière, placées face à face comme dans les grandes berlines hippomobiles. Leurs salutations étaient bien discrètes, en comparaison de celles du premier magistrat. Ces élus percevaient sans doute le ridicule de la situation.

Sur les flancs du véhicule, un panneau affichait trois noms : Laurier, Gouin, Pinsonneault. Ce dernier, le maire de la ville, n'hésitait pas à se présenter comme un égal du premier ministre du Canada et de celui du Québec.

Le cortège de chars allégoriques se dirigea vers le parc Gouin. L'enthousiasme du maire Pinsonneault pour le Parti libéral était allé jusqu'à baptiser cet équipement municipal du nom du premier ministre provincial entré en fonction l'année précédente. Au centre de l'espace vert, un kiosque accueillait les musiciens en uniforme du Cercle philharmonique de Douceville. Les cuivres ajoutèrent une touche de gaieté supplémentaire à la chanson *Vive la Canadienne*, déjà fort entraînante.

Dans les allées ombragées par de grands arbres, des couples et des familles déambulaient lentement. Pendant quelques minutes, Délia se promena avec ses deux enfants, accrochés de part et d'autre à ses bras. Elle exhibait sa fierté sans vergogne, heureuse de les voir beaux, généreux et animés par des valeurs humanistes. Puis Évariste s'approcha d'un pas rapide. Il enleva son panama pour s'essuyer le front avec un mouchoir blanc.

— Papa, tu ressembles au futur maire de la ville, dit Georges en riant.

— Ne parle pas de malheur, grommela le médecin en remettant son couvre-chef.

— C'est vrai, à côté de Pinsonneault…

Inutile de continuer. Chacun constatait l'élégance de ce professionnel, avec son costume gris très pâle et son chapeau de paille. Son épouse abandonna ses enfants pour prendre son bras. Les jeunes gens leur laissèrent trois pas d'avance, puis leur emboîtèrent le pas. Bientôt, le couple ralentit, et le docteur Turgeon ôta de nouveau son panama.

— Madame Nantel, monsieur le juge, salua-t-il.

Entre notables, il convenait de se serrer la main et d'échanger quelques mots. Les hommes discutèrent des projets du conseil municipal. De son côté, Floranette déclara à sa voisine :

— Hier, notre thé dansant fut absolument parfait.

Le mot parut excessif à Délia. Elle convint tout de même :

— Oui, tout le monde a semblé satisfait.

Derrière ces notables, le pauvre Jules paraissait s'ennuyer ferme. Il serait peut-être un jour un grand avocat, mais en ce moment, il paraissait plutôt gauche. Il demanda :

— Monsieur Turgeon, me permettez-vous de mar-cher avec mademoiselle Corinne ? Si elle le veut bien, évidemment.

Évariste se tourna vers sa fille avec un petit sourire en coin.

— Si elle le veut bien, évidemment, répéta-t-il sur un ton moqueur, je suis d'accord.

Le rose aux joues, elle hocha la tête de haut en bas. Souriants, les adultes les regardèrent s'éloigner. Si ces deux-là ressentaient une inclination réciproque, personne ne crierait à la mésalliance. Georges en était quitte pour marcher seul, à moins que le hasard ne le serve à son tour.

Jules devait avoir eu sa dose de culot pour la journée, car il se tut un long moment.

— Vous avez aimé notre activité, hier ? demanda enfin Corinne.

Le thé dansant était leur seule expérience commune.

— Oui, beaucoup.

Elle voulut croire qu'il songeait aux quelques danses qu'ils avaient partagées. Décidément, l'été commençait sous de bons auspices.

Chapitre 11

À une heure, le dimanche de la Saint-Jean, Malvina Péladeau se présenta à la porte de la sacristie flanquée d'un homme bedonnant, coincé dans un habit du dimanche trop petit. Une fois la porte franchie, la jeune femme fit trois pas, puis lança :

— Monsieur le curé ?

Elle démêlait mal la hiérarchie ecclésiastique, même celle, toute simple, de la paroisse. Grégoire était le titulaire de la cure, donc le curé, et Chicoine était son vicaire. Celui-ci vint dans le vestibule et s'enquit :

— Vous êtes mademoiselle Péladeau ?

Il la reconnaissait, bien entendu.

— Oui, monsieur le curé. Pis lui, c'est Elzéar Morin.

L'ouvrier aux doigts longs arborait une repousse de barbe assombrissant ses joues. Il tendit la main, puis la retira puisque le religieux fit semblant de ne pas la voir.

— Vous voulez vous marier.

— Ouais, c'est ça.

Le fiancé n'affichait pas le plus grand enthousiasme. Peut-être estimait-il abusif de devoir en passer par là pour avoir accès à l'entrejambe de la demoiselle. Malvina portait sa meilleure robe, celle du dimanche, et un chapeau de paille. Oui, sur le parvis de l'église, on devait la juger assez jolie.

— Suivez-moi.

La sacristie était une minuscule église. Des chaises s'alignaient sur une demi-douzaine de rangées. Plus de trente personnes pouvaient s'y réunir pour une cérémonie discrète. Les deux visiteurs s'y marieraient peut-être.

— Vous avez pensé à une date ?

— Queque part à la mi-juillet, répondit Malvina. Le samedi.

Dans moins de trois semaines, donc. Un couple très pressé. Chicoine imagina qu'Elzéar avait probablement glissé plus que sa main entre les jambes de la demoiselle.

— Aussi tôt, ce ne sera pas possible, à moins d'obtenir une dispense. Il faut publier les bans trois fois…

Publier, dans le sens de rendre publique une intention de mariage, afin que toutes les bonnes gens de la paroisse et de celles des environs aient la possibilité de faire connaître les empêchements à cette union. Comme l'existence d'épousailles précédentes, ou un lien de parenté quelconque entre les époux.

— Quand je jugerai que vous possédez les connaissances et la bonne attitude nécessaires pour vous engager chrétiennement dans le mariage, je passerai à cette étape. Toutefois, la cérémonie n'aura pas lieu avant le mois d'août.

Le vicaire leur désigna des sièges dans la première rangée, puis déplaça une chaise pour s'asseoir en face d'eux. Ses explications durèrent encore quelques minutes.

— Vous avez parlé de… dispense, rappela l'homme, hésitant.

— Oui, Sa Grandeur monseigneur l'archevêque permet parfois de passer outre à la publication des bans.

— Y pourrait pas le faire, là ? Donner une dispense ?

— Ce n'est pas si simple, il faut une bonne raison. Il s'agit toujours d'éviter le scandale.

Les fiancés échangèrent un regard inquiet, puis ce fut Malvina qui reprit :

— J'comprends pas.

— Scandaliser les gens… Être une cause de péché pour les autres, les porter au péché. Leur inspirer de mauvaises pensées, leur donner le mauvais exemple.

L'explication ne paraissait guère éclairer le couple. L'abbé Chicoine se résolut à se faire plus explicite.

— Des gens se marient avec un bébé en route. Cela donne le mauvais exemple, d'autres peuvent les imiter.

Un moment de silence pesa. De nouveau, les visiteurs se consultèrent du regard, de plus en plus mal à l'aise.

— Vous attendez un enfant, mademoiselle ?

Vivement, elle secoua la tête de droite à gauche, sans pourtant convaincre le vicaire. Il quitta sa chaise tout en disant :

— Nous allons tous les trois nous agenouiller là.

De la main, il désignait l'alignement de prie-Dieu devant l'autel. Quand on célébrait la messe, il faisait office de sainte table. Le vicaire en occupa un, puis incita de la main la femme à s'installer à sa droite, l'homme à sa gauche.

— Mademoiselle, vous avez confessé de mauvais touchers. Il s'agissait de ce monsieur ?

Mieux informée, plus vive d'esprit, elle se serait offusquée de voir ainsi trahi le secret de la confession. Que ce soit fait devant son partenaire de galipettes rendait sans doute les choses plus acceptables…

— Et vous, monsieur, vous êtes-vous confessé ?

— Euh ! Oui, monsieur le curé.

— Vous avez mis votre main entre ses jambes ?

Un bref instant, Elzéar eut envie de se lever et de sortir. Mais les vingt-deux ans d'enseignement religieux, commencés sur les genoux de sa mère, poursuivis à l'école puis avec le curé de la paroisse, le retinrent.

— Oui.

— L'aviez-vous fait avant ? Avec une autre personne ?

Le silence dura assez longtemps pour valoir un assentiment. Malvina se mordit la lèvre inférieure, ses joues perdirent leurs couleurs. Puis elle sentit une main glisser sur ses fesses, en empoigner une pour la serrer très fort.

— Il a fait comme ça ?

Si le fiancé comprit ce qui se passait à ses côtés, il jugea préférable de n'en rien laisser paraître. Mais un geste pareil était si inconcevable qu'il ne pouvait l'imaginer. Malvina finit par hocher doucement la tête.

Chicoine agita ses doigts pour les placer juste sous les fesses et tirer le tissu de la robe vers le haut. La femme eut un hoquet, mais ne dit pas un mot.

— Et vous avez forniqué comme des bêtes.

Ce n'était pas une question, de toute façon aucun des deux n'aurait osé répondre. Le prêtre continua son exploration digitale, une première dans sa vie. Pourtant, il poursuivait son interrogatoire – faire allusion à ces gestes l'excitait au plus haut point –, tendant l'oreille afin de capter le moindre petit bruit indiquant une autre présence… et éjacula longuement dans son froc.

Finalement, le sort se montra généreux pour Georges aussi. Il se passionna d'abord pour une partie de baseball disputée par des ouvriers de la Willcox & Gibbs. Alors que ses parents se promenaient toujours bras dessus, bras dessous sous les arbres, sa sœur et le fils du juge déambulaient également en maintenant, bienséance oblige, un espace de dix-huit pouces entre eux.

Puis il aperçut Sophie au bout d'une allée. Elle portait la même robe blanche que lors de la remise des diplômes. Ses cheveux relevés dégageaient son cou, ses oreilles. Son oncle l'accompagnait. Georges s'avança vers eux, et les salua, une fois rendu à leur hauteur, il dit :

— Bonjour, monsieur le curé.

Pourtant, ses yeux ne quittaient pas l'adolescente. Le curé Grégoire esquissa un sourire.

— Bonjour. Tu t'amuses bien ?

— Oui, monsieur le curé.

— Tu ne veux pas te joindre à eux ?

Sur le terrain, des enfants s'apprêtaient à enfiler des sacs de patates pour parcourir une trentaine de verges en sautillant.

— Non, je ne suis pas assez bon.

Surtout, ces activités ne convenaient guère à quelqu'un de son âge. Pourtant, il continua :

— Si cela devient une discipline olympique, on verra ces gamins à Athènes cet été.

Les Jeux tenus à Saint-Louis en 1904 avaient tellement séduit le public que le comité en organisait des « intercalaires » en 1906 pour souligner le dixième anniversaire de ceux de 1896.

— Voilà un bel enthousiasme pour des amusements honnêtes, fit l'ecclésiastique. Pourtant, je te soupçonne de t'intéresser à des occupations d'un autre âge.

Il arborait un air faussement sévère. Georges y lut une allusion à ses regards en biais destinés à Sophie, et même une invitation à se montrer plus audacieux.

— Tes parents sont ici ?

— Je les ai vus il y a une demi-heure près d'un chêne ou d'un érable, ou d'un orme.

De la main, il désignait un bouquet d'arbres.

— Heureusement que tu ne travailles pas en forêt. Je vais les rejoindre. Tu voudrais bien escorter cette jeune fille un moment ?

— Bien sûr, monsieur le curé.

Peut-être Grégoire avait-il vu le garçon raccompagner sa nièce jusqu'au presbytère. Il s'amusait clairement de l'émotion des deux jeunes gens. Quand il se fut éloigné, Sophie reprit exactement les mots de Corinne :

— Vous avez aimé notre activité, hier ?

Il fit un signe de la tête, puis proposa :

— Que diriez-vous d'aller près de la rivière ? Il fera peut-être un peu moins chaud.

La sueur sur le front, et au-dessus de sa lèvre supérieure, la rendait particulièrement séduisante, ou plus exactement désirable. Il s'imagina se penchant pour l'embrasser là. L'image lui amena à la fois du rose sur les joues et une raideur au bas-ventre. Tout de même, lorsqu'ils furent assis sur un banc près de la rive, Georges put apprécier à la fois la brise rafraîchissante et la conversation.

Au détour d'un sentier, le couple Turgeon en rencontra un autre dans la jeune trentaine : Xavier Marcil et son épouse Euphémie. Les deux hommes se serrèrent la main. Le secrétaire de la municipalité interrogea le médecin d'un ton narquois :

— Avez-vous aimé votre balade en voiture avec Son Honneur le maire ?

— Pas autant que lui, j'en suis certain.

Puis, en se tournant à demi, Évariste continua :

— Vous connaissez déjà ma femme, Délia.

— Oui, vous me l'avez présentée sur le parvis de l'église, un jour glacial de février. Et nous nous revoyons aujourd'hui sous un soleil de plomb.

Une poignée de main suivit, puis ce fut au tour de l'avocat de faire les présentations.

— Euphémie, ma femme.

Pendant l'échange de civilités, l'épouse du médecin examinait l'avocat. Le sourire de celui-ci paraissait tout à fait artificiel. Il plaquait un air bonhomme sur un visage attristé. Son regard se posa ensuite sur Euphémie, une brune à la chevelure lourde.

Deux enfants les accompagnaient, un garçon et une fille âgés de huit et dix ans. L'échange dura trois, quatre minutes tout au plus et porta sur les festivités de la journée. Quand ils se séparèrent, Délia s'appuya au bras de son époux pour murmurer :

— Cet homme semble triste comme un jour sans pain.

— Pour lui, les jours sont toujours trop froids ou trop chauds.

— D'où lui vient cette mélancolie ?

Évariste était chaque fois perturbé de commenter l'état de ses patients devant son épouse, mais dans un petit milieu comme le leur, même le secret professionnel souffrait parfois.

— Ton diagnostic vaut celui des représentants de la faculté. Toutefois, les causes sont juste un peu plus complexes.

La reponse tira un sourire à Délia.

Même si son aisance allait en s'accroissant, Jules n'osait toujours pas offrir son bras à sa compagne. Une fois épuisé le sujet des activités académiques de l'année scolaire précédente, la conversation porta sur leurs projets d'avenir. En réalité, seul le jeune homme fit part des siens. À une jeune fille de bonne famille qui échappait au destin de religieuse, à moins d'un grand malheur, il restait les rôles d'épouse et de mère.

Puis une silhouette familière apparut au bout d'une allée. Un grand garçon, plutôt athlétique, venait dans leur direction, flanqué d'une jeune fille. Félix Pinsonneault. Évidemment, dans une petite ville comme la leur, le hasard devait nécessairement, tôt ou tard, les placer face à face. Machinalement, Corinne ralentit le pas. Son malaise était si perceptible que Jules demanda :

— Quelque chose ne va pas ?

— Non, pas vraiment. J'aurais cependant préféré ne pas tomber sur lui.

— Je comprends. Le fils du maire…

Sa voix exprimait un certain mépris. Celui de l'héritier d'une famille de professionnels envers le fils d'un *self-made-man* plutôt mal dégrossi.

— Nous pouvons aller par là.

Des yeux, il indiquait une allée perpendiculaire qui leur permettrait d'éviter la rencontre.

— Non, je le croiserai forcément à un moment ou un autre. Pourquoi pas aujourd'hui ?

Corinne tenait surtout à ce que cela se produise alors qu'elle marchait à côté de l'un des meilleurs partis de la ville. Pour ajouter à l'effet, elle passa sa main sous le bras du garçon. Si le geste le prit au dépourvu, il n'en laissa rien paraître. Bientôt, ils arrivaient à la hauteur du fils du maire.

— Bonjour, Corinne, lança celui-ci. Voilà longtemps que nous ne nous sommes pas rencontrés.

Le regard de la jeune fille détaillait la compagne de son interlocuteur. Il s'agissait d'une brunette plutôt jolie, élancée.

— Bonjour. Tu as raison, pas depuis que Georges...

Comment exprimer la conjoncture ? L'hésitation dura un instant.

— ... s'est fait un nouveau cercle d'amis.

Elle marqua une pause, puis offrit son plus beau sourire en disant :

— Tu connais peut-être Jules Nantel.

Le fils du juge connaissait les usages de la vie en société : il tendit la main et serra celle de son vis-à-vis.

— Non, pas vraiment. Enfin, de nom, sans plus, et pour l'avoir vu à l'église.

— Je fréquente le Collège de Montréal.

Le ton contenait juste un brin de suffisance, celle du gars de la grande ville. Félix le sentit bien ainsi. Puis, comme si la présence de sa compagne lui revenait subitement en mémoire, il la présenta :

— Voici Juliette Tousignant.

Ce fut au tour de Corinne de lui offrir sa main. Elle la connaissait pour l'avoir vue au couvent, deux ou trois ans plus tôt. Ou ses parents l'avaient inscrite ailleurs, ou sa scolarité s'était arrêtée à la fin du cours primaire complémentaire.

— Bonjour. Tu fais du travail de maison ?

Au moins, la blonde n'avait pas dit « du travail domestique », mais Félix comprit très bien : elle le catégorisait parmi les séducteurs de bonnes. La jeune fille parut un peu surprise, puis répliqua :

— Non. Je suis employée à la Banque de Montréal.

— Oh ! Je pensais... Parce que Félix...

Elle s'arrêta. Inutile de se faire plus précise, cette Juliette poserait les questions nécessaires pour obtenir davantage d'informations. Jules, perplexe, les observait.

— Nous allons continuer notre promenade, maintenant. Je suis heureuse de t'avoir revu.

Voilà qui donnerait à l'employée de banque un autre sujet de curiosité. L'au revoir de Félix s'avéra glacial. Après avoir parcouru une cinquantaine de verges, Jules remarqua, intrigué :

— Je pense qu'une partie de la conversation m'a complètement échappé.

— Peux-tu garder un secret ?

— Je deviendrai probablement avocat, je veux bien m'entraîner au secret professionnel.

Son ton trahissait son amusement.

— Georges et Félix se sont connus à la petite école. Il venait souvent à la maison. L'an dernier, il s'est mis à…

Après une pause, pour ajouter au sérieux de sa confidence, elle insista :

— Je veux bien te le dire, mais tu dois vraiment demeurer discret. Une réputation est en jeu.

Cette fois, elle avait totalement capté l'intérêt de Jules. Il hocha la tête de haut en bas.

— L'an dernier, nous avions une nouvelle petite bonne, une fille venue du fond d'un rang. Il l'a…

Pour la suite, elle baissa le ton jusqu'à murmurer :

— Je pense que le bon mot est "harcelée". Je ne connais pas les détails, mais maman lui a interdit la maison.

— Elle a bien fait. Quel manque de classe !

Corinne venait d'exercer ses représailles. Même après un engagement à la discrétion, au fil des mois et des ans, Jules Nantel parlerait de Félix comme d'un homme dont il fallait se méfier.

Pendant le reste de la promenade, la blonde potelée ne perdit pas son sourire. D'abord, la conscience d'avoir des griffes pour se défendre la rassurait. Surtout, sa main était fixée au creux du coude de Jules.

Le lendemain des célébrations de la Saint-Jean, Sophie était restée au presbytère, passant du temps sur l'un des fauteuils en rotin installés sur la galerie à l'avant de la demeure, puis sur l'une des chaises de l'arrière-cour.

Le jour suivant, tout de suite après le déjeuner, l'adolescente rejoignit son oncle dans son bureau. Debout en face de lui, elle le pria :

— Mon oncle, puis-je aller chez les Turgeon ?

Alphonse Grégoire savait bien qu'on en viendrait là : pendant les grandes vacances, une jeune fille solitaire risquait de trouver le temps terriblement long. La lecture pouvait certainement l'occuper un moment si elle se résignait à parcourir seulement des ouvrages pieux. La bibliothèque du curé n'en contenait pas d'autre.

Cependant, il s'inquiétait de la voir devenir une nuisance.

— As-tu été invitée ?

Sophie rougit en répondant :

— Oui, évidemment.

Cela ressemblait plutôt à un vœu pieux.

— Par madame Turgeon ?

— Corinne.

Le curé ne doutait pas que les adolescentes souhaitaient partager ces longues journées. Il pouvait en aller autrement de ses hôtes.

— Tu pourras y aller après dîner.

Si la jeune fille ne protesta pas, l'idée de passer toute la matinée en solitaire ne lui souriait guère. Pourtant, docile, elle murmura :

— Oui, mon oncle.

Grégoire la regarda quitter la pièce, déçue. Non seulement l'été menaçait de devenir ennuyant, mais en septembre, elle ne retournerait pas au couvent. Poussant un soupir, il décrocha le cornet du téléphone pour le porter à son oreille, puis approcha l'appareil de sa bouche pour demander la communication avec la résidence du docteur Turgeon. Heureusement, ce dernier ne recevait pas de patients à ce moment de la journée, car l'appareil était dans son cabinet. Il attendit de longues minutes avant d'entendre la voix de Délia :

— Allô ?

— Madame Turgeon, ici l'abbé Grégoire. Puis-je vous rendre une petite visite ?

Il y eut un silence à l'autre bout du fil, puis elle accepta :

— Oui, bien sûr.

Le curé ne s'attendait pas à une autre réponse. Les bons catholiques déplaçaient n'importe quel rendez-vous pour rencontrer leur pasteur.

— Je me mets en route tout de suite.

Après de brèves salutations, chacun raccrocha.

Délia se demandait bien pourquoi le curé désirait la voir. La fois précédente, il l'avait priée de prendre sa nièce sous son aile pour une tournée des magasins.

Heureusement, la rapidité du prêtre lui épargna un long questionnement. À peine dix minutes plus tard, il frappait à la porte.

— Laisse, je m'en occupe, dit-elle à Aldée qui se présentait à l'entrée du couloir.

La bourgeoise alla elle-même ouvrir.

— Monsieur le curé, me ferez-vous le plaisir de me convier à retourner chez Morgan afin d'acheter de jolies toilettes ?

Grégoire accepta la main tendue, tout en appréciant la tenue estivale de son hôtesse. Le chemisier blanc cassé et la longue jupe beige très pâle la flattaient. En réalité, quelle que soit sa tenue, cette femme était séduisante. Ses longs cheveux blonds ramenés sur la tête dans une construction élaborée dégageaient le visage et le cou. Curieusement, la voir ainsi lui rappela Clotilde, la femme qui s'était rappelée à son souvenir dans une lettre signée Tilda.

— Je doute d'avoir les moyens d'une nouvelle virée.

— Mon mari me dit exactement la même chose. Accepteriez-vous de venir dans la cour pour boire un café ?

Tôt en matinée, la température y serait agréablement fraîche. Aussi, il donna son assentiment. Pour atteindre la cour, ils devaient traverser la cuisine.

— Ah ! Bonjour, m'sieur le curé, s'exclama Graziella en s'inquiétant de l'état de son tablier.

— Bonjour, mademoiselle Nolin. Vous allez bien ?

— Aussi bin qu'ça peut aller à mon âge, j'suppose.

Sa dernière visite dans le cabinet de son patron lui avait rappelé l'accumulation des ans. Il lui faudrait quelques jours encore pour se réconcilier avec son état. Si Aldée demeura silencieuse – sa supérieure parlait toujours pour deux, de toute façon –, elle reçut un salut d'un signe de la tête et un sourire sincère.

— Nous allons nous asseoir derrière, les prévint Délia. Vous nous apporterez du café.

Dans la cour, de grandes chaises Adirondack invitaient à s'asseoir à l'ombre de quelques arbres fruitiers.

— Vous profitez d'un bel îlot de verdure en pleine ville, observa l'ecclésiastique.

— Tout comme vous. Dommage que tant de voisins transforment leur cour en dépotoir.

La question de l'enlèvement des ordures et du nettoyage des terrains occupait la plupart des réunions du conseil de ville depuis la récente élection.

— Votre époux est en voie de réaliser ses projets, en ce domaine.

Sa position d'échevin et de président du comité d'hygiène lui conférait une certaine autorité. La bourgeoise eut un petit sourire narquois.

— Ou en voie de se faire montrer la porte par Son Honneur le maire.

— Vous voulez dire par les électeurs.

— Dans notre ville, c'est la même chose, non?

— Je n'en suis pas tout à fait certain.

La perspective de faire place à un nouveau venu souriait à un nombre croissant de Doucevilliens, sans doute lassés des manières cavalières de Pinsonneault, tout autant que de sa tendance à confondre les intérêts de la ville et ceux de son commerce. Mais le curé n'était pas là pour donner son avis sur les perspectives d'avenir du maire actuel. Tout de même, Délia attendit qu'Aldée soit venue déposer le café sur la petite table placée entre les fauteuils avant de demander:

— S'il ne s'agit pas de courir les grands magasins, pourquoi vouliez-vous me voir?

Grégoire eut envie de répondre: «Pour le plaisir de votre compagnie.» Mais même dans un foyer libéral, ces mots pouvaient lui être cruellement reprochés.

— Pour m'assurer que ma nièce ne devienne pas un embarras pour vous.

La surprise sur le visage de Délia l'amena à préciser très vite:

— Depuis qu'elle habite au presbytère, elle s'est arrêtée ici deux ou trois fois par semaine en revenant de l'école, pour manger parfois à votre table. Les grandes vacances sont commencées depuis hier, et ce matin elle m'a demandé la permission de rendre visite à votre fille. Peut-être Corinne multiplie-t-elle les invitations, mais je voudrais que vous me signaliez jusqu'où je peux la laisser vous envahir.

Au moins, l'ecclésiastique ne tournait pas autour du pot. Sophie risquait de passer tout son temps dans cette grande demeure, si personne n'y prenait garde.

— Vous savez certainement que votre parente connaît et pratique scrupuleusement toutes les règles de la bienséance, affirma Délia en souriant.

— Je n'ai aucun doute à ce sujet, toutefois…

— Je ne crois pas qu'elle risque de devenir désagréable, et dans ce cas, croyez-moi, je saurais la ramener à l'ordre.

« Sans doute sans élever la voix ni perdre votre sourire », songea Grégoire. Le docteur Turgeon devait se féliciter de l'avoir choisie pour compagne.

— Je pense que Corinne est heureuse d'avoir une petite sœur.

— Une grande sœur, plutôt ? Votre fille est âgée d'un an de moins que ma nièce.

— Un chiffre qui ne signifie pas grand-chose. Sophie découvre la vie familiale, les joies, les inquiétudes et les peines d'une adolescente en attente du prince charmant, et ma fille lui sert de guide.

Évidemment, les religieuses l'avaient préparée à se faire nonne. Il était facile de deviner le désarroi de la couventine devant les situations les plus banales de sa nouvelle existence. À cause de cette situation, fréquenter un foyer « normal » devenait une nécessité.

— Je comprends donc que je peux l'autoriser à venir ici. À quelle fréquence ?

— Si jamais elle envahit cette maison, pour reprendre votre mot, je vous le ferai savoir. D'ici là, ne vous inquiétez pas.

La réponse rassura le prêtre. Une jeune fille ne pouvait errer dans un presbytère comme une âme en peine.

— Je suppose que cela entraînera des frais pour vous. Soyez assurée que je vous rembourserai.

Un peu plus, et il lui proposait de payer une pension ! Cette fois, quoique son interlocuteur soit membre du clergé, Délia ne se priva pas de rire de bon cœur.

— Si les dépenses supplémentaires atteignent le prix d'une jolie robe, je vous en informerai.

Le curé accepta la raillerie de bonne grâce, puis engagea la conversation sur des sujets plus légers, avant de retourner au presbytère.

Chapitre 12

Le curé Grégoire se retint de recommander à sa nièce de se montrer polie et réservée. Ces qualités semblaient inscrites en elle. Un peu après une heure, Sophie quitta le presbytère pour marcher jusqu'à la rue De Salaberry. Quand elle frappa à la porte de la grande demeure, Georges vint lui ouvrir.

— Bonjour, la salua-t-il.

Sa timidité l'empêcha d'ajouter : «Je suis content de te revoir», mais son sourire était éloquent.

— Bonjour. Corinne est à la maison?

Le garçon la laissa entrer tout en répondant :

— Bien sûr. Je ne doute pas que le bruit de la porte ne l'amène à se manifester.

La couventine entrait à peine dans le couloir que la fille du médecin descendait l'escalier.

— Te voilà! Tu m'as manqué. Tiens…

Sur ce mot, elle l'embrassa sur la joue. Georges se demanda s'il aurait cette audace avant le jour de son mariage. Souvent, le souvenir de l'attitude de Félix lui revenait. Le fils du maire ne se serait certainement pas morfondu ainsi.

Délia lisait dans le salon, aussi elle les rejoignit pour dire un mot de bienvenue. Après une brève mention du récent thé dansant, elle retourna à son magazine.

— Viens dans ma chambre, invita Corinne en s'engageant tout de suite dans l'escalier.

— Vous n'aimeriez pas plutôt aller au parc ? suggéra Georges. C'est l'été.

— Justement, subir le soleil qui tape, le visage tout rouge, cela ne me tente pas.

Tout de même, la fille de la maison consulta son amie du regard. Celle-ci murmura tout simplement :

— Je vais faire comme toi.

Toutes deux montèrent à l'étage. Georges les suivit des yeux, admiratif. Ensuite, il chercha son canotier. Avec un peu de chance, des garçons assez privilégiés pour échapper au travail d'atelier ou de bureau auraient envie de se lancer une balle, et si le nombre le permettait, de s'essayer au baseball.

Dans la chambre, Corinne alla se planter devant la fenêtre en écartant les bras de son corps, pour profiter du faible courant d'air.

— Avec cette chaleur, la sueur me coule ici, indiqua-t-elle, alors pas question de rester au soleil.

De la main, elle désignait le creux de ses reins.

— Un de ces jours, nous irons sur la rivière, en bateau. C'est la seule façon de se rafraîchir.

Tout en parlant, Corinne s'était installée sur son lit en faisant signe à son amie de la rejoindre.

— Tu t'es déjà baignée dans la rivière ?

Intimidée par sa propre question, Sophie avait murmuré. Les journaux mentionnaient des baignades avec des costumes osés. En réalité ils couvraient le corps du mollet au cou, et certains comportaient même un bonnet, mais tous les prêcheurs les condamnaient du haut de la chaire. Bien plus, souvent il fallait d'abord monter dans une curieuse charrette et se laisser guider jusque dans l'eau pour échapper aux regards des personnes sur le rivage.

— Non. Je ne suis pas certaine que mes parents voudraient. Cependant, un jour, je sais que je me baignerai dans la mer.

— Dans les campagnes, les enfants se déshabillent et sautent tout simplement dans un cours d'eau.

Sophie rougit, comme si elle s'imaginait dans cette situation. Elle ajouta pour préserver sa réputation :

— En tout cas, c'est ce que des filles racontaient au couvent. Moi, je ne le ferais pas.

— De toute façon, nous ne sommes plus des enfants.

Puisque les garçons occupaient la plupart de leurs pensées, cela devait être vrai. Peu après, Corinne sortit le dernier numéro de *L'Album universel* et, épaule contre épaule, elles parcoururent le feuilleton, une histoire d'amour contrarié. L'occasion était trop belle, Sophie la saisit.

— Ce garçon avec qui tu as dansé en premier samedi, tu le connaissais déjà ?

— C'est le fils du juge Nantel.

Elle tenait à préciser qu'il était un bon parti.

— Je l'avais déjà croisé, mais sans avoir échangé plus de trois mots avec lui.

Elle voulait dire trente, mais tout de même, il s'agissait d'un quasi inconnu.

— Et dimanche, vous avez longuement marché ensemble.

Corinne s'en sentit toute drôle. Ces rencontres, à moins de quarante-huit heures d'intervalle, la grisaient encore.

— Tu crois que cela peut devenir sérieux ?

— Il est à cinq ou six ans de son premier emploi…

C'est-à-dire une éternité pour qui en avait seize. Au bas mot, Jules rencontrerait encore une douzaine de charmantes jeunes filles avant de faire son choix. Une seule pensée rassurait Corinne : elle rencontrerait le même nombre de garçons.

— Sais-tu qu'aujourd'hui, j'ai reçu la visite de l'abbé Grégoire ? lança Délia quand son époux revint de la salle de bain.

Si ce dernier espérait tenter un petit rapprochement amoureux, l'allusion au curé de la paroisse le refroidit.

— Pourtant, il ne commencera pas ses visites paroissiales avant le mois de septembre.

— Cette fois, son rôle d'oncle le préoccupait, non celui de pasteur. Il s'inquiète de la présence… assidue de Sophie dans la maison.

— Nous en avons l'habitude, non ? Félix Pinsonneault venait ici un jour sur deux.

La mention du fils du maire rappela de mauvais souvenirs à l'épouse. Le séducteur de sa domestique avait froissé bien des sensibilités. Le médecin continua :

— Sa présence fait plaisir à Corinne, et sa timidité, sa politesse irréprochable en font une présence agréable.

— J'ai dit la même chose au curé.

— Puis, elle ne m'a pas encore fait de charme, dit Évariste en lui adressant un clin d'œil appuyé.

De son côté, le fils du maire ne s'était pas gêné pour essayer son pouvoir de séduction sur la maîtresse de la maison.

— Que veux-tu, ta prestance en impose à cette gamine, tu lui fais perdre ses moyens.

Délia vint s'allonger et son mari apprécia la légèreté de son vêtement de nuit. Les grandes chaleurs présentaient un avantage : le lin et les minces cotonnades chassaient la flanelle et la laine.

— Puis, je ne veux pas te décevoir, mais quelqu'un lui fait déjà les yeux doux, dans la maison.

Évariste esquissa un sourire amusé, mais pas tout à fait exempt de fierté. Son grand garçon négligerait un peu les Jeux olympiques « intercalaires » de l'été pour s'intéresser à des yeux bleus et des joues d'un joli rose.

— Son intérêt lui est-il rendu ?

— Tu la connais. Une couventine demeure une couventine, même si elle porte désormais de jolies robes.

Délia fit une pause, puis ajouta :

— Tout de même, Corinne lui donne un bel exemple, et Georges est aussi adorable maintenant que quand il avait six ans.

Le médecin savait d'ores et déjà qu'il risquait de voir la nièce du curé à sa table plus souvent encore. Sa présence ne lui pèserait guère. Il se tourna à demi vers sa femme, tendit la main pour la poser sur sa hanche.

— Tu sais que la nuit sera très chaude, le tempéra-t-elle.

L'épouse ne paraissait toutefois pas opposée à l'idée de faire monter davantage la température.

— Nous en serons quittes pour enlever ces jaquettes ridicules et coucher nus comme les habitants de l'Afrique.

— Tu connais l'Afrique, toi ?

— Je lis beaucoup.

Quand ses lèvres touchèrent celles de sa compagne, ils oublièrent tout à fait les pays exotiques.

Le samedi 30 juin, comme d'habitude, le curé Grégoire quitta le presbytère pour marcher lentement vers le bureau de poste, acceptant de bonne grâce de s'arrêter dix fois en chemin pour, le plus souvent, inviter son interlocuteur à venir le rencontrer dans son bureau en toute confidentialité.

Puis, encore une fois, ce furent les longs échanges afin de savoir qui lui céderait sa place dans la file d'attente. Toutefois, depuis quelque temps – depuis la réception de la lettre de Tilda Donahue, en fait –, il éprouvait une certaine crainte au moment de recevoir la liasse d'enveloppes et les quelques journaux.

— Voilà votre patron qui vous écrit ! commenta l'employé en les lui remettant.

Le froncement de sourcils l'amena à se reprendre :

— Je veux dire que vous avez une lettre de Sa Grandeur monseigneur l'archevêque de Montréal.

L'alignement de tous les titres de politesse devait exprimer le grand respect du jeune homme pour la sainte Église catholique romaine. Tout de même, le sourire de Grégoire était un peu crispé. Il sentait la menace d'une mauvaise nouvelle au-dessus de sa tête.

Dehors, il songea à s'asseoir sur un banc du parc, juste en face du presbytère, pour profiter un moment du beau temps. La perspective qu'on puisse regarder par-dessus son épaule l'incita plutôt à se réfugier dans sa cour arrière. Il venait tout juste de s'installer sous le grand arbre quand la ménagère ouvrit la porte pour lancer :

— Fait chaud, monsieur le curé. Voulez-vous queque chose de frette ?

— Vous êtes gentille, Cédalie. Je prendrais bien de la limonade.

Pour retarder la mauvaise nouvelle, l'ecclésiastique commença par ouvrir des enveloppes contenant des factures, des rappels de renouvellement d'abonnement à quelques périodiques, et même une lettre d'une ancienne paroissienne désireuse de recevoir des conseils spirituels à distance. Après que la ménagère eut déposé un verre devant lui, il se sentit prêt à lire la prose de son supérieur.

— Ça, je présume que c'est une gentillesse de mon vicaire.

À la suite de l'échange de mots aigres-doux avec Chicoine au sujet du thé dansant, le malgracieux s'était réservé une petite vengeance.

Mon très cher fils, commençait le prélat,
J'aimerais vous voir dans les meilleurs délais…

Suivaient l'expression de quelques amabilités bien peu en accord avec une invitation qui se résumait à : « Venez, que je vous passe un savon. » Il remettait tout juste la missive dans l'enveloppe quand son vicaire sortit sur la galerie arrière, un verre de limonade à la main.

— Monsieur le curé, je peux me joindre à vous ?

Trois siècles plus tôt, un ecclésiastique tel que lui aurait sans doute accouru dans les salles de torture de l'inquisition afin de jouir du spectacle.

— Si vous voulez.

Malgré le peu d'enthousiasme dans la voix, son collègue vint occuper la chaise voisine.

Le magasin de meubles Tremblay bénéficiait d'un bon emplacement dans la rue Richelieu. Parce que les cultivateurs tout comme les travailleurs urbains touchaient des revenus réguliers, l'été était propice pour renouveler l'intérieur d'un logis. Aussi, Rosaire quittait rarement son commerce, y restant même parfois au moment du repas. Quelqu'un lui apportait une assiette du logement situé à l'étage.

Depuis quelques jours, Aline descendait dès l'ouverture le matin, pour ne remonter qu'à la fermeture. Son père n'était pas sans remarquer sa mine renfrognée le soir, et son visage qui s'éclairait quand elle s'éloignait de l'appartement. Ou, plus exactement, de sa mère.

Il la regardait aux côtés d'un couple dans la jeune ving-taine, des gens qui convoleraient en justes noces avant une dizaine de jours. Les futurs mariés sortirent un quart d'heure plus tard en souriant. Le fiancé reviendrait sans doute bientôt avec ses économies en poche.

Rosaire Tremblay s'approcha de sa fille :

— Vont-ils le prendre, le *set* de chambre ?

— Probablement. Nos prix sont bons, la qualité aussi.

— Toé, tu vas faire une bonne femme de marchand.

Aline le remercia d'un sourire un peu déçu. Le dernier thé dansant lui avait fait réaliser que les fils de profes-sionnels lui accordaient bien peu d'attention. Pourtant, ses yeux et ses cheveux sombres attachés en une petite tresse lui atteignant les épaules, ainsi que sa fine sil-houette avaient de quoi séduire. Aujourd'hui, son chemi-sier blanc et sa jupe de cotonnade rouge foncé la flattaient particulièrement.

— Qu'essé qu't'as ? Ça fait un boutte que t'as une face de carême.

La commissure des lèvres de la jeune fille frémit légèrement.

— Je vais essayer de me reprendre, je voudrais pas faire fuir la clientèle.

— Non, t'es parfaite icitte. C'est en haut qu't'as l'air malheureuse. Y a-tu queque chose avec ta mère ?

L'adolescente se troubla. En esquivant la question, elle détourna les yeux :

— Non, rien.

Aline était bien peu convaincante, mais son père préféra ne pas insister. De toute façon, la clochette placée au-dessus de la porte sonna, des clients entraient.

Parmi les anciennes élèves des sœurs de la Congrégation de Notre-Dame, certaines profitaient de conditions plus propices à la détente. Sophie avait rejoint les enfants Turgeon chez eux, puis le trio s'était déplacé vers le parc municipal. Même si, le samedi, la plupart des gens de leur âge travaillaient, le nombre des oisifs demeurait suffisant pour que le Cercle philharmonique de Douceville demande à quelques-uns de ses membres de se charger de la musique.

Les trottoirs ne permettaient pas de marcher à trois de front, à moins de vouloir devenir une véritable nuisance pour les autres passants. En conséquence, lors de ces excursions, les filles marchaient devant en se tenant par le bras, le garçon les suivait. Si l'exercice lui permettait d'apprécier une jolie silhouette, il se faisait l'impression d'être un larbin escortant des demoiselles.

Au parc, ils cherchèrent un banc libre, sans succès.

— Nous pourrions nous installer là, sur l'herbe, proposa Georges.

— Tu n'y penses pas ! Des plans pour tacher nos robes, répliqua sa sœur.

Sophie lui adressa un regard un peu désolé, comme pour excuser le ton de Corinne. Toutefois, elle était du même avis : l'herbe ne pardonnait pas sur des vêtements de teintes pastel, ou dans les nuances de blanc. Le trio en serait quitte pour marcher sous les arbres. Au son des flonflons d'un orchestre plus enthousiaste que talentueux, ils parcoururent les allées, saluant au passage les voisins et les connaissances qui partageaient la même activité.

Au gré de ces rencontres, Georges put bavarder avec des camarades de collège. Toutefois, le salut vint d'abord de Jules Nantel. Le fils du juge portait un complet d'allure estivale et un canotier pour le protéger du soleil. Grand et mince, plusieurs le confondaient sans doute avec l'un de ces Anglais de Montréal en vacances au bord du Richelieu. Des résidences secondaires en occupaient les rives, des embarcations de plaisance naviguaient en tous sens sur la rivière.

Le garçon enleva son couvre-chef devant les deux amies et salua :

— Mesdemoiselles, je suis heureux de vous voir.

Son sourire témoignait de sa sincérité.

— Nous aussi, monsieur Nantel, affirma Corinne.

Son plaisir dépassait certainement celui de sa compagne. D'ailleurs, celle-ci se contenta de le saluer de la tête, puis, mine de rien, elle se rapprocha de Georges. Cette solidarité lui venait d'instinct.

— Me permettez-vous de marcher un peu avec vous ?

Si la politesse exigeait la conjugaison au pluriel, l'invitation fut prise au singulier.

— Ce sera avec plaisir.

Le nouveau venu offrit son bras à la fille du médecin, elle y posa sa main. Son assurance montrait qu'il n'agissait pas ainsi pour la première fois. Ils se mêlèrent aux autres promeneurs. Debout à côté de l'allée, Georges adressa un petit sourire en coin à Sophie, puis commenta :

— Nous voilà abandonnés à notre sort. J'espère que vous n'êtes pas trop déçue.

— Ne dis pas des choses semblables, opposa sa compagne en jouant la sévérité.

Il fit semblant de ne pas noter son ton.

— Remarquez, Corinne nous sera éternellement reconnaissante de nous faire discrets.

Le garçon imita Jules en tendant son bras à Sophie, qu'elle prit. Tous deux devaient offrir un spectacle charmant, également intimidés. La prochaine fois, le geste lui viendrait plus naturellement.

— Le hasard fait bien les choses, observa la jeune fille.

— Comme c'est la seconde fois en trois jours, je soupçonne une certaine préméditation.

Ils prirent place parmi les badauds. L'orchestre entamait maintenant une valse, plusieurs couples devaient s'imaginer dansant sous les arbres. Cependant, ni les allées de gravier ni les pelouses ne s'avéraient des endroits propices pour cela.

En fin d'après-midi, le lundi 2 juillet, une jolie femme se présenta à l'hôtel National. L'employé de service à la réception la regarda marcher depuis la porte, appréciant le chapeau très large, la robe seyante d'un rouge un peu trop voyant. Elle portait une ombrelle à la main afin de protéger son teint des agressions du soleil.

— Vous avez une chambre disponible?

Même si elle s'exprimait en français sans chercher ses mots, sa voix se marquait d'un léger accent anglais.

— Bien sûr, madame.

Le réceptionniste tâtonna maladroitement pour chercher une plume sur le comptoir, car ses yeux ne se détachaient pas du visage de l'inconnue.

— Pour combien de temps?

— Je ne sais pas. Le temps de régler certaines petites affaires. Cela pose problème?

— Non, non, pas du tout. Nous avons une chambre qui donne sur la rue Richelieu. À l'étage. Cela vous conviendra ?

— Je suppose que les Doucevilliens ne passent pas la nuit à chanter dans les rues.

L'homme ne saisit pas l'ironie de son ton.

— Non, non, je vous assure. Notre ville est bien tranquille, vous savez.

— Je vous crois.

— Vous venez de loin ?

— De la région de Boston.

Il tourna le registre pour permettre à la cliente de signer, puis lui tendit sa plume.

— Vous n'avez que cela comme bagage ?

Elle tenait une petite valise à la main.

— Vous voulez rire ! Ça, c'est pour mettre mon chapeau. Quelqu'un apportera mes bagages de la gare, vous me les ferez monter.

— Voulez-vous que je vous montre votre chambre ? proposa l'employé en posant une clé sur le comptoir.

Il lui tenait à cœur de bien accueillir la clientèle.

— Hum ! Le numéro 3. Je trouverai seule. Il n'y a pas d'ascenseur, je suppose.

— Non. Mais je peux monter…

— … ma boîte à chapeau ? Je crois pouvoir y arriver.

Elle marcha vers l'escalier en ondulant les hanches de façon un peu exagérée. Décidément, cette cliente volontiers aguichante, peut-être excentrique, le changeait de toutes les autres. Il retourna le registre afin de lire son nom : Tilda Donahue.

Dès la fin de l'après-midi, madame veuve Donahue marchait dans les rues de Douceville, bien abritée sous son ombrelle assortie à sa robe. Régulièrement, des hommes se retournaient sur son passage ; elle récompensait les plus avenants de l'esquisse d'un sourire. Plusieurs évoqueraient la belle inconnue dans les jours à venir.

Un long moment, elle demeura debout devant la façade en pierre grise de l'église Saint-Antoine. Après une minute ou deux, elle se rendit dans le parc adjacent. De son banc, le temple ainsi que le presbytère demeuraient dans son champ de vision. Ce dernier édifice surtout l'intéressait. Un peu avant cinq heures, elle aperçut sur la galerie une mince silhouette vêtue d'une simple robe blanche.

La ressemblance ne pouvait tromper. Tilda se leva, un bref instant désireuse d'aller à sa rencontre. Mais quand une autre blonde du même âge, un peu moins grande, un peu plus ronde, vint la rejoindre en courant, la jeune femme reprit son siège. Les adolescentes repartirent bras dessus, bras dessous.

La voyageuse rentra peu après à son hôtel.

Le soleil pesait sur la campagne québécoise depuis trois semaines. En se dirigeant vers l'hôtel de ville ce lundi-là, Évariste effectua un long détour dans les rues de Douceville afin de tremper sa détermination. Une odeur de pourriture et d'excréments flottait dans les quartiers ouvriers. L'eau des puits où ces habitants s'alimentaient ne devait pas être bien ragoûtante.

Quand il prit son siège à la réunion du conseil municipal, ce fut pour constater la présence d'une assistance plus nombreuse que d'ordinaire. Au lieu des vingt habitués, il compta bien quarante personnes, dont une proportion importante de marchands. Le maire avait décidé de mobiliser certains de ses partisans et confrères.

Le premier magistrat se tenait à un bout de la table, hilare, discutant avec certains d'entre eux.

— Dans un instant, ils vont chanter *Il a gagné ses épaulettes*, grommela Xavier Marcil à l'intention du docteur Turgeon.

Le secrétaire de la municipalité avait installé devant lui les outils de son travail : un grand registre, un encrier, une plume métallique.

— Vous me paraissez bien pessimiste.

La fonction de secrétaire exigeait de Marcil une complète neutralité, mais au cours des dernières semaines, ses convictions s'affichaient sans vergogne. Un renvoi lui pendait au bout du nez.

Bientôt, Pinsonneault ouvrit la séance en tapant du plat de la main sur la table. À l'ordre du jour figurait la présentation du rapport du président du comité d'hygiène. Évariste Turgeon aligna quelques chiffres relatifs au coût de développement du réseau d'aqueduc.

— Pis, ça va coûter combien en taxes supplémentaires, ces projets de grandeur ? voulut savoir le premier magistrat.

Le médecin indiqua un montant dans les six chiffres. Les membres de l'assistance laissèrent échapper un « Oh ! » surpris.

— Ce sera payé sur les prochains trente ans.

— Ça veut dire que nos enfants vont payer à notre place. Un bel héritage, ronchonna Pinsonneault. Pour une affaire comme la mienne, ça veut dire combien de plus par année ?

Le médecin fronça les sourcils, risqua un chiffre :

— Une centaine de dollars, peut-être.

— Cent piasses !

Le maire se tourna vers l'assistance en levant les bras vers le ciel. Pour ces gens familiers de l'histoire sainte, le geste rappelait sans doute celui de Pharaon devant les plaies d'Égypte.

— On sait bin, fit une voix au fond de la salle, au prix qu'y charge pour les consultations.

Le docteur Turgeon eut l'impression de reconnaître la voix de Rosaire Tremblay, le marchand de meubles. Les échanges se poursuivirent pendant plusieurs minutes. Puis le maire conclut :

— Là, on va voter.

Même si les autres conseillers demeuraient silencieux, Évariste s'étonna d'en voir la moitié pencher en sa faveur. Dans les circonstances, il appartenait au premier magistrat de rompre l'égalité.

— Bin, pour le bien de mes enfants, chus contre.

Devant les regards de ceux qui avaient défié son opinion, il ajouta pour se justifier :

— On peut pas leur laisser des dettes en héritage.

Avec un sourire narquois, le médecin annonça :

— La semaine prochaine, je déposerai le règlement sur le nettoyage des arrière-cours.

Pinsonneault ne dissimula pas sa colère. Quelqu'un dans la salle lança :

— Ça passera pas !

À la table du conseil, le président de la succursale de la Banque de Montréal murmura :

— Faire le ménage dans les arrière-cours ne suffira pas. Il faudra aussi le faire au conseil.

Si des gens de sa condition se mettaient à douter du maire, la prochaine élection, au mois de février, promettait d'être animée.

Chapitre 13

Mardi, le curé Grégoire montait dans le train de Montréal. La veille, il avait téléphoné pour prendre rendez-vous avec son archevêque. La gare Bonaventure était située non loin de la cathédrale Saint-Jacques[1]. Le temple reprenait, en plus modeste, l'architecture de l'église Saint-Pierre à Rome. Au sud de celui-ci, le palais épiscopal situé dans la rue de la Cathédrale se donnait des allures de siège social d'une grande entreprise.

Bien entendu, avant d'avoir accès au grand patron, il convenait de passer par l'un de ses assistants, le chanoine Delisle. Finalement, Grégoire entra dans le saint des saints. Monseigneur Paul Bruchési se tenait dans un grand fauteuil tendu de velours rouge. Un trône, en quelque sorte. À ses côtés, sur une petite table, une cafetière d'argent et une tasse de porcelaine dénonçaient son petit péché de gourmandise.

— Ah! Mon fils, je demande à sœur Saint-Antoine de vous apporter une tasse.

Le prélat s'était levé, la main tendue, pour lui offrir son anneau à baiser.

— Ce n'est pas la peine, Votre Éminence. Le café et mon estomac ne s'entendent pas très bien.

---

1. Rebaptisée Marie-Reine-du-Monde en 1955.

Ces mots entraient dans la catégorie des mensonges pieux. Grégoire espérait surtout raccourcir autant que possible le tête-à-tête.

— Préféreriez-vous du thé ?

Décidément, le prélat tenait à lui faire un bon accueil. Après tout, n'offrait-on pas un bon repas à un condamné à mort ? Car la suite deviendrait certainement moins agréable.

— Non merci, Votre Éminence.

— Bon. Alors, dans ce cas, asseyez-vous.

Un autre fauteuil avait été installé en face du premier. Dès qu'il fut assis, le visiteur entreprit de se justifier :

— Je sais bien que mon vicaire ne partage pas mon avis, mais vous savez, tous les parents se trouvaient sur place.

Le prélat commença par écarquiller les yeux, puis demanda :

— Pourquoi me parlez-vous d'un désaccord avec votre vicaire ?

Ce fut au tour du curé de se montrer surpris. Toutefois, il en avait trop dit, ou pas assez.

— L'abbé Chicoine a réagi un peu vivement à la tenue d'un thé dansant à Douceville. Et surtout au fait que j'ai donné mon approbation à cette activité.

— Un thé dansant ?

— Oui, pour souligner la fin de l'année académique des jeunes gens du collège et des jeunes filles du couvent. Ils étaient accompagnés de leurs parents. Les profits de l'activité sont allés à l'hôpital.

« Je ferais un bien piètre criminel », se dit le curé. Il se confessait spontanément, avant même que la première question lui soit posée.

— Mais votre vicaire n'approuvait pas.

— À cause de la danse.

— Évidemment, à un thé dansant, on danse.

Paul Bruchési resta pensif. Il semblait ne pas savoir quelle attitude adopter.

— La plupart des évêques désapprouvent complètement, jugea bon de préciser le curé Grégoire. Parce que la danse peut conduire à d'autres péchés.

— Je connais aussi ces sermons, je les tiens moi-même à l'occasion. Mais dans le milieu dont vous me parlez, les jeunes gens créeraient d'autres occasions identiques, peut-être même dans un contexte plus dangereux pour la morale. Au moins, dans le cas présent, des personnes fiables s'assuraient de prévenir les... débordements.

Le curé s'était rendu dans ce lieu convaincu de se faire passer un savon, et voilà que son supérieur lui donnait sa bénédiction.

— Madame la juge Nantel exerce une surveillance très attentive. Vous la connaissez ?

— Oui. Je me rappelle que son mari préside maintenant le tribunal de Douceville. Pendant des années, j'ai lu le nom de monsieur et de madame sur les listes de membres des sociétés de bienfaisance de Montréal.

Visiblement, ces chrétiens de choc avaient laissé un souvenir impérissable au plus haut niveau de l'archevêché.

— Bon, si vous êtes prudent...

Grégoire compléta mentalement la phrase : «... vous pouvez continuer d'appuyer ces petites sauteries. » Dans ce cas, pourquoi l'avait-on convoqué devant son juge ?

— Je ferais bien de vous laisser me dire ce qui me vaut cette invitation à me présenter ici. Car je ne vois pas !

Le prélat quitta son siège pour aller jusqu'à sa table de travail, puis il revint avec une enveloppe et la lui tendit.

— J'ai jeté la première et quelques suivantes, mais voilà la sixième. Cela devient une cause de scandale.

Grégoire en sortit une feuille de papier ligné jaunâtre, une page arrachée dans un cahier d'écolier.

Monseigneur,
Stun scandale Y a un fil qui rest avec le curé. Un bel fil en pluss. Avec deu prêtre du bon Dieu.

Évidemment, aucune signature au bas du feuillet.
— Vous en avez reçu six comme ça ?
— Toutes d'une écriture différente.
Il ne s'agissait donc pas de la lubie d'un paroissien, ou d'une paroissienne.
— Une fille habite au presbytère ?
— On vous a peut-être parlé d'elle : j'en ai dit un mot à votre prédécesseur au moment de mon arrivée dans le diocèse. Sophie Deslauriers, la fille de ma sœur décédée.
Lors de son retour dans la province de Québec, Grégoire avait dû signaler l'existence de Sophie. L'information avait bien fait tiquer l'ancien archevêque de Montréal, mais comme le certificat de naissance, signé par l'oncle, s'avérait tout à fait régulier, il avait finalement obtenu une cure prospère.
— N'était-elle pas prise en charge par le couvent ?
— Elle a terminé le cours d'études.
Le prélat dut se dire : « Donc, elle est allée danser. » Il reprit à haute voix :
— Sophie logeait au couvent pendant l'année scolaire, c'est bien ça ? Il paraît qu'elle habite avec vous depuis le mois d'avril.
— Un ordre du médecin.
— Depuis avril, son estomac doit être guéri.
Malgré ses questions, Bruchési connaissait la cause de ce déménagement. Il s'était donné la peine de mener

une véritable enquête avant de l'inviter à le rencontrer. Il attachait donc de l'importance à ces dénonciations.

— Elle a mis un moment à se remettre. Puis, comme elle n'entend pas se faire religieuse, je ne peux pas la laisser là pendant les mois à venir. Elle a terminé le cours primaire supérieur.

— Elle n'a pas la vocation !

L'exclamation de l'archevêque était tissée de dépit. Comment une gamine élevée par de saintes femmes pouvait-elle refuser de se donner à Dieu ?

— Même si je n'aime pas leur façon de faire, dit-il encore, ces paroissiennes ont raison. Elle a quoi maintenant, dix-sept ans ? Impossible de la garder dans une maison où habitent deux prêtres.

Comme Grégoire se taisait, il ajouta :

— La situation porte à scandale.

Le curé repassait en pensée les visages de ses paroissiennes, à la recherche des coupables. À l'instar de l'archevêque, il croyait que ces lettres anonymes provenaient de femmes. Qu'elles sachent écrire, même de façon approximative, lui permettait de réduire de moitié le nombre de suspectes.

— Voyons, c'est une jeune fille.

— À dix-sept ans, on parle d'une femme.

— La moitié des prêtres de la province hébergent des membres de leur famille au presbytère.

— Leur mère, plus rarement leur père. Je pourrais aussi citer quelques grandes sœurs vieilles filles, ou alors devenues veuves. Jamais une nièce de dix-sept ans, un beau brin de fille en plus, selon ce qu'on m'a dit.

Bossue et borgne, Sophie aurait-elle échappé à la vindicte de ces correspondantes anonymes ? Sans doute pas.

— Je ne peux pas l'abandonner. Un jour, un garçon demandera sa main.

— Dans deux, trois ans. Ou peut-être cinq ou six. Je ne vous dis pas de l'abandonner. Par exemple, les sœurs grises de votre paroisse prennent des pensionnaires, n'est-ce pas ?

Contre rémunération, ces religieuses acceptaient en effet de recevoir des femmes, habituellement très vieilles. Celles-ci écoulaient ainsi leurs derniers jours dans une ambiance de sainteté.

Devant le silence du curé, Bruchési insista :

— Je suis certain que vous trouverez une solution, mais cette jeune personne doit quitter le presbytère.

Grégoire hocha lentement la tête. Garder Sophie sous son toit lui vaudrait de sérieux ennuis. Un transfert dans une paroisse peuplée de miséreux représentait toujours une sentence convenable, pour insubordination. Ou alors une affectation plus déprimante encore, comme aumônier dans un pénitencier. Mais ce genre de mesure ne viendrait pas tout de suite.

— Voilà ce que je souhaitais vous dire, mon fils. De vive voix, plutôt que dans une lettre.

Quant à utiliser le téléphone, impossible ; il y avait toujours un risque que quelqu'un soit à l'écoute. Le curé devait se montrer reconnaissant pour cet égard : l'archevêque lui exprimait son respect en s'adressant à lui à huis clos.

Ce dernier se levait déjà : l'entretien était fini.

— Je vais vous bénir.

Le prêtre se mit à genoux. Le petit cérémonial permettait à son supérieur de lui rappeler leur statut respectif dans l'Église.

Quelques minutes plus tard, Grégoire marchait dans la rue Notre-Dame. L'idée d'aller attendre le prochain train vers le sud-est ne lui disait rien. Pour tuer le temps, il décida de se rendre dans l'est de la ville afin de visiter le rayon des produits ecclésiastiques du magasin Dupuis Frères. Il verrait ainsi la dernière mode dans les surplis, les soutanes, les chasubles, et même la vaisselle sacrée.

L'hôtel National comptait une vingtaine de chambres. La clientèle se composait généralement de commis voyageurs et d'employés de chemin de fer ou de grandes entreprises, de passage à Douceville. Par exemple, des administrateurs ou des ingénieurs venaient passer quelques jours à la Willcox & Gibbs, puis retournaient aux États-Unis. Pendant l'été, quelques estivants s'ajoutaient à ce lot.

Quand Tilda Donahue quitta la salle à manger après le dîner, l'employé de la réception demanda :

— Madame, votre chambre vous plaît ?

Elle s'approcha en esquissant un sourire amusé.

— C'est digne d'une grande ville.

— Nous faisons de notre mieux. Cependant, cela ne ressemble peut-être pas à Boston.

— Tout est très bien, je vous assure.

— Vous parlez parfaitement français, mais vous êtes Américaine, n'est-ce pas ?

— Ma petite pointe d'accent m'a trahie.

— Votre accent est parfait. C'est juste qu'une femme qui voyage seule…

Au Québec, pareille initiative serait de la dernière inconvenance. Mais les Américains affichaient des mœurs bien plus libérales, même les femmes.

— J'aimerais bien avoir de la compagnie, mais mon mari se trouve au fond d'un trou.

Cette façon de le dire donnait froid dans le dos. Cependant le commis était trop séduit par cette belle étrangère pour se troubler.

— Je vous offre toute ma sympathie, madame.

— Son décès est survenu il y a deux ans, mais je vous remercie tout de même. Vous pouvez me rappeler le nom du curé ?

— Grégoire. Alphonse Grégoire.

Elle hocha la tête de haut en bas, comme pour signifier que cela correspondait bien à son souvenir.

— Vous le connaissez ?

— Bien sûr que non, ce n'est pas ma paroisse, ici. Bon après-midi, monsieur.

Déjà, elle lui tournait le dos pour sortir de l'hôtel.

— Bon après-midi à vous aussi, madame, dit le commis avec empressement.

Dehors, Tilda leva les yeux vers le ciel. La température demeurait très belle. Un peu trop chaude peut-être. Elle ouvrit son ombrelle avant de se diriger vers l'intersection de la rue Saint-Jacques.

Pour la seconde fois en autant de jours, Tilda marcha bientôt sous les arbres du parc municipal. Quelques vieilles personnes, de jeunes enfants et des adolescents se promenaient. Les autres Doucevilliens gagnaient leur vie. Dans une section du bel espace vert, des garçons discutaient avec animation. L'un tenait un bâton de baseball, deux autres des gants de cuir. La scène aurait pu se passer dans n'importe quelle petite ville américaine.

Puis l'attention de la femme se dirigea vers l'église, vers le presbytère surtout. La demeure de l'abbé Grégoire.

— Tu n'es pas trop mal logé, Al, dit-elle pour elle-même. Une si grande maison pour toi et une fillette...

La femme s'installa de nouveau sur un banc pour sur-veiller les allées et venues. Comme la veille, une grande jeune fille blonde sortit sur la galerie, descendit les marches pour gagner le trottoir. Cette fois, sa robe était d'un bleu léger.

Tilda quitta son siège pour traverser la rue en vitesse, tout en élevant la voix :

— Mademoiselle, vous pouvez m'accorder un instant ?

Sophie s'arrêta, un peu intimidée.

— Oui, bien sûr.

Son chapeau de paille la protégeait du soleil, jetant de l'ombre sur ses yeux bleus.

— Je m'excuse de vous importuner ainsi.

Une émotion intense marquait maintenant la voix de l'inconnue.

— Vous visitiez le curé ?

— Non, c'est mon oncle. J'habite là depuis un moment.

Le silence s'appesantit. Sophie se sentait de plus en plus mal à l'aise sous ce regard scrutateur. Tilda se ressaisit et demanda :

— Je cherche un avocat, un dénommé Caron je pense. Vous le connaissez ? Sa maison doit se trouver dans ce quartier. On m'a dit que c'était près de l'église.

L'adolescente fit non d'un signe de la tête, avant de préciser :

— C'est drôle, j'ai passé ma vie dans cette ville, mais je ne connais personne. J'étais au couvent.

Puis son visage s'éclaira. Les yeux de Tilda suivirent son regard pour apercevoir la même jeune fille que la veille, blonde et un peu plus petite de taille.

— Voilà mon amie. Je dois vous quitter.

— Oui, bien sûr. Je vous remercie.

La femme regarda l'adolescente s'éloigner. De sa main gantée, elle essuya une larme à la commissure de son œil gauche.

En sortant de l'église, l'abbé Chicoine s'était arrêté sur le parvis afin de regarder la jolie femme assise dans le parc. Il connaissait tous les visages féminins de cette ville, mais celui-là lui était étranger. Puis il assista au court entretien qu'elle eut avec Sophie.

— Qui est-ce ? Qu'est-ce qu'elle veut ?

Bientôt, la petite Turgeon apparut, et les deux jeunes filles s'éloignèrent en marchant bras dessus, bras dessous. Le prêtre les vit se diriger vers la rue Richelieu. Fasciné par les deux jolies blondes, il oublia totalement l'étrangère.

La veille, le curé Grégoire était revenu plutôt sombre de Montréal. Toutefois, à tous les repas depuis, il s'était efforcé de faire meilleure figure auprès de son vicaire. Après avoir été convaincu de sa trahison, voilà que ses soupçons se portaient sur une demi-douzaine de vieilles dames.

Au souper ce soir-là, il s'informa longuement des activités du religieux auprès des organismes de jeunesse de la ville. Déjà, Chicoine faisait le tour des écoles pendant l'année scolaire. L'été, il lui revenait de s'occuper des loisirs des jeunes. Après avoir parlé de l'équipe de baseball, le vicaire s'apprêtait à signaler l'inconnue aperçue plus tôt dans la journée quand Sophie prit les devants.

— Mon oncle, cet après-midi une dame m'a abordée pour me demander l'adresse d'un avocat nommé Caron. Je ne connais personne de ce nom.

Le curé réfléchit un instant, puis répondit :

— Je connais des Caron. Trois ou quatre ouvriers et même un commerçant, mais aucun avocat.

Des yeux, il interrogea son confrère.

— Moi non plus. Cette dame devait se tromper de nom.

— Elle avait un léger accent. Une Anglaise, je pense.

Grégoire cessa aussitôt de mastiquer, et un pli marqua le milieu de son front.

— Elle avait un accent anglais ?

— Oui. Enfin, je crois. Au couvent, je n'ai entendu que des Canadiennes françaises. Mais sa voix ne sonnait pas tout à fait comme la nôtre.

Cela se pouvait bien, après tout. Douceville comptait quelques centaines d'habitants de langue anglaise sans compter les estivants. Certains se donnaient la peine d'apprendre le français.

Mais Sophie n'avait pas terminé son récit.

— Vous savez le plus drôle ? Elle me ressemblait un peu, il me semble.

— Que veux-tu dire ?

— Grande et mince, les cheveux blonds. Beaucoup plus foncés que les miens, mais cela m'arrivera aussi. Les cheveux foncent, au fil des ans.

Son constat contenait bien une touche de déception. Les quelques feuilletons qu'elle avait parcourus depuis son départ du couvent – tous prêtés par Corinne – utilisaient la couleur des blés pour décrire la chevelure des héroïnes.

— Puis les mêmes yeux, en plus.

L'adolescente marqua une pause et ajouta, satisfaite :

— En tout cas, si je lui ressemble, je ne me plaindrai pas. Elle était jolie. Elle me faisait penser à madame Turgeon.

Sophie abandonna le sujet. Mais le curé Grégoire demeura préoccupé.

Deux heures plus tard, Sophie avait regagné sa chambre. Le curé Grégoire parcourait un livre pieux dans son bureau. Deux coups légers contre la porte attirèrent son attention.

— Oui ?

Il s'attendait à voir sa nièce, ce fut Chicoine qui entra. Un bref instant, le prêtre eut envie de le remercier. Mais que lui dire ? « Je vous remercie de ne pas m'avoir dénoncé à mon archevêque » ? Ce serait admettre qu'il existait un motif de dénonciation. Aussi, il se contenta de s'enquérir :

— Que puis-je faire pour vous ?

— Dimanche dernier, un couple est venu me voir. Ces jeunes veulent se marier.

— De qui s'agit-il ?

— Malvina Péladeau et Elzéar Morin.

Grégoire les connaissait. Il acquiesça de la tête, comme pour dire : « C'est de leur âge. »

— J'ai discuté avec eux. Visiblement, ils n'ont pas tiré tout le profit attendu de l'enseignement du catéchisme. Si vous me le permettez, je pourrai m'occuper de les guider dans les différentes étapes.

Comme le curé ne répondait pas tout de suite, le vicaire poursuivit :

— Je suis en train de devenir spécialiste de la visite des écoles. Si je veux avoir ma cure un jour, je dois m'occuper de tous les aspects du travail pastoral.

Chicoine marquait un point. Le vicariat devait permettre d'effectuer différents apprentissages, comme la prise en charge des futurs mariés, bien sûr, mais aussi les visites aux malades et l'assistance aux mourants.

— D'accord. Si vous avez besoin de mon aide, ne vous gênez pas.

Ils échangèrent des souhaits de bonne nuit. Donatien Chicoine quitta la pièce pour monter à l'étage. Sur le palier, il jeta un regard au bas de la porte de la salle de bain, cherchant une ligne de lumière. Personne. Il marcha jusqu'à la chambre de la jeune fille. Là non plus, pas de lumière. Et aucun son. Elle dormait sans doute.

Peu après, le souvenir de la future mariée à genoux, la tête penchée sur les mains jointes, alimentait son excitation pour des plaisirs solitaires.

C'était elle. Tilda, Clotilde pour lui. Une grande blonde avec un léger accent. Demander l'adresse d'un avocat inexistant. Elle avait utilisé un mauvais prétexte pour réussir à lui parler. Risquait-elle d'aborder Sophie le lendemain en lui avouant: «Je suis ta mère»? Peut-être pas, puisqu'elle ne l'avait pas fait aujourd'hui. Mais cette femme n'était certainement pas venue du Massachusetts pour se contenter de quelques mots échangés sur le trottoir devant le presbytère.

— Je ne peux pas réveiller Sophie pour aller la cacher dans une grande ville comme Montréal, grommela le curé en se levant.

Il réfléchissait. Pourtant, ce serait à la fois éloigner sa nièce de Clotilde et répondre à l'injonction de monseigneur Bruchési. Même si sa mère retournait aux États-Unis dès le lendemain, ce deuxième aspect du problème demeurerait entier. Sophie devrait quitter le presbytère. Mais Grégoire ne pouvait se résoudre à la perdre, surtout pas après ces quelques semaines de cohabitation, et encore moins à l'abandonner à cette femme.

Dans sa chambre de l'hôtel National, Clotilde Serre – devenue Tilda Donahue – était encore plus déstabilisée que le curé. Cette enfant, elle l'avait vue quelques minutes des années plus tôt, pour la perdre ensuite à tout jamais. Du moins le pensait-elle. Dans le cas de grossesses hors mariage, le fruit du péché était confié en adoption sans tarder, et la mère ne connaissait jamais le destin de son enfant.

Après quelques années, une fois devenue une femme irréprochable grâce à son mariage à un bon catholique, elle était revenue à Lowell pour apprendre que le curé de la paroisse avait payé la pension d'une petite fille, sa nièce, confiée à une « bonne famille canadienne-française ». À ce moment, l'ecclésiastique habitait de nouveau la province de Québec.

La nouvelle avait plongé Clotilde dans le plus grand désarroi. Garder son calme, se retenir de hurler son désespoir, demeurait le plus difficile. D'autres mères perdaient des enfants, mais très rarement dans des conditions semblables. Pendant des années, son époux, Peter, avait attribué sa mélancolie à son incapacité d'enfanter. Puis la santé de ce dernier avait commencé à se détériorer.

Maintenant, sa fille se trouvait à moins de dix minutes de marche, dans un grand presbytère. Elle était désormais une adorable jeune femme, et les garçons devaient commencer à lui tourner autour. Ce curé démoniaque la lui avait volée pour jouer au père. Quelle épouvantable farce : cet homme se promenait vêtu d'une soutane, il incitait ses ouailles à éviter le péché, leur promettant l'enfer pour la moindre faute, et en même temps, il gardait son enfant née hors mariage dans son presbytère.

La colère de Clotilde la tenait éveillée toutes les nuits. La colère, mais aussi la proximité du premier homme qu'elle avait aimé. Follement aimé. Sa rage ne s'en trouvait que plus grande.

Les journées au commerce de meubles de Rosaire Tremblay s'allongeaient jusqu'après le coucher du soleil ; passé neuf heures, en plein été. Cela signifiait deux repas par jour pris à son bureau, dans un coin de la grande pièce servant de salle d'exposition.

Le plus souvent, Aline partageait les mêmes horaires, à la demande même de l'adolescente. Ainsi, elle se tenait à distance de sa mère. À son retour dans l'appartement, sa mine se renfrognait.

— Qu'essé qui s'est passé avec ta mère ? insista son père dans l'escalier à la fin de l'une de ces interminables journées.

— Rien…

Sa voix trahissait la plus grande impuissance.

— Il ne s'est rien passé.

Il était inutile de fournir de longues explications. Le commerçant enleva son veston pour l'accrocher à un clou dans l'entrée. Georgette le vit faire et lui cria depuis la cuisine :

— Là, tu vas tout le déformer.

— Bin l'monde vont me prendre un peu fripé.

L'adolescente se dirigea tout droit vers sa chambre sans dire un mot. Rosaire alla chercher une bière dans le garde-manger pour s'affaler ensuite dans un fauteuil du salon le temps de la vider, puis il irait se coucher. Quand sa femme le rejoignit, il demanda dans un souffle :

— Le p'tite, a file pas. Y a-tu queque chose que j'sais pas ?

L'épouse se troubla, murmura :

— Rien.

— Voyons, ça fait des s'maines qu'a l'air déprimée.

— T'à l'heure.

Georgette voulait dire qu'ils parleraient quand ils seraient dans la chambre à coucher. Pareil désir de discrétion indiquait bien le sérieux de la situation. Après un passage dans la salle de bain, le père s'étendit dans son lit, vêtu de sa seule combinaison grise en guise de vêtement de nuit. Son épouse l'imita, à peine plus élégante dans sa jaquette.

Une fois la lampe de chevet éteinte, elle ne pipa mot. Il la relança :

— Qu'essé qu'a l'a ?

— En r'venant du couvent à la fin de mai, a m'a dit que l'vicaire y avait touché.

Le silence tomba sur la chambre et il dura un long moment. Tellement que Georgette jugea utile de répéter :

— A dit qu'y l'a touchée !

Elle appuya sur le dernier mot. Elle ne parlait ni de sa main ni de son visage. Ou peut-être de sa main ou de son visage, mais avec une intention mauvaise. Le péché de la chair ne se nommait pas, mais tout le monde comprenait.

— Ç'a-tu du bon sens ! Dire un affaire de même su' un curé !

Rosaire Tremblay n'ouvrit pas la bouche. Il se tut assez longtemps pour que sa compagne sente son attitude remise en cause.

— Dire une horreur de même, c't'un sacrilège. Le lendemain, j'l'ai amenée moé-même à confesse.

Son mari ne paraissait pas disposé à commenter la situation. Son silence pesait comme une accusation.

— J'lui ai donné une claque pour la faire taire.

Rosaire se tourna sur le côté gauche en grommelant un «bonne nuit». La réponse de sa femme vint tardivement, marquée d'une certaine anxiété.

Chapitre 14

— M'sieur le curé, vous sortez déjà ?

La ménagère se tenait devant la porte de la cuisine, un linge à vaisselle à la main.

— Le vieux Valiquette ne se lève plus, à ce qu'il paraît. Alors, je ne risque pas de le tirer du lit.

— Ouais, bin c'est p't'êt' qu'y a pus personne qui l'tire du lit, l'pauv' vieux.

Grégoire hocha la tête, la mine grave. Cédalie avait raison de le plaindre, ce vieillard ne passerait pas l'été, et peut-être même pas le mois de juillet. Mourir par ce beau temps, quel gâchis. Dehors, un petit sac noir à la main, un chapeau de même couleur sur la tête, il aurait pu passer pour un croque-mort. À condition d'enlever sa soutane, évidemment.

Même si Valiquette écoulait ses derniers jours, il pouvait certainement attendre sa visite encore quelques heures. Dénicher une étrangère dans une localité de la taille de Douceville ne pouvait être bien difficile. Le prêtre commença par se présenter à l'hôtel Canada, au coin des rues Richelieu et Saint-Thomas. Au commis de la réception, il demanda :

— Parmi vos clientes, y a-t-il une dame Donahue ?

— Monsieur le curé…

L'employé allait peut-être dire que c'était un renseignement confidentiel. Grégoire tenta de le prendre de vitesse.

— Il s'agit de l'une de mes anciennes paroissiennes, de passage dans la ville.

— J'allais dire qu'aucune cliente de ce nom ne loge ici.

— Peut-être sous son nom de jeune fille. Serre.

Le réceptionniste fit non d'un geste de la tête. Inutile de parcourir son registre, l'établissement ne comptait pas assez de chambres pour qu'il ignore les noms de ses locataires féminines. Après l'avoir remercié, le curé quitta les lieux. Dans la même rue se situait l'hôtel National et, tout près de la gare du Grand Tronc, l'hôtel Gouverneur. Répéter la même démarche à ces deux endroits lui demanderait tout au plus dix minutes.

Dans le premier établissement, l'employé répondit :

— Une grande femme venue des États-Unis ?

— Oui, c'est l'une de mes anciennes paroissiennes.

Autant s'en tenir à la même fable, afin de ne pas s'emmêler dans ses mensonges.

— J'ai su qu'elle passait à Douceville et je veux la saluer.

— Vous avez de la chance, elle est encore dans la salle à manger.

De la main, le commis lui désigna une pièce sur sa droite. De grandes plantes vertes dans des seaux en laiton égayaient l'endroit. Quand il se présenta dans l'entrée, grande silhouette ensoutanée, tous les clients posèrent sur lui des regards coupables, comme si le nouveau venu risquait d'étaler leurs turpitudes en public. Tous, sauf une femme assise près d'une fenêtre. Celle-là rougit jusqu'à la racine des cheveux. Plus rien ne restait de son assurance affichée depuis son arrivée dans la ville.

Alphonse Grégoire paraissait tout aussi ému, même si son teint plus foncé le mettait à l'abri d'un changement de couleur. Il s'approcha de sa table et s'exclama en tendant la main :

— Madame Donahue, quelle heureuse surprise !

Elle se leva à demi en présentant la sienne.

— Non, non, restez assise. Permettez-vous que je vous parle un moment ?

— Bien sûr, dit-elle dans un souffle.

L'ecclésiastique se réjouit de la voir soucieuse de rester discrète. Dans cette salle à manger plutôt exiguë, une douzaine de paires d'oreilles se tendaient.

— Quelle idée de t'adresser à elle en pleine rue, murmura-t-il.

Malgré les années passées, le tutoiement lui revenait tout naturellement.

— Si je te l'avais demandé, m'aurais-tu ménagé une rencontre en tête-à-tête au presbytère ?

Le curé fit non d'un signe.

— Mais là, tu risques de la bouleverser ! Elle ne connaît même pas ton existence. Pour elle, sa mère est morte en couches.

Le visa de Clotilde se durçit. Bien vite, la conversation attirerait l'attention de tous les témoins.

— Écoute, reprit-il en faisant un mouvement apaisant avec ses mains, nous ne pouvons pas avoir une véritable discussion ici.

La femme exprima son accord d'un hochement de la tête.

— Il y a un petit salon…

— Dans cette ville, il n'existe aucun endroit suffisamment discret.

— Avec ta soutane, les gens ne penseront pas que tu me chantes la pomme.

— Pourtant, tu les vois nous espionner.

Cette fois, elle renoua avec son sourire à la fois narquois et aguichant. Grégoire s'interdit de regarder les autres convives.

— Écoute, il y a deux gares ici, des trains passent à toutes les heures du jour. Si tu veux, nous pourrions monter tous les deux dans celui de Montréal à cinq heures. Nous descendrons à Saint-Lambert et prendrons le temps de nous parler.

— À Saint-Lambert ?

— Le dernier arrêt avant Montréal. C'est à trente minutes d'ici, quarante tout au plus.

Tilda – Clotilde, dans une vie antérieure – réfléchit un instant, puis mentionna :

— J'ai une chambre ici…

— Nous reviendrons en soirée. Crois-moi, c'est la seule manière, si nous voulons nous expliquer.

Elle accepta.

— Nous monterons dans le train chacun de notre côté, pour que personne ne se doute que nous nous connaissons. En première classe.

— Si l'un de ces clients va au même endroit, ce sera raté.

Grégoire dut en convenir. Toutefois, aucune autre façon de faire lui venait à l'esprit. Après avoir échangé quelques phrases encore, il se leva, lui serra la main de nouveau, puis quitta l'hôtel.

Il l'avait trouvée très belle, plus encore que dans son souvenir. Une femme devenait-elle plus séduisante entre l'âge de vingt ans et trente-huit ans ? En y pensant, l'image de madame Turgeon lui revint en mémoire. Oui, cela se pouvait bien. D'une autre manière, bien sûr.

Clotilde Serre. Quand le curé Grégoire l'avait vue entrer au presbytère de l'église catholique de Lowell pour la première fois, c'était une jolie pénitente à peine sortie du couvent. Sa mère lui avait dit : « Ma fille a le diable au corps. » La matrone portait un pareil jugement pour une raison toute simple. Elle avait vu un garçon de l'âge de sa fille, un voisin, mettre la main à son corsage.

À cette époque, les femmes portaient toujours une tournure sur les fesses. Cela leur conférait une silhouette un peu étrange, et à chaque pas l'ondulation accrochait l'œil. Évidemment, avant son premier bal, une adolescente se vêtait de façon plus simple. Son corsage ivoire ce jour-là, sa jupe ample d'un bleu soutenu la rendaient extrêmement séduisante. Il s'en souvenait parfaitement.

Depuis des années, Grégoire se pensait à l'abri des réactions intempestives d'une partie de son anatomie. Son confesseur lui avait même assuré que faute d'être utilisée d'une autre façon, une verge, à la fin, ne servait plus qu'à pisser. Pourtant, le souvenir de ce jour de 1888 et l'image de la femme assise dans la salle à manger de l'hôtel National se superposèrent dans son esprit pour lui procurer une solide érection. Pour la faire passer, il effectua un long détour dans la ville avant de se rendre chez Valiquette.

Quand il frappa à la porte de la demeure du vieux cordonnier, une femme dans la jeune cinquantaine vint ouvrir.

— Ah ! M'sieur le curé, chus heureuse de vous voir arriver. Depuis à matin, popa est pas mal… agité.

La connaissance de ce mot lui venait de la dernière visite du docteur Turgeon dans la maison.

— Y répète qu'y passera pas la semaine.

Grégoire tendit la main pour la poser sur l'avant-bras de la ménagère et exercer une légère pression.

— Il a eu une longue vie, une belle famille…

« Il peut partir avec une certaine sérénité », continua-t-il en pensée. Son interlocutrice le comprit bien ainsi.

— Je peux y aller ?

Elle répondit en hochant la tête de haut en bas. Le curé déposa son chapeau et son petit sac noir sur la table. Il en sortit son étole pour la passer autour de son cou.

En le voyant accoutré ainsi, son paroissien croirait plus facilement s'adresser au représentant de Dieu. L'ecclésiastique se dirigea vers la chambre située au fond de la maison. La fille et le gendre du cordonnier avaient eu la gentillesse de déménager leurs pénates à l'étage pour laisser au mourant la pièce la plus accessible.

Grégoire frappa doucement à la porte, puis ouvrit. Une odeur de merde et de pisse l'accueillit. Le résultat de sphincters défaillants. L'odeur de la mort, en fait.

— Monsieur Valiquette, je peux entrer ?

— M'sieur le curé… Approchez, j'vous vois pas.

Une chaise était posée près du lit. Trop près au goût du visiteur. Maintenant, aucune érection ne le troublait plus.

— J'veux m'confesser.

— Vous l'avez fait la semaine dernière.

« Dans votre état, même les mauvaises pensées doivent vous laisser tranquille », se dit le curé en son for intérieur. Puis il ajouta : « Mais peut-être pas. »

— Y a queque chose que j'ai pas dit.

La voix tenait du croassement, si faible que Grégoire dut se pencher encore davantage vers lui.

— Mon père, je m'accuse…

— Laissez les formules. Le bon Dieu n'a pas besoin de ça pour tendre l'oreille.

La réflexion déconcerta le malade, comme s'il s'agissait d'un accroc aux convenances.

— On va faire comme si vous poursuiviez la confession de l'autre fois.

— Bin, dans l'temps… C'était avant la Confédération. Mon frère travaillait dans les chantiers. J'ai couché avec sa femme.

Presque quarante ans plus tard, le pauvre se souciait de cette peccadille.

— Je suis certain que Dieu ne vous en tient pas rigueur.

— Bin, c'était mon frère.

— Vous l'avez forcée ? La femme, je veux dire.

— Christ, j'étais bin trop niaiseux. J'aurais même pas su quoi faire.

La belle-sœur expérimentée en avait eu assez de sa couche froide.

— Ne vous inquiétez pas. Dieu vous a certainement pardonné, depuis ce temps.

Sinon, aucune des confessions des dernières décennies n'aurait compté.

— Pis, y a une fille qu'est v'nue au monde.

Cette fois, Grégoire accusa le coup. Cette confession, lui-même l'avait faite, déjà.

— Votre frère ne s'est rendu compte de rien ?

— J'suppose qu'y savait pas qu'ça prenait neuf mois. Moé non plus, dans l'temps.

Valiquette esquissa un petit sourire, auquel le prêtre répondit de la même façon.

— Ne vous en faites pas. Rien d'autre ?

Le moribond secoua doucement la tête de droite à gauche. Cette faute si longtemps dissimulée avait pesé de tout son poids. Il paraissait soulagé. Le prêtre traça une croix dans les airs tout en prononçant son incantation latine. Puis il proposa :

— Si vous le voulez, nous allons prier ensemble. Notre Père qui êtes aux cieux…

Le malade mit un instant avant de remuer les lèvres à son tour. S'il croyait assez fortement que les portes du paradis s'ouvraient pour lui, ses derniers moments se dérouleraient dans le calme.

Une heure plus tard, Grégoire quittait les lieux après avoir adressé quelques mots d'encouragement à la fille. En mettant le pied sur le trottoir, l'image de Clotilde lui revint nettement, et son érection aussi. Après la mort, la vie. Pas celle du paradis. L'en-deçà qu'il fallait embrasser de toutes ses forces, car cela finissait si tôt.

— Il s'agit certainement d'un livre à l'index !

L'opinion de Sophie sonnait comme une condamnation. En tout cas, *L'éducation sentimentale* de Gustave Flaubert ne figurait pas au programme des sœurs de la Congrégation de Notre-Dame.

— Je l'ai pris dans la bibliothèque de papa.

Cela n'en faisait pas pour autant une lecture pour une jeune fille de dix-sept ans. D'ailleurs, le fait qu'elle ait trouvé ce livre parmi la collection de son père ne signifiait pas : « Papa me l'a prêté. »

— Elle est toute nue parmi tous ces gens.

Un passage faisait rougir l'adolescente tout juste sortie du couvent :

La Maréchale, fraîche comme au sortir d'un bain, avait les joues roses, les yeux brillants. Elle jeta au loin sa perruque ; et ses cheveux tombèrent autour d'elle comme une toison, en laissant voir de tout son vêtement que sa culotte ; un effet à la fois comique et gentil.

— Mais il écrit qu'à cause des cheveux, on ne voit rien.

Toutes deux étaient étendues sur le lit de Corinne. Pour rester à l'intérieur par cette belle journée de juillet, il fallait que ce roman les intéresse beaucoup.

— Quand l'auteur parle d'amant et de maîtresse, murmura Sophie, il veut dire que…

— Que Frédéric couche avec Rosanette.

Le regard flou, la bouche entrouverte, les sourcils relevés firent penser à Corinne que son amie ne comprenait pas vraiment son explication.

— Ils "le" font ensemble. D'ailleurs, ils vont avoir un enfant. Celui-ci va toutefois mourir.

Elle avait appuyé sur le mystérieux « le ».

— Mais ils ne sont pas mariés.

Cette fois, plus de doute possible : personne au couvent n'avait jugé bon d'avoir « la » conversation avec Sophie. De la part des religieuses, rien d'étonnant. Cependant, pour qu'aucune des pensionnaires ne partage avec elle ses maigres connaissances, il avait fallu qu'on la considère comme une vraie sainte-nitouche.

— Tu as raison, ils ne sont pas mariés.

Son invitée se taisait, mal à l'aise à cause de son ignorance. Elle ne poserait plus de question sur ce texte au contenu incompréhensible. Après avoir parcouru encore quelques pages au hasard, Corinne offrit :

— Je peux te le prêter, tu sais.

— …Je ne peux apporter un livre de ce genre au presbytère.

— Au contraire, ça me semble amusant. Tu n'as qu'à le dissimuler sous ta robe. Personne ne regardera là.

Elle voulait dire sur le ventre, glissé dans le pantalon, et retenu par le ruban bien serré à la ceinture. Finalement, son amie accepta.

❊

Quand il apparut dans l'entrée de la cuisine, un sac de voyage à la main, Cédalie ne cacha pas sa surprise.

— M'sieur l'curé, vous partez?

— Je dois me rendre à Montréal pour une réunion… à l'archevêché. Je ne sais pas à quelle heure nous terminerons, alors à tout hasard, j'apporte de quoi me changer si je dois y passer la nuit.

— J'savais pas.

— Moi non plus. Où est Sophie?

Avant de descendre de l'étage, l'ecclésiastique avait frappé quelques coups à la porte de sa chambre, sans obtenir de réponse.

— Depuis le début des vacances, j'ai l'impression qu'les Turgeon l'ont adoptée.

Après des étés passés au couvent, l'adolescente profitait au mieux de sa nouvelle amie durant celui de 1906. Heureusement, son oncle la savait en sécurité dans la demeure du médecin.

— Ils devraient nous la rendre à temps pour le souper. Vous lui expliquerez la raison de mon absence.

Quelques minutes plus tard, Grégoire marchait en direction de la gare du Grand Tronc. À l'heure du souper, les passagers ne se montraient guère nombreux. Tout de même, ils l'étaient trop à son goût. À quelques pas, il aperçut Clotilde Donahue. Quand elle fit le mouvement de venir vers lui, il l'arrêta d'un signe de la tête.

À l'arrivée du train, la jolie femme monta la première, un privilège dû aux règles de bienséance soigneusement assimilées par ses contemporains. Ceux-ci insistèrent vaguement pour que le porteur de soutane vienne tout de suite après, mais celui-ci feignit de se passionner pour un panneau d'affichage.

S'il avait recommandé à Clotilde de s'acheter un billet de première classe, lui monta en seconde. Il parcourut le couloir en direction de la tête du train, tout en regardant les bancs, pour la plupart occupés. Quand la locomotive se mit en branle, il se glissa dans les toilettes.

Pour un homme de sa taille, se défaire d'une soutane pour la mettre dans son sac, puis en sortir une chemise et un veston pour les enfiler ne représentait pas une mince affaire. La cravate devait rendre le déguisement plus crédible encore. Ensuite, Grégoire continua de chercher Clotilde jusque dans les wagons de première classe. Le prix des billets de cette catégorie limitait l'achalandage, aussi il la découvrit seule dans son compartiment.

— Madame, cette place est libre ?

Elle sursauta, puis se moqua :

— Seigneur ! Le saint homme s'est métamorphosé. Cet art du déguisement doit te permettre de petits accrocs au neuvième commandement.

Elle évoquait *L'œuvre de chair ne désireras qu'en mariage seulement*. Le prêtre se troubla.

— Je n'ai jamais pris des libertés de ce genre. Sauf avec une seule personne.

Ses yeux fixaient ceux de Clotilde. Elle se déplaça vers la fenêtre pour lui faire de la place. Dans ce wagon, la majorité des rares voyageurs parlaient anglais. Cela procurait une certaine confidentialité à leurs échanges.

— Ce n'est pas la première fois que tu te vêts ainsi pour plus de discrétion, insista-t-elle pourtant.

— Tu as raison, mais je peux aligner dix autres bonnes raisons pour me dissimuler.

— Donc, je serais la seule.

— Tu en doutes ?

De nouveau, ils s'affrontèrent du regard, puis Clotilde baissa les yeux.

— Comment veux-tu que je le sache ? En tout cas, dans mon cas, tu sais que c'était la première fois.

Le petit cri aigu et la tache de sang sur le drap lui avaient permis de la croire sans mal. Après un silence, elle reprit d'un ton plus amène :

— Qu'allons-nous faire à Saint-Lambert ?

— Nous irons souper au restaurant pour discuter.

— Il n'y a rien à discuter. Une mère a des droits.

Grégoire laissa échapper un long soupir. La conversation ne promettait pas d'être agréable.

Sophie se sentait coupable de négliger son oncle. Presque tous les jours depuis le thé dansant au Club nautique, elle retrouvait Corinne. Que l'on puisse passer autant de temps à discuter de robes et à lire à quatre yeux les feuilletons des magazines ou des romans l'étonnait néanmoins. La nouveauté de l'expérience de l'amitié la grisait certainement autant que ces histoires sentimentales.

Toutefois, la compagnie de la fille du médecin lui permettait de prendre la mesure de son ignorance. Corinne se montrait parfaitement gentille, recevant ses questions sans sourciller, donnant des réponses honnêtes, mais tellement incomplètes. Comme Sophie se jugeait sotte ! Bien qu'elle ait un an de plus que son amie, elle se sentait comme une toute petite fille. Peut-être que *L'éducation sentimentale* de Gustave Flaubert serait un peu la sienne.

Le transport d'un roman de plus de trois cents pages pressé contre son abdomen s'avéra ardu. Elle devait le soutenir avec sa main, même si se toucher «là» était très suspect. Heureusement, quand elle arriva, le curé Grégoire était absent de son poste habituel : une chaise en rotin sur la grande galerie. Elle put entrer discrètement dans le presbytère. Du bruit provenait de la cuisine, Cédalie se consacrait à la préparation du souper. Elle grimpa l'escalier en quelques secondes, deux marches à la fois. À l'étage, son ventre se serra. Souvent, le vicaire Chicoine se tenait dans sa chambre. Sa présence, même avec la porte entre eux, la gênait.

Bientôt, elle cachait le livre entre son matelas et le sommier et passait par la salle de bain avant de redescendre.

À son arrivée dans la cuisine, Cédalie lui annonça :

— M'sieur l'curé est parti à Montréal comme ça, sans avertir.

Sa frustration aurait pu faire croire à celle d'une épouse abandonnée. Elle précisa :

— Moé qui m'étais mise en frais pour le souper.

L'odeur dans la pièce laissait deviner qu'un rôti achevait sa cuisson. Pareil menu en milieu de semaine représentait une véritable largesse, et que le prêtre ait négligé ce festin la laissait d'assez mauvaise humeur.

— Alors, nous en profiterons sans lui. Il en restera demain, il le mangera froid.

La ménagère lui adressa un sourire de connivence.

— T'as bin raison. Va t'asseoir, dans cinq minutes j'vas servir.

— Je vais vous aider.

— Bin voyons, c'est ma job.

— Je dois apprendre ! Un jour, cela me sera utile.

La vocation religieuse n'attirait plus du tout Sophie : il ne lui restait que la carrière de maîtresse de maison. Quand elle s'imaginait épouse et mère, c'était toujours dans une maison comme celle des Turgeon, puisqu'elle n'en connaissait pas d'autre.

— C'est bin vrai, la p'tite. Amène le pain, j'vas m'occuper de la soupière.

Cédalie préférait prévenir les grands dégâts. Quand Sophie entra dans la salle à dîner, son sourire se figea.

— Oh ! Bonjour, monsieur le vicaire.

— Bonjour. Vous faites le service, maintenant ?

— Je souhaitais aider Cédalie.

Sa délicate attention s'arrêterait pourtant là, comme si l'idée de tourner autour de lui la dérangeait trop. Elle s'assit à sa place. La ménagère prit une louche et commença par servir de la soupe dans le bol de l'adolescente.

— Vous n'attendez pas monsieur le curé ? s'étonna Chicoine.

— L'patron est parti à Montréal. Y savait pas si y r'viendrait coucher.

— À Montréal ? À l'archevêché ?

— Y m'conte pas ses affaires.

Comme les yeux du vicaire se portaient sur la jeune fille, celle-ci dit à son tour :

— À moi non plus. Ce matin, il ne m'a mentionné aucun déplacement.

Puis chacun mangea sa soupe. La tête penchée vers l'avant, le prêtre scrutait Sophie à la dérobée. De son expédition à Montréal, elle avait rapporté des robes de cotonnade bien modestes, mais tout de même seyantes. Ce jour-là, elle portait la jaune.

— Vous passez toutes vos journées avec les Turgeon, releva-t-il.

— … Corinne est devenue ma meilleure amie.

La fille du médecin se distinguait à plus d'un titre : meilleure, première et unique amie.

— Vous semblez aussi très bien vous entendre avec son frère. Comment s'appelle-t-il ?

— Georges. Mais je ne le connais pas vraiment.

Le prêtre laissa échapper un rire grinçant.

— Pourtant, ne vous raccompagne-t-il pas chaque fois que vous soupez chez le docteur?

Le rose monta aux joues de la jeune fille. Son trouble ressemblait étrangement à celui qu'elle éprouvait lors de ses confessions, au couvent.

— C'est une gentille personne.

— C'est un garçon.

Cela sonnait comme un reproche. Sophie se mordit la lèvre inférieure.

— Que faites-vous là-bas?

Comme elle ne répondait pas, il précisa:

— Avec votre meilleure amie.

— … Nous lisons des magazines.

Pendant une bonne heure, le vicaire posa des questions, réussissant à lui faire éprouver la vanité de ses intérêts. Juste avec son regard, il arrivait à lui signifier le poids de ses fautes: les religieuses ne l'avaient pas élevée pour qu'elle passe ses journées à penser à des toilettes aguichantes, à rêver au prochain thé dansant et à apprécier les délicates attentions d'un adolescent avenant.

À la fin du repas, Chicoine se leva en ordonnant:

— Cédalie, vous m'apporterez du café dans le salon.

Sophie s'empressa de joindre ses efforts à ceux de la ménagère pour desservir. En entrant dans la cuisine avec les assiettes sales, elle murmura:

— Je vais vous aider.

— Va te reposer. T'as certainement des choses à lire.

— Non… Je préfère votre compagnie.

La jeune fille baissa les yeux en disant ces mots. La domestique la contempla un instant, puis comprit enfin.

— Mets d'l'eau chaude dans la bassine, moé j'vas lui faire son café.

Une bouilloire chauffait sur le poêle à charbon. Sophie actionna la pompe à queue pour avoir de l'eau froide, y mélangea l'eau chaude. Au retour de Cédalie, la couventine se fit un plaisir de se munir d'un linge à vaisselle pour l'aider.

Chez les Turgeon, Aldée et Graziella s'occupaient seules de laver la vaisselle. Aussi, lors des soirées les plus chaudes, la famille se réunissait souvent dans la cour arrière, sous les quelques arbres, afin de profiter d'une boisson fraîche. Parfois, ils se rassemblaient plutôt sur la galerie devant la maison, mais depuis son élection comme échevin, Évariste préférait éviter que des citadins ne s'arrêtent sur le trottoir pour discuter avec lui des affaires municipales.

Dans la cuisine, Délia posa un grand pot de limonade sur un plateau.

— Tu peux te charger des verres ?

Corinne héritait inévitablement des corvées ménagères, alors que son frère occupait déjà une chaise dehors, en compagnie de son père.

— Maman, je peux te parler un moment ?

Comme la famille passerait les deux prochaines heures ensemble, elle voulait dire en tête-à-tête.

— Alors, nous déposerons cela pour ces messieurs, et nous ferons une petite promenade dans les rues avoisinantes tout de suite après.

Un instant plus tard, elles posaient plateau et verres sur la table. La mère les enjoignit :

— Si vous buvez tout avant notre retour, vous referez les provisions, n'est-ce pas ?

— Évidemment, accepta son époux.

Son sourire en coin disait que ce genre d'attention ne lui venait pas toujours. Peu après, mère et fille s'engageaient sur le trottoir de la rue De Salaberry, bras dessus, bras dessous.

— Alors, qu'est-ce qui se passe ?

— C'est Sophie, mais je me sens un peu mal à l'aise de te parler de cela.

— Vous vous êtes disputées ?

De petites querelles entre Corinne et Aline survenaient parfois, mais la nièce du curé paraissait prête à tout pour conserver cette amitié. L'adolescente lui confirma son impression.

— Non. Impossible de se disputer avec elle.

Corinne eut un rire bref avant de continuer :

— Cependant, parfois j'ai l'impression… qu'elle n'a aucune idée d'où viennent les enfants.

Délia réfléchit un moment. Pareille ignorance lui paraissait souvent bien dangereuse. Des jeunes filles devaient se retrouver enceintes sans même savoir qu'elles avaient encouru ce risque.

— Les interrogations des confesseurs sont souvent si précises, je me surprends qu'il existe encore des gamines de douze ans qui ne soient pas bien informées.

À tout le moins, elle se rappelait ainsi sa fréquentation du sacrement de pénitence. Corinne n'osa pas la contredire à cet égard : elle gardait un souvenir désagréable de ses rencontres mensuelles avec Chicoine. Après une pause, Délia ajouta :

— Je suppose que les prêtres se montrent plus délicats devant la nièce du curé.

Machinalement, leurs pas les conduisirent en direction de l'église, comme s'il n'existait aucune autre destination.

— Mais pourquoi me dis-tu cela ? demanda Délia.

— Si jamais tu pouvais… Moi je n'ose pas, puis je ne me sens pas très compétente.

« Si tu pouvais lui expliquer certains mystères de la vie », voulait dire Corinne. Sa mère le comprit bien ainsi.

— Hum ! Je m'imagine lui dire : "Sophie, veux-tu encore des pommes de terre ? Ah ! Et en passant, l'histoire des cigognes, ce n'est pas vrai."

— Maman !

L'adolescente s'arrêta pour regarder sa mère dans les yeux.

— Je verrai ce que je peux faire, mais tu sais, ce ne sont pas des sujets de conversation habituels entre une femme et les amies de sa fille.

Corinne opina de la tête.

— Bon, maintenant allons voir si ces messieurs nous ont gardé quelque chose à boire.

Le trajet du retour ne prit que trois minutes. Elles purent se désaltérer dès leur arrivée.

Chapitre 15

Comme son père lui avait fait part de la marge de négociation des prix, Aline prenait l'initiative de discuter avec les clients et d'en venir à une entente. Ce matin-là, quand elle s'approcha de lui toute souriante pour lui faire signer un contrat, il murmura :

— T'à l'heure, j'vas te parler.

L'adolescente s'émut, presque certaine du sujet de la conversation à venir. Le marchand quitta son siège pour tendre la main à un nouveau client, puis l'inviter à s'asseoir. Après une vingtaine de minutes, il acceptait un chèque et convenait d'attendre le versement du solde à la livraison des meubles.

Puis, profitant d'une accalmie, il fit signe à sa fille d'occuper une chaise près de lui. Il se lança :

— Ta mère m'a parlé de ton affaire avec le curé.

Le sang se retira du visage d'Aline. Pourtant, elle jugea utile de préciser :

— Le vicaire, pas le curé.

— Chicoine ! C'est bin vrai, y t'a touchée ?

Elle hocha la tête de haut en bas. Son sens de la justice la força à préciser :

— Sur le bras, puis ici.

Du geste elle indiqua son épaule, puis sa nuque. Elle s'attendait à la colère de son père. À la place, celui-ci baissa les yeux, esquissa un sourire dépité.

— T'auras pus à vouère c'gars-là, hein? Pis de toute façon, si tu te confesses encore à lui, tu seras de ton bord d'la grille, pis lui de l'aut'.

Aline fit oui de la tête, même si cette proximité la troublait plus qu'elle ne l'aurait admis. Elle était sidérée de constater que son père ne mettait pas du tout sa parole en doute. Un véritable sourire éclaira son visage pour la première fois depuis des semaines. Le bonhomme ajouta à son soulagement en disant :

— Tu sais, ta mère pis la religion… Les curés, a les mets sur un piédestal, comme des saints.

— … et pas toi?

— Les hommes, pis les femmes aussi quant à ça, ça change pas parce que tu leur mets une robe noire su' l'dos.

Cette fois, l'adolescente s'indigna légèrement de la généralisation. Si Chicoine demeurerait toujours honni, elle tenait à garder intactes ses illusions sur tous les autres membres du clergé.

Le train s'arrêta dans la petite gare de Saint-Lambert. Grégoire laissa passer Clotilde devant lui, puis la suivit jusque sur le quai, son sac de voyage à la main.

— Tu comptes venir manger avec ton bagage?

— Je suppose que je peux le laisser en consigne.

Cela posa tout de même quelques difficultés. Dans un aussi petit établissement, personne n'assurait le service toute la nuit. Même habillé en laïc, Grégoire gardait une certaine autorité morale, car un commis lui indiqua un petit réduit où personne n'irait chercher sa valise.

Quand le couple s'engagea dans la rue Victoria, la blonde prit son bras. Un moment, Grégoire pensa se dégager, mais il n'en fit rien. Pareil rapprochement eut un effet immédiat à la hauteur de son bas-ventre. À l'exception de sa nièce lors de promenades, aucune femme ne l'avait touché ainsi depuis dix-huit ans. Il lui prit les doigts pour les serrer doucement.

— Al, tu ne peux pas m'empêcher de la voir.

Le ton de la voix lui rappelait des conversations murmurées une éternité plus tôt. Autant dire dans une autre vie.

— Pense au mal que tu lui ferais en débarquant dans sa vie. Nous nous étions entendus pour prendre la meilleure décision.

— Certainement la meilleure pour toi, pour garder tous tes privilèges de curé en plus de l'avoir près de toi. Tu crois que la priver de sa mère, c'est l'idéal pour elle ?

Si les mots faisaient penser à une querelle, le ton rappelait une conversation d'amoureux. Grégoire ne pouvait ressentir de la colère pour la personne qui lui suscitait une telle érection. Il se dit que leur contact avait peut-être un effet comparable sur sa compagne.

— Tu sais où nous allons, s'enquit-elle, ou tu me fais visiter ce village ?

— Juste en face du parc, il y a un restaurant tout à fait respectable.

— Tu y conduis tes paroissiennes favorites ?

Grégoire s'arrêta pour lui faire face, rompant le contact physique.

— Pourquoi est-ce si difficile de croire que tu fus la seule ?

— Je me souviens d'un amoureux passionné…

« Ce qui rend mon sacrifice d'autant plus admirable, ou stupide », songea-t-il. Tout de suite, l'ecclésiastique regretta sa mauvaise pensée. L'idée lui vint de rentrer seulement le lendemain, pour aller se confesseur à son évêque dès la première heure… après une nuit torride.

— Personne n'est à l'abri du péché. Porter une soutane ne change rien à la nature humaine.

Le curé venait de briser un moment de grâce entre eux.

— Tu vois le parc ? C'est juste en face.

L'espace vert avait la forme d'un triangle. Quelques personnes occupaient les bancs. Ils marchèrent jusqu'au restaurant, un établissement comptant une douzaine de tables. Un employé leur en désigna une permettant de voir la rue, Grégoire réclama plutôt d'en occuper une à l'écart. Clotilde attendit que le premier service soit sur la table avant de revenir au sujet qui l'amenait dans la province.

— Sophie a besoin de sa mère.

Elle s'interrompit, puis ajouta :

— Et moi, de ma fille.

L'argument toucha le curé droit au cœur.

— Nous avons fait au mieux. Célibataire avec une enfant, âgée de tout juste vingt ans, ta vie aurait été ruinée. Nous ne pouvions conclure un meilleur arrangement.

— Pour toi, certainement, répéta-t-elle. Ainsi, tu as pu continuer à dire aux autres de ne pas pécher, tout en encaissant la dîme et en recevant les courbettes de tout le monde. Tu es gras comme un voleur.

Machinalement, Grégoire porta sa main sur sa panse. Il avait connu cette jeune fille à trente et un an, alors qu'elle en avait dix-huit. À l'époque, mince dans sa soutane noire, il affichait une réelle prestance et elle était absolument ravissante. Aussi ravissante que le serait Sophie dans un an : toutes deux se ressemblaient ; quiconque comprendrait le lien familial en les voyant côte à côte. Maintenant, à cinquante ans, il se sentait bien décrépit devant une personne n'en ayant que trente-huit.

— Alors que je m'assurais de son bien-être, tu pouvais épouser un Irlandais prospère de Boston. Je ne me souviens pas de t'avoir entendue réclamer la garde de Sophie.

Cette fois, le regard de Clotilde se durcit.

— J'étais enceinte de mon confesseur. Penses-tu que je pouvais prendre des décisions éclairées, dans les circonstances ? J'ai fait ce qu'il me disait en me déshabillant, j'ai fait ce qu'il me disait en abandonnant ma fille.

« Et ce confesseur, c'était moi », songea Grégoire. Il aurait pu contester la représentation des faits, lui rappeler que la tentation l'avait aussi atteinte. La tentation, et l'audace aussi. Toutefois, son rôle exigeait qu'il soit raisonnable pour deux. Un sentiment de culpabilité le réduisit un moment au silence, sans compter son inquiétude que leur conversation ne soit entendue. Pour ses propos, sa compagne risquait une excommunication immédiate, qu'ils soient vrais ou pas. La nécessité de combattre le scandale, de prévenir la gangrène de tout le corps des croyants, exigeait cette amputation.

Il fit un geste discret de la main pour l'inciter à baisser le ton, tout en désignant les autres convives d'un regard circulaire. Pour une telle conversation, la discrétion du confessionnal aurait mieux convenu. Après un moment, Clotilde reprit, sur un ton plus posé :

— Pour la naissance, tu m'avais expédiée dans une clinique du nord de l'État de New York. J'ai entrevu ma fille, puis vous avez disparu.

— J'avais pris des mesures pour subvenir à tous les soins. Ensuite…

— Toi et mon père, vous vous êtes bien entendus, finalement. Tu as assumé le coût des traitements, lui m'a ensuite expédiée en Floride pour soigner mon prétendu début de consomption.

Elle s'était éclipsée juste avant que le gonflement de son ventre ne soit visible, pour ne revenir que longtemps après la naissance. Combien de jeunes filles vivaient le même scénario ? Des dizaines certainement.

— Mon père savait-il que tu étais le père de Sophie ?

Grégoire se décontenança plus encore, puis il secoua la tête en signe de dénégation.

— Non. Et je te serai éternellement reconnaissant pour ne pas l'en avoir informé.

La paternité avait été attribuée à un jeune homme de passage. Alphonse Grégoire avait poursuivi sa carrière ecclésiastique sans même être interrogé par son évêque, puisque le scandale avait été évité. La préservation des deux réputations avait surtout coûté cher à la jeune femme.

— Dans ces cas-là, l'enfant est habituellement placé en adoption.

— Et faute de parents de substitution sous la main, dans un orphelinat. Ces établissements ressemblent à l'enfer.

Le prêtre baissa les yeux pour chuchoter :

— Quand je l'ai vue, le courage m'a manqué.

Ainsi, il avait bafoué l'instinct maternel de Clotilde pour satisfaire son propre émoi de père. Discrètement, elle prit sa serviette pour s'essuyer les yeux. Au lieu de laisser libre cours à sa peine, elle reprit son ton agressif.

— Le jour de l'accouchement aussi, je suppose que tu as changé de vêtements dans les toilettes du train.

Très probablement. Peut-être ne s'en souvenait-elle pas, mais sa visite à la clinique lui avait procuré un réel soulagement. Plutôt que celui de confesseur, il assumait alors le rôle d'un grand frère bienveillant, malgré l'opprobre jeté sur une famille.

— Tu es parti avec elle comme un voleur.

Au moment des événements, toute à sa honte, la jeune femme avait apprécié de sauver sa réputation et de pouvoir tenter de se bâtir une vie respectable.

— Avec ton époux, tu n'as pas eu d'autre enfant ?

Elle fit signe que non de la tête. Lors de la naissance, l'avenir convenu avec son amant lui paraissait acceptable. Sa remise en question était apparue beaucoup plus tard, dans le cadre de son mariage stérile.

— Quand tu es parti avec elle, qu'as-tu fait ?

— Une de mes paroissiennes venait de perdre un enfant. Je l'ai payée pour qu'elle allaite Sophie et prenne soin d'elle pendant quelques années.

— Tu lui as dit : "Je viens d'engrosser une paroissienne, voulez-vous vous occuper de l'enfant" ?

Décidément, cette rencontre se déroulait sous le ton du reproche.

— Plutôt, je lui ai dit : "Ma pauvre petite sœur vient de mourir en couches, à Québec. Si je vais chercher son enfant, accepteriez-vous de vous en charger ?"

— Puis, après quelques années, tu as eu peur que je ne la retrouve, alors tu es revenu dans cette province pour la mettre hors d'atteinte.

Voilà qui décrivait seulement en partie la situation. Il entendit lui donner une version un peu moins culpabilisante.

— Une famille originaire de Québec est venue s'installer dans la maison voisine. La bonne femme s'est mise dans la tête de retracer l'histoire de ma famille.

Évidemment, les visites répétées du curé de la paroisse à cette gamine paraissaient suspectes. Ce prétendu oncle s'occupait mieux de celle-ci que la plupart des pères ne le faisaient de leurs enfants.

— J'ai dû partir.

— Et une fois à Douceville ?

— Elle a passé toutes ces années au couvent. Rendue à la fin du cours d'études, elle ne souhaitait pas devenir religieuse. Je la garde maintenant au presbytère.

Un peu plus et Grégoire aurait ajouté : « Mais là je dois lui trouver une autre place. » Mais Clotilde aurait saisi l'occasion pour imposer son projet de la lui reprendre.

— Grands dieux ! En faire une sœur ! Si elle tient juste un peu de moi…

Au sein de la population, la croyance selon laquelle les tares physiques ou morales se transmettaient d'une génération à l'autre demeurait solide. Après tout, n'était-ce pas le cas de la couleur des yeux et des cheveux ? Une femme au sang suffisamment chaud pour se retrouver enceinte de son curé ne pouvait accoucher d'une éternelle vierge accoutrée d'une robe de mauvaise toile.

— Élevée au milieu des religieuses, la décision n'aurait surpris personne.

— Évidemment, elle ne connaissait pas mieux. Mais maintenant, ce genre de folie doit lui être passée, même si elle vit avec un curé.

Clotilde disait vrai. La grande jeune fille élégamment vêtue et coiffée plaisait certainement aux garçons. La famille Turgeon lui présentait des perspectives d'avenir bien différentes. Le prêtre se questionnait toujours sur la suite des choses. Même si son archevêque en venait à accepter la situation actuelle, il se voyait mal recevoir des prétendants au presbytère, bien que Cédalie eût certainement accepté de jouer au chaperon.

Un repas pour trois personnes ne fournissait pas assez de vaisselle sale pour occuper toute une soirée. Après une trentaine de minutes, Sophie dut ranger son torchon et passer à une autre activité.

En quittant la cuisine, elle eut envie de visiter les Turgeon, mais après tout un après-midi dans la maison de la rue De Salaberry, y retourner ne se faisait pas, surtout qu'il était passé sept heures du soir.

Mieux valait regagner sa chambre tout de suite. Pour atteindre l'escalier, elle devait passer devant la porte du salon. Malgré sa précaution de marcher sur le bout des pieds afin de dissimuler son passage, une voix lui parvint :

— Sophie, puis-je vous parler une minute ?

Elle aurait voulu courir s'enfermer en haut, mais une dizaine d'années d'apprentissage de la bienséance le lui interdisaient. Sur le seuil de la pièce, les mains l'une dans l'autre à la hauteur de la taille, elle demanda :

— Vous voulez me parler, monsieur le vicaire ?

Chicoine referma son exemplaire du *Trésor des prédicateurs et de tous les fidèles* pour la dévisager. Sous son examen, l'adolescente se sentit terriblement mal à l'aise.

— Je pensais à vos confidences de tout à l'heure, sur vos rapports avec le jeune Turgeon.

Elle ne lui avait fait aucune confidence. Elle n'avait mentionné Georges qu'à cause de la surveillance de ses allées et venues qu'exerçait le vicaire. Pourtant, elle se tut.

— Voilà une situation propice au péché, en pensée certainement, sinon pire...

Ses yeux la brûlaient. Son unique désir était de prendre la fuite.

— Vous devriez vous confesser. Mon étole est toute proche, et mon prie-Dieu.

Il songeait à celui qui se trouvait dans sa chambre. En pensée, il revivait sa «direction spirituelle» de Malvina Péladeau. Devant les yeux effarés de Sophie, il se hâta de préciser :

— Même pas besoin d'aller aussi loin, il y en a un dans le bureau de votre oncle. Ou alors nous pouvons nous en passer, comme lors de mes visites au couvent.

Un bref instant, Sophie s'imagina à genoux à côté du fauteuil, les avant-bras sur les cuisses du prêtre, le bras de celui-ci autour de ses épaules. Elle réussit à articuler d'une voix blanche :

— Je ne me confesserai ni à vous ni à mon oncle. Nous vivons dans la même maison. Mon oncle est d'accord pour que j'aille plutôt à l'église d'Iberville.

Cette interprétation de son bref échange sur le sujet avec le curé Grégoire outrepassait certainement les mots de celui-ci. Elle se promit d'aborder la question avec lui dès qu'il reviendrait.

— Bonne nuit.

Sur ces mots, elle s'engagea prestement dans l'escalier pour aller s'enfermer dans sa chambre, tremblante de rage impuissante. De nouveau, Chicoine insistait pour l'entendre en confession. L'absence de son oncle, ce soir, la rendait tout à fait vulnérable. La porte ne se verrouillait pas de l'intérieur, aussi elle plaça une chaise devant pour en entraver l'ouverture. De cela aussi, elle devrait parler avec son oncle. Mais le courage lui manquerait.

Après de longues minutes pour récupérer son calme, elle chercha le roman de Flaubert sous son matelas, s'étendit sur le lit et entreprit de le parcourir. Selon Corinne, Frédéric, le personnage principal, faisait un enfant à Rosanette. Hors mariage. D'une page à l'autre, il se montrait infidèle à ses maîtresses, tout en vouant un amour absolu à Marie.

Jamais la notion de péché n'était abordée. Pourtant, ces gens-là allaient tout droit à leur perte. Puis un passage l'émut plus que les autres :

Rosanette fut debout toute la nuit.

Le matin, elle alla trouver Frédéric.

— Viens donc voir. Il ne remue plus.

En effet, il était mort. Elle le prit, le secoua, l'étreignait en l'appelant des noms les plus doux, le couvrait de baisers et de sanglots, tournait sur elle-même éperdue, s'arrachait les cheveux, poussait des cris ; et se laissa tomber au bord du divan, où elle restait la bouche ouverte, avec un flot de larmes tombant de ses yeux fixes.

Au couvent, la mort d'un bébé aurait sans doute été vue comme la juste punition d'une pécheresse. Sophie pleura plutôt sur son malheur.

Après le repas, l'abbé Grégoire et sa compagne marchèrent un peu dans les rues de Saint-Lambert. Le soleil avait disparu de l'horizon, bientôt ce serait la nuit. Si Clotilde se montrait volontiers vindicative en paroles, sa façon de tenir le bras du curé laissait deviner des sentiments à tout le moins ambigus.

Ils reprenaient le chemin de la gare quand il demanda :

— Qu'as-tu fait, après l'accouchement ?

— Mes parents ont dû te tenir au courant.

— Non, pas vraiment.

Clotilde devina que la fille perdue était devenue un sujet tabou pour ses proches, même avec monsieur le curé. Probablement avaient-ils même dû chercher un nouvel endroit où se confesser et faire leurs dévotions, pour éviter tout regard interrogateur. Elle préféra répondre plutôt que de s'engager sur ce sujet.

— Après quelques jours pour me remettre, je suis réellement allée me refaire une santé en Floride en compagnie d'une vieille tante pas trop respectable elle-même, puis j'ai habité chez elle, à Boston. Au moins, je ne lisais pas dans son regard une condamnation aux flammes éternelles. Une véritable chrétienne, peu portée à juger les autres.

— Tu as pu te marier ensuite.

— Avec Peter, un marguillier respectable, plus âgé que moi d'une quinzaine d'années. Je suppose qu'il s'agissait du prix à payer pour me dénicher quelqu'un. Je fermais les yeux sur son corps replet et sa tête chauve, et lui sur l'absence de ma virginité.

Il se pouvait très bien que tous deux aient effectué ce calcul. Même les hommes adeptes des mauvais lieux entendaient épouser une femme intacte. Celui-là n'avait certainement pas perdu au change en s'unissant à une grande femme blonde au tempérament fougueux.

— Tu es veuve depuis longtemps ?

— Plus de deux ans, bientôt trois. Nous avons donc connu moins de dix ans de vie commune.

Grégoire se demanda s'il devait l'en plaindre ou l'en féliciter. Elle dut sentir son malaise.

— C'était un homme bon, j'aurais mieux apprécié son compagnonnage dans d'autres circonstances. Mais vois-tu, je venais de perdre à la fois mon enfant et l'homme que j'aimais.

Elle laissa la confidence faire son chemin jusqu'au cœur de son ancien amant, avant d'ajouter :

— Comme je ne pouvais pas être en colère contre un bébé, ce sentiment s'est reporté sur toi. Je me suis fait voler ma virginité et mon enfant par le même homme.

— Je...

Clotilde serra ses doigts de toutes ses forces sur le pli de son coude.

— Ne dis rien. Si ma colère n'était pas tombée, en bonne Américaine, je serais venue te voir avec un revolver dans les mains. Si tu lis les journaux, tu sais de quoi je parle.

Oui, il savait. Dix jours plus tôt, à New York, le millionnaire Harry Kendall Thaw avait tué de plusieurs balles celui qui avait abusé de sa belle et jeune épouse quelques années plus tôt. Déjà populaire avant cet événement, Evelyn Nesbit hantait maintenant les pensées de tous les Américains un peu licencieux.

— Tu m'en vois soulagé.

Déjà, ils arrivaient à la gare. Passé dix heures du soir, le petit édifice était pratiquement désert. Grégoire reprit son sac de voyage dans le réduit servant à remiser les balais.

— Si quelqu'un l'a ouvert, ma vieille soutane ne devait pas lui faire envie.

Alors, sa compagne tira sur son bras pour l'obliger à se tourner à demi, puis posa sa bouche contre la sienne assez violemment pour se faire un peu mal en heurtant ses lèvres contre ses dents. Tout de suite, elle chercha sa langue avec la sienne. Le curé resta figé, puis son excitation prit le dessus. Non seulement il lui rendit le baiser, mais ses mains saisirent sa taille, puis l'une descendit jusqu'à ses fesses. Instinctivement, son bassin effectua un petit mouvement de va-et-vient contre le ventre de Clotilde jusqu'à ce qu'il se répande en laissant échapper une plainte. Toutes ses années d'abstinence lui avaient donné l'illusion que désormais, ce genre de désir ne l'affectait plus. Une seule étreinte faisait éclater toutes ses convictions.

Quand il se recula en regardant sa compagne, sa honte baissa d'un cran. Dans son empressement, le bord du chapeau de Clotilde avait heurté son front. Maintenant, le couvre-chef était posé de guingois sur ses cheveux remontés.

— Al, tu sais bien que jamais je ne pourrais te tirer dessus. Même après toutes ces années, je t'aime toujours assez pour te suivre jusqu'à Tombouctou ou dans n'importe quel endroit sans curés ni évêques.

Par cet aveu, il retrouvait la jeune fille de dix-huit ans pour qui aucune règle ne devait empêcher un amour sincère.

— Tu m'as dit la même chose autrefois. Quand nous étions jeunes. Ce n'est pas plus raisonnable aujourd'hui.

— Toi aussi, tu te répètes. Les erreurs du passé ne t'ont pas rendu plus sage.

Clotilde s'éloigna dans un coin de la petite gare afin de replacer son chapeau. Dans la pénombre, Grégoire devina les épaules secouées par un sanglot. Le bruit de la locomotive entrant en gare détourna leur attention. Sur le quai, seuls deux autres voyageurs attendaient le train. Clotilde monta la première dans le wagon de tête, lui le dernier dans une autre voiture. Aussitôt, il se réfugia dans les toilettes pour revêtir sa soutane. La défroque lui servait d'armure pour se protéger des tentations du monde. Pourtant, elle s'avérait bien peu efficace : son excitation ne s'atténuait pas.

Compte tenu de ses horaires de travail interminables, Rosaire Tremblay ne disposait que de rares occasions de parler à sa femme en privé. Il lui fallait attendre en fin de soirée, au moment de se coucher.

— Aujourd'hui, j'ai parlé de c'que tu m'as raconté avec Aline, lui apprit-il.

Georgette ne répondit pas, mais son émoi était évident.

— Tu l'as frappée, dit-il.

L'accusation pesa dans la pièce, puis elle se défendit :

— Si tu l'prends d'même, a t'a pas dit la même chose qu'à moé.

— Que l'vicaire la taponnait.

— Pis tu la laisses conter des horreurs pareilles ! J'vas y faire manger du savon !

Madame Tremblay paraissait craindre que la maison parte en flammes à cause de la vengeance de Dieu.

— Tu vas lui crisser la paix. A te dit des affaires de même, pis tu trouves rien de mieux que de fesser dessus. Les mères, ça protège leurs enfants, d'habitude.

Dans l'obscurité de la nuit tombante, Rosaire sentit sa compagne se raidir sous le reproche. Il avait vu assez de coups utilisés en guise de moyens pédagogiques pour en avoir perdu le goût ; elle, elle s'y fiait encore.

— Accuser des curés de faire des affaires de même… A va aller tout drette en enfer.

— Tu penses que ça bande pas, un curé ?

La femme se figea de nouveau. Rosaire lui tourna le dos, frappa dans son oreiller à coups de poing pour lui donner la forme voulue, puis y posa sa tête sans rien ajouter.

— Sont consacrés ! fit-elle dans un souffle.

Le marchand demeurait bien sceptique sur ces sima-grées. Mieux valait toutefois abandonner le sujet. De toute façon, Georgette se montrerait plus attentionnée envers sa fille dorénavant.

Chapitre 16

Pendant de longues minutes, Chicoine était resté dans le salon, vaguement inquiet. Cette fille pouvait aller frapper à la porte de la ménagère, ou même se confier à son oncle quand il reviendrait. Puis sa frayeur disparut. Ces Jézabel avaient bien trop honte de ce qui se passait entre leurs cuisses pour en aviser qui que ce soit. Chacune s'y entendait à jouer la sainte-nitouche, tout en multipliant les œillades et les petits mouvements suggestifs. Celle-là comme les autres, surtout les soirs où Georges Turgeon la raccompagnait jusque sous sa fenêtre.

Quand il monta à son tour, le scénario habituel se répéta. D'abord le passage devant la porte de la salle de bain afin de détecter une présence, puis près de la chambre. Aucune lumière, aucun bruit. Une fois dans ses quartiers, rien ne parvenait à chasser Sophie de ses pensées. Ni la pression exercée sur son cilice, ni le temps passé à genoux sur une tige de bois afin de provoquer une douleur vive dans ses rotules. Pas même cet abus de son propre corps que les confesseurs reprochaient si souvent aux adolescents.

À la fin, il n'y tint plus, et c'est en chemise de nuit qu'il se rendit dans le couloir. Il n'eut pas le temps d'atteindre la chambre de la jeune fille ; un bruit résonna dans l'entrée, et ensuite des pas dans l'escalier. Le vicaire retourna en vitesse dans sa chambre, mais laissa la porte entrouverte afin de tout entendre.

Couchée dans son lit, Sophie avait perçu le craquement des planches sous des pas. La seconde fois, c'était largement après onze heures. Il lui avait semblé deviner une présence derrière la porte. Chicoine.

Elle aussi distingua du mouvement dans l'entrée, puis dans l'escalier. Serrant son peignoir d'une main contre sa poitrine, la jeune fille ouvrit pour apercevoir une grande silhouette.

— Mon oncle, vous êtes déjà de retour ?

— Oui, la réunion s'est terminée plus tôt que prévu, et à mon âge, je n'aime pas découcher.

Il tenait son sac de voyage à deux mains à la hauteur de sa taille, comme pour cacher la réaction physique disparue depuis longtemps.

— Mais toi, que fais-tu debout ?

Dans sa chambre, Chicoine tendait l'oreille.

— … Je n'arrivais pas à m'endormir.

— Pourtant, tu es en sécurité. Retourne te coucher, nous reprendrons notre conversation demain matin.

— Auparavant, je vais aller là.

Il ne vit pas le mouvement de ses yeux pour désigner les toilettes, mais sa destination ne faisait pas de mystère. Sophie se retenait depuis un long moment, tellement elle craignait les petits craquements du plancher. À ce moment, le vicaire referma complètement sa porte tout en prenant bien garde de ne pas produire le moindre bruit.

De son côté, le curé retrouva ses quartiers avec soulagement. Son sous-vêtement et son pantalon demeuraient mouillés à la hauteur du sexe, créant une sensation désagréable. Toutefois, son plus grand malaise n'était pas physique. Malgré tous ses reproches, Clotilde se disait toujours amoureuse, et visiblement disposée à reprendre là où ils en étaient restés plus de dix-sept ans plus tôt.

— Pas après tous ces efforts! murmura-t-il.

Ses efforts pour l'oublier? Ils avaient été vains. En s'étendant dans son lit après un passage à la salle de bain pour une toilette sommaire, il la revoyait très clairement entrer dans son bureau, au presbytère de Lowell. Une très jolie blonde de dix-huit ans accompagnée par une mère revêche.

— Monsieur le curé, je vais en mourir, mais je dois vous le dire: ma fille est une dévergondée.

En entendant ces mots, les joues de l'adolescente étaient passées au cramoisi. Dans ses yeux, il avait lu la colère, et surtout la honte. À ce moment précis, si un éclair avait tué la mégère, ce décès aurait causé un bien mince désarroi, sinon du plaisir.

— Madame, vous êtes sa mère, et moi son curé. La simple décence nous défend d'utiliser de tels mots.

Le regard de Clotilde – déjà, lors de diverses activités pastorales, cette jolie paroissienne lui avait fait une impression suffisante pour qu'il retienne son nom – ne l'avait plus quitté.

— Mais vous ne savez pas! Lors d'une réception tenue chez moi, je l'ai aperçue avec la main d'un voisin dans… son corsage.

À grand renfort de soupirs et de silences où il avait cru discerner les épithètes les plus malsonnants de la langue française, et d'autres en anglais certainement, elle lui avait parlé d'une soirée réunissant quelques jeunes gens, dont celui à la main baladeuse. Tôt ou tard, la majorité des jeunes filles confessaient une activité de ce genre, et la plupart des autres omettaient tout bonnement de mentionner un événement identique.

Un prêtre ne pouvait dire à une paroissienne : « N'en faites pas toute une histoire, personne ne meurt pour une banalité semblable. » Sinon, grâce à l'invention de monsieur Bell, son évêque l'aurait appris dans l'heure suivante.

— Voilà une faute que mademoiselle confessera et que Dieu pardonnera.

Peut-être sa répartie avait-elle déclenché une réaction en chaîne. Au lieu de partager le courroux maternel, il avait évoqué le pardon comme une simple formalité. Clotilde avait-elle pris cela pour une autorisation à recommencer ? Toujours est-il que madame Serre, épouse d'un avocat en vue, avait retrouvé une certaine sérénité. Au point de dire, en sortant avec sa jeune fille un peu rassurée :

— Monsieur le curé, avec toutes les idées modernes des Américains, je n'arrive plus à la contrôler.

En une fraction de seconde, Clotilde avait renoué avec sa colère du début de la rencontre.

— Pourriez-vous lui servir de conseiller spirituel ? Le mien est un vieil homme, je ne pense pas qu'il prendrait en charge quelqu'un... de cette génération. Vous, vous paraissez à la fois jeune et sage.

À cette époque, il avait trente et un ans. Sa soutane tombait bien droit, sans la désagréable petite tente pour loger son ventre, ses cheveux étaient noirs, son visage sans aucune ride. Oui, il était jeune. Quant à sa sagesse, voilà une toute autre histoire.

— Il revient à mademoiselle de décider si elle veut un conseiller, et de choisir celui-ci, avait-il murmuré.

Puis, en regardant Clotilde dans les yeux :

— Toutefois, je vous assure qu'elle sera la bienvenue, si elle décide de venir me voir.

Depuis le jour de cette rencontre, vingt ans plus tôt, dans ses examens de conscience il se demandait si ses mots avaient entraîné tous les événements à venir. Si sa seule présence rassurait suffisamment Sophie pour qu'elle dorme, lui, tenaillé par ces pensées, en serait quitte pour attendre le lever du jour les yeux grands ouverts.

Tilda – elle en était venue à oublier le prénom Clotilde, à force de s'entendre désignée par ce diminutif – ne dormit pas mieux. Jusque-là, tout était clair dans son esprit : cette expédition dans la province de Québec lui permettrait de retrouver sa fille et de remplir enfin son rôle auprès d'elle. Quoique ses reproches sans cesse réitérés demeuraient sérieux, le déroulement de la soirée avait ébranlé ses certitudes.

Malgré la soutane, et malgré le mauvais complet porté à Saint-Lambert, elle éprouvait toujours les mêmes sentiments pour cet homme. Puis l'absurdité de la situation lui sauta aux yeux. Ce prêtre l'avait abandonnée afin de garder sa défroque et ses privilèges. Rendu encore moins audacieux à l'aube de la cinquantaine, jamais il ne quitterait son grand presbytère. Comme tous les hommes de son état avançant en âge, il deviendrait de plus en plus gros, de plus en plus casanier, comme un vieux matou castré.

Alors, autant s'en tenir à sa première idée : récupérer sa fille et s'enfuir aux États-Unis.

Même les insomniaques devaient sortir du lit en même temps que les autres. Grégoire retrouva sa nièce et son vicaire dans la salle à manger. Chicoine s'informa :

— Hier, pourquoi êtes-vous allé à Montréal ?

Il marqua une pause, puis ajouta :

— Si je peux me permettre la question, évidemment.

— Oh ! Il n'y a aucun secret. Sa Grandeur aime créer de nouvelles paroisses, et celle de Douceville devient bien populeuse. Alors il envisage de la diviser en deux.

La question suscitait des discussions dans tous les milieux, mais la liste des susceptibilités à préserver était sans fin. Un faux conciliabule sur le sujet ne pourrait être repéré parmi tous les vrais.

— Qui sait, ma première cure se trouve peut-être dans les rues avoisinant l'usine de la Willcox & Gibbs, répliqua le vicaire.

— Qui sait…

Selon toute probabilité, il serait plutôt affecté à une petite paroisse rurale pour faire ses preuves. Sophie écoutait leur conversation sans rien dire. Elle en venait à croire que son malaise de la veille était tout à fait injustifié. Pourtant, à la fin du repas, elle demanda :

— Mon oncle, puis-je vous parler un instant ?

Chicoine quittait justement la table. Il serra les mâchoires en sortant.

— Bien sûr. Que veux-tu me dire ?

— Pas ici.

Sur ces mots, son regard se porta sur la porte. Le curé comprit que la présence du vicaire l'empêchait de parler librement.

— Viens dans mon bureau.

L'instant d'après, le prêtre occupait sa place derrière son bureau, et la jeune fille la chaise placée devant. Le meuble entre eux gommait le lien de parenté, pour la ramener au statut de paroissienne. La confidence s'avérerait plus difficile encore.

— Que veux-tu me dire ?

— Hier, l'abbé Chicoine m'a demandé de me confesser.

Grégoire ne réagit pas, aussi elle ajouta :

— Avec insistance.

— Il n'a pas à se mêler de ça.

— Il a même fait allusion à Georges Turgeon.

Cette fois, le curé fronça les sourcils.

— Turgeon ?

— Georges a l'habitude de marcher avec moi jusque devant la porte, quand je reviens un peu tard.

— Je ne vois pas…

Pourtant, le prêtre commençait à comprendre très bien la situation. Le vicaire n'était pas le premier membre du clergé à soupçonner le péché dès qu'un garçon se trouvait à proximité d'une fille, que l'un et l'autre soient pubères ou non.

— Il semble penser que nous faisons des choses. Pourtant, son comportement est irréprochable avec moi.

Bien sûr, elle avait conscience des coups d'œil appuyés du collégien, mais d'un autre côté, Georges ne faisait aucun geste équivoque.

— Je m'en doute bien, c'est un bon garçon.

En prononçant ces mots, Grégoire se souvint que lui-même se considérait comme irréprochable, quand il avait reçu Clotilde dans son bureau. Les bons garçons bandaient aussi souvent que les mauvais.

— Je ne veux pas me confesser à lui.

Affreusement troublée, elle avoua :

— Ni à vous. Vous comprenez, après je prends mes repas auprès de vous…

Oui, Grégoire pouvait comprendre. Lui-même aurait partagé le même malaise s'il avait dû confesser son péché de la veille à un autre habitant de la maison. Son regard détaillait la jeune fille assise devant lui. Des cheveux blonds, des yeux bleus. Elle ressemblait tellement à Clotilde au moment de leur première rencontre. Et le désir qu'il avait éprouvé à ce moment, un autre prêtre pourrait le ressentir pour cette jeune personne.

— Ce n'est pas que je refuse de me confesser, insista-t-elle encore. Vous m'avez suggéré de me rendre à Iberville pour cela.

Sophie tenait à apporter cette précision pour se montrer vertueuse.

— C'est un peu loin, mais je peux y aller seule. Il s'agit simplement de traverser le pont sur la rivière Richelieu. Mes amis accepteront sans doute de m'accompagner.

Les jeunes filles évitaient de se promener seules dans les rues, de peur de faire de mauvaises rencontres. Grégoire hocha la tête en se disant qu'un ami en particulier ferait office de protecteur : Georges Turgeon. Finalement, il en venait à se méfier de ce garçon.

— Je pourrai m'informer. Des paroissiens se rendent quotidiennement là-bas, l'un d'eux pourra te prendre avec lui.

La perspective d'effectuer ce trajet avec un inconnu ne disait rien qui vaille à la jeune fille. Finalement, marcher seule jusqu'au village voisin l'intimiderait moins.

— Que comptes-tu faire aujourd'hui ?

— Corinne a proposé une promenade en bateau sur la rivière. On peut louer une embarcation.

Après une pause, elle murmura :

— À moins que vous ne me l'interdisiez.

Le curé savait bien qui manierait les avirons, lors de cette excursion.

— Voyons, pourquoi ferais-je cela ? Fais juste attention. Je ne crois pas que les sœurs de la Congrégation enseignent la natation.

Le sourire de l'adolescente valait tous les mercis.

— Et vous, que ferez-vous aujourd'hui ?

— Du travail de curé : entendre des confessions, émettre des certificats de naissance ou de décès, administrer les derniers sacrements. Rien de bien intéressant. Crois-moi, sur la rivière, tu auras plus de plaisir que moi. Te verrai-je au dîner ?

Elle hocha la tête, puis quitta la pièce après un souhait de bonne journée. Après son départ, Grégoire demeura immobile ; il finit par quitter son siège en laissant échapper un long soupir. Le pire aspect de son travail de curé, ce jour-là, serait une discussion avec son vicaire.

En définitive, parce que Chicoine s'affairait déjà en dehors du presbytère, Grégoire put tenir sa petite conversation avec lui seulement avant le dîner. Le curé le pria de le rejoindre dans son bureau, sans toutefois lui offrir un siège. D'entrée de jeu, il lança :

— Sophie m'a parlé de votre demande de la confesser…

Le vicaire se troubla.

— Je le lui offrais pour rendre service.

Le curé n'enregistra pas son malaise.

— Ma nièce ne souhaite se confesser ni à moi ni à vous.

Présentée ainsi, la réticence de la jeune fille paraissait bénigne.

— Pourtant, à l'école…

Grégoire ne jugea pas utile de rappeler que même au couvent, Sophie avait demandé de ne plus se confesser à celui dont elle partageait la maison. Chicoine se reprit :

— Je veux bien comprendre que je l'intimide, mais vous…

— Vous-même, vous vous adressez à un confesseur d'une autre paroisse. Si vous préférez ne pas me confier vos fautes pour vous attabler ensuite avec moi, cela vaut aussi pour Sophie.

La répartie contenait sa part de reproche. La précaution du vicaire heurtait la sensibilité de son supérieur. La confiance devait régner entre eux. Chicoine le comprit bien ainsi.

— Je n'y ferai plus allusion, soyez-en certain.

— Bon, allons dîner, maintenant.

Dans la salle à manger, l'adolescente remarqua l'air revêche du vicaire. Les yeux fixés sur son assiette, elle ne participa à la conversation que par des monosyllabes.

Tout de suite après le repas, Sophie se dirigea vers la maison des Turgeon pour retrouver les enfants sur la galerie, assis dans les fauteuils en rotin.

— Suis-je en retard ? s'enquit-elle.

— Pas vraiment. Un jour comme aujourd'hui, s'enfermer serait impardonnable.

Le soleil brillait sans discontinuer depuis la Saint-Jean, au point que les cultivateurs se plaignaient déjà des effets de la sécheresse sur les futures récoltes.

— Je me le disais aussi. Je ne me suis pas attardée à table.

Sinon, la tension entre les deux prêtres aurait pu lui gâcher la digestion. Depuis le début des vacances, elle avait pris l'habitude de faire la bise à Corinne. Ensuite, son salut à Georges s'accompagnait d'une légère rougeur sur les joues.

— Nous y allons ? suggéra le fils de la maison en quittant son siège.

Le Club nautique se situait à une courte distance de marche. Les deux jeunes filles allaient devant, bras dessus, bras dessous, le garçon les suivait, trois pas derrière. Jour après jour, elles paraissaient se concerter sur la tenue à adopter pour les harmoniser. Les couleurs pâles s'imposaient en cette saison, très souvent le blanc, parfois le bleu. Les roses ou les jaunes se voyaient rarement. Par leurs vêtements, elles se distinguaient des travailleuses. Pour ces dernières, les toiles solides et les teintes foncées dominaient.

Sur la rive du Richelieu, quelques commerçants louaient des embarcations aux estivants ou aux Doucevilliens profitant d'un congé. Un jeudi, la faiblesse de l'affluence leur permettait de choisir. Les longues barques rouge vif d'un restaurateur retinrent leur attention. Georges en était à payer quand une silhouette fine s'avança vers eux.

— Tiens, je me demande ce qui l'attire ici, se moqua le garçon.

Puis en agitant la main, il cria :

— Bonjour, Jules. Ça te dit de ramer un peu ?

Au cours des deux dernières semaines, le fils du juge Nantel était devenu suffisamment familier pour qu'il se permette cet accueil. Corinne regarda le nouveau venu approcher, lui adressant un grand sourire.

— Quelle heureuse surprise ! Nous nous apprêtions à faire une petite promenade.

Dans ce groupe, tout le monde ne partageait pas la même surprise. Georges devait être responsable de la venue de Jules. Le fils du juge portait un complet de lin beige, avec de fines rayures grises. Sur la tête, son canotier convenait particulièrement bien à l'activité.

— Tu as envie de nous accompagner ?

Georges tenait à son idée.

— Je ne sais pas. Quatre personnes, c'est trop lourd, je pense.

— Alors, il faudrait que tu loues une autre barque.

Corinne suivait l'échange avec intérêt. Dans son esprit, aucun doute ne subsistait sur l'identité de la passagère de Jules. Elle semblait prête à défendre ce privilège.

— Tu as raison.

Sans tarder, il bâcla la transaction. Bientôt, les quatre amis se rendirent sur un quai flottant posé sur des tonneaux. Les vieilles planches un peu pourries bougeaient suffisamment sous les pieds pour que Jules offre son bras à la fille du médecin. L'exemple étant donné, Georges en fit autant avec Sophie.

Bientôt, l'un et l'autre prenaient place dans une embarcation, pour ensuite tendre les mains afin d'aider les jeunes filles à les rejoindre. Celles-ci s'installèrent sur le banc à la poupe. En s'aidant d'une rame, ils s'éloignèrent du quai, puis occupèrent le banc au milieu.

— Tu vas devoir me guider, indiqua Georges à Sophie, car je ne verrai pas du tout où je vais.

En effet, afin de pouvoir tirer sur les rames, au lieu de pousser, il devait se tenir dos à la proue.

Dans les peintures des impressionnistes français et des romantiques anglais, les branches des saules fournissaient un tunnel de verdure aux embarcations, de petites criques procuraient des abris discrets, et surtout, les jeunes filles se penchaient sur le plat-bord pour laisser nonchalamment traîner une main dans l'eau. La rivière Richelieu, légèrement boueuse, encombrée de péniches transportant des produits agricoles, du bois et divers autres matériaux, flattait moins les pupilles et l'odorat. Il fallait l'optimisme des jeunes gens pour se laisser séduire par cet environnement. L'optimisme, et une charmante compagnie.

Georges gardait les yeux fixés sur Sophie. Celle-ci, à moitié affalée sur la banquette à la poupe, serrait les genoux bien fort et surveillait le bas de sa robe, pour s'assurer qu'elle ne révèle pas une trop grande longueur de ses bas de coton d'un bleu azuré. Déjà, ses bottines blanches offertes aux regards lui paraissaient un brin trop osées.

— Si j'étais toi, je me dirigerais vers la gauche, suggéra-t-elle.

— Ta gauche, ou la mienne?

— La mienne.

En conséquence, le garçon tira plus fort du côté gauche. Pourtant, il ne détourna pas la tête. Le plus beau spectacle s'étalait devant lui, pas derrière.

— Je risquais d'éperonner un transatlantique?

— Pire, le yacht d'un Anglais.

Un petit bateau à vapeur à la coque d'un beau vert sombre les doubla bientôt, soulevant des vaguelettes. L'adolescente laissa échapper un faible «oh!» quand celles-ci secouèrent le canot. Puis, en observant le couple dans l'autre embarcation, elle remarqua:

— Jules est arrivé juste au bon moment. As-tu concocté cette rencontre pour permettre à ta sœur de faire une balade avec lui?

Georges parut hésiter, puis, manifestement intimidé, il admit:

— Je lui ai dit que nous serions ici cet après-midi, et tant mieux si cela fait plaisir à ma sœur. Toutefois, je pensais d'abord à moi. Je veux dire…

Il était allé trop loin pour s'arrêter en chemin.

— J'espérais que nous nous retrouvions ensemble sur les flots bleus de l'été.

Les derniers mots s'accompagnèrent d'un petit rire d'autodérision. Toutefois, la confidence eut l'effet escompté.

Sophie porta une main vers sa bouche, tout en rosissant comme une couventine. Après tout, moins de deux semaines plus tôt, elle suivait encore l'enseignement des sœurs de la Congrégation de Notre-Dame…

— C'est gentil.

L'encouragement permettrait sans doute au collégien de se montrer moins indécis la fois suivante.

La scène se répétait presque à l'identique dans la seconde embarcation : la même posture vaguement alanguie d'une jeune fille, le même regard attentif d'un garçon posé sur le bord de la robe remontée au-dessus de la bottine. Corinne montrait toutefois davantage d'assurance que sa camarade.

— Quel heureux hasard que tu sois passé juste à ce moment !

— Quand on l'aide un peu, le hasard fait bien les choses.

L'aveu lui valut un battement de cils.

— Après toutes ces journées de vacances, est-ce que les versions latines continuent de te hanter ?

La blonde ne doutait pas qu'au Collège de Montréal, comme à celui de Douceville, les jeunes gens détestaient tout autant ces travaux.

— Le pire, c'est que deux mois suffisent à peine à surmonter ce traumatisme, et qu'ensuite nous recommencerons.

Son léger sourire narquois signifiait qu'il ne fallait pas le prendre trop au sérieux. Ensuite, l'abondance des embarcations sur la rivière orienta la conversation sur les dangers de collision.

Chapitre 17

Après une nuit passée à tourner sur elle-même dans son lit, Clotilde Serre se leva passablement perturbée. En quittant les États-Unis, elle s'était imaginé retrouver sa fille, voir celle-ci tomber dans ses bras, et retourner rapidement dans la région de Boston. Évidemment, Alphonse Grégoire, qu'elle appelait encore Al, ne pourrait mettre la police à ses trousses : sa véritable relation avec l'adolescente serait alors révélée.

Maintenant, la situation lui paraissait infiniment plus complexe. D'abord, Sophie la voyait, avec raison, comme une étrangère. À moins de l'emmener de force, la fuite au sud de la frontière était impossible. L'idée même de se présenter à elle l'intimidait. Pour cela, elle n'aurait qu'à se promener du côté du presbytère et à lui dire : « Je suis ta mère. Comment pouvons-nous récupérer les dix-sept années perdues ? »

Quand Clotilde descendit au rez-de-chaussée de l'hôtel National pour aller déjeuner, elle s'adressa au commis derrière le comptoir.

— Monsieur, je suppose que le journal local m'apprendra si Douceville compte de bonnes pensions de famille.

— Vous voulez nous quitter ?

Le jeune homme paraissait franchement désolé de cette éventualité.

— Finalement, mon séjour doit se prolonger. Je serai mieux dans une cadre plus… familial.

— Je suis tout à fait désolé de l'apprendre. Mais oui, *Le Canada français* dresse une liste complète des endroits où loger pendant l'été. À cette date, vous trouverez sans doute quelque chose.

On était le 6 juillet, aussi les personnes désireuses de passer l'été près de la rivière Richelieu occupaient sans doute déjà les meilleures places. Bien sûr, la petite ville manufacturière présentait moins d'attraits que Métis-sur-Mer, La Malbaie ou diverses petites localités de l'est du Québec. Même dans les Laurentides ou les Cantons-de-l'Est, on trouvait mieux. Cependant, Douceville se situait tout près de Montréal.

Clotilde prit un exemplaire du journal sur le comptoir, puis gagna la salle à manger. Ne serait-ce que pour échapper à l'attention des commis voyageurs, quitter cet hôtel lui ferait du bien. Dans les annonces classées, elle trouva une section intitulée « Villégiature ». Une demi-douzaine d'établissements signalaient des chambres à louer, dont la plupart précisaient la proximité de la rivière et du Club nautique.

Après le repas, la voyageuse mit le journal sous son bras, puis sortit. Pour une fois, le ciel couvert de nuages et un vent frais venu de l'est rompaient la longue canicule des deux dernières semaines. D'ici une heure ou deux, il pleuvrait des cordes. Dans la rue Richelieu, un peu à l'est de la ville, se dressait le Club nautique, grande bâtisse blanche construite en planches. Près de la rive, des embarcations de toutes les tailles étaient attachées à des quais flottants.

Clotilde se dirigea d'abord vers une maison victorienne de trois étages, dotée d'une grande galerie couverte. Le quotidien précisait « réservé aux femmes ». Quand elle frappa, une matrone ouvrit.

— Il vous reste une chambre à louer ? Une grande ?

— Oh! Évidemment. La plus belle.

La plus chère aussi, comprit la visiteuse. Il s'agissait d'une pièce double, avec une section pour coucher et, près de la fenêtre, une autre meublée de deux fauteuils confortables et d'une table de travail. Les fenêtres donnaient sur la rue Saint-Charles. Une salle de bain s'ouvrait sur le couloir. Il en allait de même à l'hôtel National, mais ici au moins, la maison n'acceptait que des clientes.

La prudence aurait exigé qu'elle visite les autres établissements. Mais pourtant elle loua sur-le-champ, tout en demeurant vague sur la date de son départ. La propriétaire tiqua en entendant : « Quand j'aurai épuisé les charmes de Douceville. » Cela pouvait être fort court pour quelqu'un de familier avec les magnifiques villes américaines.

Depuis la veille, le temps maussade ne permettait plus de passer des journées entières au parc municipal ou près de la rivière. Les enfants Turgeon cherchaient une autre manière de profiter de leurs longues vacances. Corinne parcourait le journal *La Presse*, suivant du doigt les annonces classées.

— Papa, nous ne sommes encore allés nulle part depuis le début de l'été.

— Depuis le début de l'été, j'ai reçu des malades et des blessés six jours par semaine.

— D'habitude, nous prenons le temps d'une excursion.

Évariste songea que ce charmant sourire et l'inclination de la tête exerçaient sans doute leur effet sur le fils du juge Nantel. Un époux aurait bien du mal à lui dire non.

— Je parie que tu as même quelques suggestions en tête.

— Georges est allé au parc Sohmer.

Le garçon leva les yeux de son assiette. La jeune fille réclamait son tour dans la fréquentation des lieux de plaisir de Montréal.

— Il y a aussi le Ouimetoscope, ou un autre scope du même genre. Il y en aurait deux autres maintenant. Le Nationaloscope, puis…

Le nom de l'établissement lui était déjà sorti de la tête.

— Les vues animées que j'ai vues à l'hôtel National avec Aldée, cela ne comptait pas.

La jeune domestique s'apprêtait à desservir. De son côté, elle gardait une vive impression de cette expérience. Jean-Baptiste Vallières prétendait que d'ici quelques années, même Douceville aurait son propre *movie theater*. Son séjour aux États-Unis l'amenait à lancer des affirmations de ce genre. Pour lui, la province se moderniserait aussi, même si c'était moins rapide que dans le pays voisin.

— Je demeure avec le même problème : mes patients.

— Nous pourrions y aller avec Georges.

Le médecin échangea un regard avec sa femme. Le «nous», dans la phrase, englobait Sophie. Délia intervint :

— Sans vouloir lui retirer le moindre mérite, je ne suis pas certaine qu'un garçon de dix-sept ans puisse escorter deux jeunes filles.

— À mon âge, répliqua Georges, la plupart des jeunes de Douceville travaillent dans les manufactures.

Cet argument revenait souvent dans sa bouche, et même dans celle de son père, pour l'autoriser à prendre certaines initiatives.

— Cela ne rend pas la chose plus convenable, déclara Délia. Même si tu es le meilleur chaperon, la moralité de Corinne sera mise en cause dans toute notre rue, simplement parce qu'elle est allée à Montréal escortée de son frère à peine plus âgé.

Corinne pouvait s'insurger contre cette conception plutôt arriérée, sa mère avait totalement raison. Et comme madame Nantel paraissait prompte à porter un jugement sévère sur les comportements de ses semblables, mieux valait garder une réputation intacte à ses yeux. Cependant, elle ne pouvait céder si facilement.

— Nous n'allons pas passer tout l'été enfermés dans cette maison, tout de même !

Après avoir regardé la jeune domestique prendre l'assiette posée devant elle, l'adolescente tenta encore :

— Et si Aldée et son cavalier nous accompagnaient ? Lui, c'est un vrai homme. Il a plus de vingt ans.

Georges n'eut pas le temps de protester contre le qualificatif « vrai », qui le vexait gravement. Évariste suggéra tout doucement :

— Je pense que nous devrions changer de sujet de conversation.

Après cela, plus personne n'osa revenir sur cette question.

Comme les mariages, les funérailles se déclinaient en plusieurs versions différentes, selon la somme que la famille acceptait de débourser. Pour un cordonnier, les crêpes noirs ne dissimulaient pas les colonnes, un chœur n'entonnait pas un *Libera*. L'assistance se limitait à une trentaine de personnes, dont la moitié ne connaissaient guère le défunt. Les autres étaient des parents qui ne travaillaient pas le samedi matin.

— Toute sa vie, notre frère a trimé dur pour faire vivre sa famille.

Alphonse Grégoire reprenait le discours convenu pour les funérailles des quatre cinquièmes des habitants de la province. Dans le cas d'une femme, quelques mots changeaient : « Notre sœur a trimé dur pour élever ses douze enfants… » La vie de ces gens ne présentait jamais de surprises, sauf des mauvaises. Des décès d'enfants, les pertes d'emploi, le veuvage.

Un discours si familier que le prêtre pouvait laisser libre cours à ses pensées. Devant la mort, même si Valiquette avait ressenti le besoin de se confesser de cette faute, son meilleur souvenir concernait certainement un hiver passé dans le lit de son frère avec sa belle-sœur, et non pas la mémoire de ses bonnes actions. Sa vie en contenait peut-être quelques-unes, mais son péché en demeurait l'épisode le plus aimable.

Officier aux funérailles d'un autre amenait toujours le curé à penser aux siennes. Devant la Grande Faucheuse, il ne se rappellerait sans doute pas ses années d'abstinence avant la rencontre de Clotilde, ni celles qui avaient suivi. D'abord, Sophie prendrait toute la place. Une fille qu'il avait à peine connue… toujours à cause de sa volonté de se conformer à ses engagements de prêtre. Il se souviendrait aussi de la jeune femme de dix-huit ans venue dans son presbytère, escortée par une mère en colère. Tout un enchaînement de petits événements : des regards, à la dérobée d'abord, appuyés ensuite, l'effleurement des mains, puis des lèvres. Le tout étalé sur un an peut-être.

Sa vie pèserait peut-être aux yeux de son Créateur. Il en doutait. Aux siens, pas du tout. Pouvait-il changer ce bilan pour le mieux ? Et, si oui, à quel prix ?

Un peu avant le souper, quand il sortit de son cabinet, Évariste trouva son épouse assise sur la galerie, une limonade à portée de la main.

— Une longue journée?

— L'été, la maladie relâche un peu son étreinte, mais les accidents sont plus fréquents. Enfin, je ne devrais pas me plaindre. Dans mon métier, le monde en bonne santé me conduirait à la ruine.

Délia connaissait cette mine déprimée. Elle s'affichait sur son mari quand il devait annoncer à quelqu'un sa fin prochaine, à un âge où la plupart comptaient encore de longues années devant eux.

— Je t'apporte ton chapeau en prenant le mien, et nous allons marcher, dit-elle.

Son époux voulut protester, se proposer plutôt, mais elle précisa en se levant :

— Tu peux t'asseoir, je reviens dans une minute.

Il comprit qu'un passage à la salle de bain précéderait la récupération des couvre-chefs. Une fois installé dans un fauteuil en rotin, la limonade lui parut tentante. De toute façon, dans un instant elle serait tiède. Sa femme revint bientôt, son ombrelle à la main et coiffée d'un large chapeau de paille. Elle lui tendit le sien.

— Nos enfants se sont éparpillés aux quatre vents?

— Deux vents seulement, et ils soufflaient dans la même direction.

— Et notre fille adoptive?

Maintenant, le curé Grégoire laissait sa nièce libre de ses mouvements, d'autant plus qu'il savait que son chemin la conduisait rue De Salaberry.

— Elle tient sans doute le bras de Corinne, et Georges suit derrière.

Un bref instant, le père songea que son fils devrait se montrer plus audacieux, pour se tempérer aussitôt : « Non, il a encore le temps. »

— Nous les croiserons sans doute.

Élégant, le couple Turgeon s'engagea sur le trottoir. Tous les passants les saluaient, comme il convenait devant des notables. Ceux qui appartenaient à la même classe sociale s'arrêtaient pour échanger quelques mots. Quand le médecin et son épouse arrivèrent au parc municipal, ils repérèrent aussitôt le trio d'adolescents. Deux équipes de baseball mesuraient leurs forces, devant deux ou trois douzaines de spectateurs. Délia s'arrêta pour interroger son mari :

— As-tu l'intention de travailler sans une seule journée de repos, cet été ?

Il comprit aussitôt l'allusion.

— Désires-tu, toi aussi, aller au parc Sohmer, ou au Ouimetoscope, au cours des prochains jours ?

— L'idée ne semble pas t'enthousiasmer.

Évariste lui fit un grand sourire.

— L'idée de regarder des images bouger sur un drap dans une salle obscure, ou de voir un concours d'hommes forts en respirant la fumée de cigarettes, de pipes et de cigares de cinq cents personnes ne m'inspire pas. Mais si tu souhaites y aller, je t'accompagnerai.

Après ces mots, Délia ne pouvait plus insister pour se livrer à l'une ou l'autre de ces activités. D'un autre côté, il ne décevrait pas Corinne.

— Que proposes-tu ?

— Pourquoi pas une longue balade sur la rivière ou sur le fleuve ? Par exemple, des vapeurs vont jusqu'à Sorel, dans les îles.

— Je te laisse en faire l'annonce. Toutefois, son appétit pour les vues animées demeurera intact. Je paierai de ma personne d'ici quelques jours pour l'accompagner. Maintenant, allons les rejoindre.

Pendant la dernière manche, deux nouveaux spectateurs s'ajoutèrent aux jeunes gens. Ensuite, ce fut l'heure du souper.

Comment dénoncer un membre d'une institution toute-puissante ? Dans pareille situation, le plaignant s'exposait à une condamnation sans appel. Rosaire Tremblay ne cessait de se poser la question. Évidemment, il pouvait choisir de se taire. Dorénavant, Aline risquait peu de se trouver seule à seul avec le vicaire de la paroisse. Mais après plus de trois décennies à voir son propre comportement examiné par des porteurs de soutane, à subir des réprimandes pour la moindre pensée un peu grivoise, voilà qu'il rêvait de justice.

Puis il pensa profiter du secret de la confession. Ainsi, le risque de représailles s'amenuiserait. Le dimanche, la petite famille se divisait pour assister à la messe, car le banc ne pouvait accueillir quatre enfants et deux adultes. De toute façon, son épouse préférait fréquenter le premier office afin de consacrer sa matinée à préparer le dîner. Le plus souvent, l'un des plus jeunes de ses rejetons l'accompagnait. Le marchand se rendait à l'église pour la célébration de dix heures. Ce 8 juillet, il arriva un peu plus tôt que d'habitude.

Devant le confessionnal, il s'informa dans un murmure auprès de la dernière personne dans la queue.

— C'est l'curé ou l'vicaire ?

Puisque chaque paroissien avait une oreille de prédilection pour confier ses fautes, son interlocuteur ne cilla pas avant de répondre :

— L'curé.

En se retournant, Rosaire ordonna à sa fille :

— Va t'asseoir dans l'banc avec les p'tits.

Elle donna la main à l'un de ses frères, puis marcha vers l'allée latérale.

Le marchand de meubles dansa d'un pied sur l'autre en attendant son tour. Aucune de ses fautes ne lui venait à l'esprit. Et puis, dans les circonstances, l'aptitude d'un ecclésiastique à lui remettre ses péchés le laissait sceptique.

Quand son tour arriva, il tira soigneusement le rideau derrière lui, puis s'agenouilla. Dès que le carré du guichet glissa vers l'avant, il commença sans se soucier des formules habituelles :

— Mon père, je m'accuse de détester un prêtre.

Ces mots amenèrent Alphonse Grégoire à se redresser sur son siège. Comme le silence s'allongeait, le confesseur précisa pour son paroissien :

— Un prêtre, non pas Dieu.

La seconde éventualité serait un vrai sacrilège.

— Un maudit prêtre.

Si le curé doutait de son sentiment, la malédiction devrait le convaincre.

— Quand un prêtre commet une mauvaise action, comment on fait ?

— Que voulez-vous dire ?

— Y en a un qui taponne les p'tites filles, dans la paroisse.

Grégoire sentit une main serrer son cœur. Comment ce quidam pouvait-il savoir ? Lentement, la vague d'anxiété se retira. D'abord, au moment de leur rencontre, Clotilde n'était plus une enfant. Pourtant, au même âge, jamais il ne verrait Sophie comme une adulte.

— J'veux le dénoncer.

— Pouvez-vous m'en dire plus ?

— C'pas vraiment compliqué. Y a un prêtre qui taponne les p'tites filles quand y les confesse, au couvent.

Ce prêtre portait un nom. Donatien Chicoine.

— Avec les sœurs à côté, insista le pénitent.

— Comment pouvez-vous savoir ça ?

Cette fois, ce fut au tour de Rosaire d'être déstabilisé. L'anonymat lui semblait préférable. Qui sait quel effet aurait la colère d'un curé sur ses affaires?

— C't'une connaissance qui m'en a parlé. C't'à sa fille que c't'arrivé.

— ... Des racontars.

— J'connais le gars, pis la fille. J'me fie à eux autres. Qu'est-ce qu'on fait, dans ces cas-là? On parle à l'évêque?

Cet homme avait-il correspondu avec Bruchési pour signaler la présence d'une jeune fille au presbytère?

— Vous pouvez toujours le faire, mais l'histoire d'un homme qui rapporte à un autre ce que sa fille lui a raconté, cela ne pèsera pas lourd.

Maintenant, Grégoire essayait de reconnaître son interlocuteur. Ce genre d'accusation minerait la confiance des catholiques de la province.

— J'connais le gars, pis la fille, j'vous dis. Sont fiables.

— Tout de même... La jeune fille pourrait venir me parler.

— Bin, après c'qui y est arrivé, a veut pus parler à des soutanes. A pus confiance.

Tremblay s'arrêta un court moment, puis poursuivit:

— Pis, personne la crérait, hein? La parole d'une p'tite fille, devant celle d'un prêtre.

Évidemment, personne ne la croirait. Un homme ayant reçu l'onction sacrée ne pouvait mentir, et le démon connaissait toutes les ruses pour pervertir l'âme de tous les autres.

— Pis, ça réglerait pas mon problème: chus en crisse contre un porteur de soutane.

La colère figurait dans la liste des péchés capitaux. Contre une personne de Dieu, la faute pesait plus lourd encore.

— Vous le regrettez ?

— Bin autrement, j'serais pas là.

Grégoire préférait ne pas demander : « Avez-vous le ferme propos de ne pas recommencer ? » Ce paroissien paraissait caresser sa colère, au lieu de la combattre. Il amorça le geste de le bénir, et le pêcheur obéit au scénario habituel en commençant son acte de contrition.

En rejoignant sa fille dans son banc, Rosaire lui adressa l'esquisse d'un sourire. Avec beaucoup de chance, sa confession vaudrait peut-être un avertissement au vicaire Chicoine. Certainement pas une punition, encore moins un renvoi.

Pendant toute la messe, le mystérieux pénitent hanta l'abbé Grégoire. Comme de nombreux hommes ne venaient à confesse qu'une fois l'an pour faire leurs pâques, ce n'était pas évident de reconnaître quelqu'un s'exprimant dans un murmure. Quant à la silhouette de la tête derrière le guichet, il en avait observé au moins trente lui ressemblant beaucoup au moment de la confession.

À midi, quand il s'attabla, son regard se fixa sur le vicaire Chicoine. Cela se pouvait-il ? Spontanément, il répondait par la négative. Ce prêtre paraissait obsédé par le péché de la chair, au point de porter un cilice. Difficile de l'imaginer posant la main sur une écolière pendant la confession.

— Célébrerez-vous le mariage de vos fiancés bientôt ?

Le vicaire mit un moment à comprendre, puis répondit, un peu embarrassé :

— Ces deux-là n'apprennent pas vite les exigences de l'Église pour un mariage chrétien, surtout monsieur Elzéar Morin. Mais le premier ban pourra être publié dimanche prochain.

— Voilà une bonne nouvelle.

Grégoire n'arrivait pas à séparer l'histoire racontée par l'inconnu de la sienne propre. Mais Clotilde ne se confondait pas avec une couventine. «Dans notre aventure, le désir existait des deux côtés», se plaisait-il à se répéter. Sans pouvoir se convaincre tout à fait, cependant. Une douzaine d'années d'âge de plus et l'autorité conférée par son froc lui avaient permis de mener le jeu.

Chaque fois que le souvenir de son idylle lui revenait en mémoire, son regard se portait sur Sophie. N'importe quel beau parleur réussirait à la mener au lit. L'éducation des sœurs de la Congrégation de Notre-Dame la laissait totalement désarmée dans ce domaine. Peut-être sentit-elle son regard, car elle leva les yeux vers lui. Le curé lui adressa un bon sourire, assez pour la mettre en confiance.

— Mon oncle, hier, les Turgeon ont parlé d'une excursion sur le Richelieu.

L'hésitation dura à peine.

— Si jamais ils m'invitent, pourrai-je accepter?

Visiblement, elle mourait d'envie que ce soit le cas. Oui, un don juan doucevillien risquait de s'enticher d'une si jolie fille. Sa prédilection pour sa robe blanche lui donnait l'allure d'une jeune mariée un jour sur trois. Les tresses dans ses cheveux remontés sur la tête dégageaient un profil parfait.

— Ils ne l'ont pas encore fait?

Elle secoua la tête de droite à gauche, déçue que cela n'ait pas encore été le cas. À ce moment, les yeux de Chicoine lui parurent sévères. Un bref instant, Grégoire eut envie de téléphoner à Délia afin de lui demander d'inviter Sophie. Mais ce serait tout à fait indélicat.

— Bien sûr, tu pourras les accompagner si l'occasion se présente.

Après une pause, il voulut la prévenir:

— Mais tu comprends, tu ne fais pas partie de cette famille. À la limite, t'inclure dans toutes leurs activités serait injuste pour leurs enfants.

Le rose des joues passa au cramoisi, elle se mordit la lèvre inférieure en hochant la tête. Le curé craignit de voir des larmes couler sur ses joues. À cet instant, la démarche de Tilda lui parut tout à fait justifiée. Un presbytère habité par deux prêtres ne constituait pas un cadre convenable pour une jeune fille. Le partage d'une maison ou d'un appartement avec sa mère serait plus naturel. Alors, les balades sur la rivière Richelieu ne poseraient aucune difficulté.

Au début de l'après-midi, Sophie Deslauriers alla occuper l'un des fauteuils en rotin de la galerie. Elle alternait entre cet endroit et l'arrière de la demeure, selon la hauteur du soleil dans le ciel, car elle souhaitait échapper à la brûlure de ses rayons. Puis, de cette façon, elle pourrait entendre la sonnerie du téléphone par la fenêtre du bureau de son oncle, toujours ouverte, ou apercevoir l'un ou l'autre des Turgeon. Finalement, l'été 1906 lui laisserait un souvenir ambigu. Découvrir la vie des jeunes gens de son âge, plutôt que de demeurer parmi de vieilles religieuses, la grisait. D'un autre côté, la moitié de son temps se passait dans l'attente d'une invitation. Une fois habituée à ce genre d'existence, en être privée s'avérait plus douloureux que sa solitude antérieure.

Un bruit attira son attention ; l'abbé Chicoine sortait. Tout de suite, elle détourna la tête pour fuir son regard. Ce ne serait pas si simple.

— Mademoiselle, personne ne vous a contactée, là-bas ?

Il parlait des Turgeon. La remarque ne méritait pas de réponse.

— Vous devriez entrer dans les Enfants de Marie. Ces jeunes filles tiennent des réunions les dimanches après-midi. Cela vous fournirait une occupation.

Combien de personnes de son âge participaient à des associations pieuses avec pour seul objectif d'échapper à l'ennui ? Beaucoup, sans doute. Enfin, elle se résolut à ouvrir la bouche.

— Vous savez ce que fait mon oncle ?

— À son âge, la plupart des hommes font une sieste le jour du Seigneur.

L'abbé ne put s'empêcher de songer : « Rares sont ceux qui se retrouvent au lit seuls. » Unique jour de congé pour une grande majorité des travailleurs, le dimanche permettait des rapprochements. Quand il célébrait les vêpres, l'odeur du sperme lui venait aux narines. Même celui des petits vieux tout rabougris. Certains ne lavaient leurs vêtements qu'une fois l'an. Cette odeur, il la reconnaissait bien, pour la renifler régulièrement sur sa propre soutane.

La fiancée se présentait à chacun des rendez-vous en tremblant, mais elle y venait tout de même. Une ouvrière de vingt ans ne refusait rien à son curé, ou à son vicaire. Quand il aurait sa propre cure, de tels rendez-vous se dérouleraient dans son bureau. En attendant, la petite pièce au fond de la sacristie constituait le meilleur endroit. En entrant, la jeune femme avança sur la pointe des pieds. Son hésitation trahissait son envie de courir dans la direction opposée. Pourtant, elle marcha jusqu'à la porte entrouverte.

— Ah ! Vous voilà, mademoiselle Péladeau. N'avions-nous pas convenu de nous rencontrer à quatorze heures ?

— On est beaucoup d'monde à maison. J'ai faite la vaisselle.

— Bon, mettez-vous là.

Du doigt, il désignait le prie-Dieu. Une certaine routine s'était installée. Quand elle fut agenouillée, il déplaça sa chaise pour se mettre un peu en biais. Sa main gauche trouva le rebord de la robe sur ses chevilles, s'insinua sur le mollet, passa les genoux. La laine des bas le surprit. Le dimanche, aucune femme ne se promenait les jambes nues, et ce tissu trop chaud présentait l'avantage de servir en toute saison. Puis le dos de ses doigts atteignit l'arrière des cuisses. La douceur de la peau mouillée par la sueur l'étonna. Il ne s'y faisait pas.

Avant même de la toucher, Chicoine bandait à en avoir mal. Maintenant, de la main gauche, il défaisait ses boutons pour prendre sa queue et la serrer fermement. Comme elle faisait mine de se retourner, il ordonna brutalement :

— Regardez le crucifix, et dites un acte de contrition pour le pardon de vos fautes.

Malvina commença dans un murmure rauque. Les doigts sur ses fesses la firent sursauter. Ça ne pouvait être mal, les curés savaient faire la différence. Puis le plaisir montait en elle, bien plus grand qu'avec Elzéar Morin. Jamais elle ne l'aurait avoué, mais la soutane ajoutait à son excitation.

— Dimanche prochain, les premiers bans seront publiés. Vous serez mariés le premier dimanche d'août.

Elle cambra les reins pour faire sortir un peu ses fesses.

— Merci, monsieur le curé.

Il avait renoncé à lui faire utiliser son titre réel. Quand il s'immisça entre ses cuisses pour toucher son sexe par-derrière, elle poussa un « oh ! » sourd. Elle était mouillée au point où on aurait pu penser à un accident.

— Monsieur le curé, je ne sais pas…

— Tout à l'heure, je vais vous donner l'absolution. Ne vous inquiétez de rien.

Ces simples mots suffisaient à calmer ses scrupules.

— Après le mariage, je continuerai ma tâche de directeur spirituel auprès de vous.

Et à compter de ce moment, le petit jeu deviendrait plus élaboré. Les caresses manuelles dont il commençait à se lasser le céderaient à l'acte conjugal. Dans le cas d'un heureux événement, ni l'épouse ni l'époux ne pourraient le présenter comme le père.

Quelques minutes plus tard, les deux grognaient. À l'odeur de sperme des paroissiens, le vicaire ajouterait celle de longues souillures mal essuyées.

Chapitre 18

Finalement, vers trois heures, le téléphone finit par sonner. Le meilleur de l'après-midi était passé. Sophie Deslauriers se précipita à l'intérieur pour répondre. À son « allô » répondit une voix excitée :

— Ça te tente de venir chez nous ? proposa Corinne.

— Je ne sais pas...

— On s'est bien amusés, au parc. Je te raconterai.

Sophie entendit un bruit dans l'entrée, leva les yeux pour voir son oncle. Elle articula :

— Désolée, c'est pour moi.

Grégoire lui sourit, puis se dirigea vers la galerie.

— Amusés avec qui ?

— Je te raconterai, je te dis.

Le rire qui suivit permit à son interlocutrice de deviner. Jules inspirait habituellement cette excellente humeur.

— Tu peux venir ?

— Je ne sais pas... Je passe tellement de temps chez vous.

Cette gêne lui revenait parfois. Tout comme le sentiment d'être de trop dans une famille étrangère.

— Ne sois pas cruelle.

Il s'agissait de la dernière toquade de la fille du médecin. Si Jules représentait un excellent parti pour elle, Georges était le soupirant idéal pour la nièce d'un curé. Dans quatre ou cinq ans, ce scénario serait parfait. Concernant des personnes de seize et dix-sept ans, ces espoirs demeuraient toutefois très prématurés.

— Tu viens ?

— Si mon oncle dit oui, je viendrai.

— Il ne refuse jamais, non ?

Elle disait vrai, mais Sophie percevait souvent une hésitation de la part du curé. Après quelques mots, toutes deux raccrochèrent. Quand elle sortit sur la galerie, elle alla vers le curé Grégoire.

— C'était Corinne.

— Je m'en doutais bien.

La répartie contenait un peu de tristesse. De ses camarades de couvent, une seule gardait une véritable relation avec Sophie. Bien sûr, l'une ou l'autre lui parlait quelques minutes sur le parvis de l'église après la messe, mais aucune activité commune ne s'ensuivait. La future bonne sœur, même après avoir renoncé à cette vocation, ne suscitait pas l'affection.

— Elle me demande si je peux aller chez elle.

Dans les circonstances, comment lui refuser l'accès à son excellente et unique amie ?

— Bien sûr.

— Mais vous, vous resterez seul.

— Chicoine sera certainement là pour le souper.

Cette perspective ne le réjouissait visiblement pas.

— Et en attendant, j'ai mon bréviaire.

Grégoire brandit son petit livre relié de cuir. L'oncle et la nièce partageaient la même solitude. Un bref instant, le prêtre songea à quêter lui aussi une invitation chez les Turgeon, puis il se trouva ridicule :

— Amuse-toi bien, et ne rentre pas trop tard.

— Dans ce cas, j'aurai un protecteur pour me raccompagner.

Sophie craignit que son oncle ne reprenne son allusion pour la condamner, comme Chicoine quelques jours plus tôt.

— C'est un gentil garçon.

Cela ressemblait à une bénédiction. Après tout, Corinne avait peut-être une véritable intuition.

Sophie marcha d'un pas rapide, comme une amoureuse en retard. Au fond, il s'agissait un peu de ça : elle était amoureuse d'une famille. Elle trouva Corinne sur la galerie avant, avec son frère.

— Tu veux t'asseoir ici ? La brise est agréable.

Elle les rejoignit. La fille du docteur portait aussi une robe blanche. Voilà l'effet regrettable de courir les magasins de concert, et avec la même conseillère : des garde-robes identiques.

— Désires-tu une boisson ? s'enquit Georges en se levant à demi.

— Oui, comme vous.

Des yeux, elle regardait les verres de limonade suant à grosses gouttes. Aldée avait détaché des morceaux d'un gros glaçon à coups de pic pour les rafraîchir. Quand le garçon fut entré dans la maison, Corinne dit en pouffant de rire :

— Tu vois comme il est attentionné.

— Même mon oncle convient que c'est un gentil garçon.

— Pas avec tout le monde.

Sa rancune demeurait tenace. Un an plus tôt, son frère multipliait les attentions pour Aline. Ce garçon limitait son champ d'action aux amies de sa sœur.

— Alors, tu as vu Jules aujourd'hui ?

— Au parc. Il assistait à une partie de baseball, mais ce jeu ne l'intéresse pas vraiment.

Sur le ton de la confidence, elle insinua :

— Il voulait croiser quelqu'un, par hasard.

Évidemment, Corinne ne savait pas grand-chose de l'intérêt du fils du juge pour les sports. Son interprétation, tout à fait plausible, flattait son ego.

— Aimerais-tu nous accompagner sur la rivière Richelieu, samedi prochain ?

— … Ça me gêne un peu. Je suis toujours à vous suivre.

— Moi, ça me fait plaisir, à Georges aussi, et je suis sûre que mes parents t'apprécient.

Ce qui ne signifiait pas qu'ils aient envie de s'encombrer d'elle.

— Ils t'ont demandé de m'inviter ?

La fille du médecin ne répondit rien, une autre façon de dire non.

— Tu leur as demandé de le faire ?

— Non, mais je peux y aller tout de suite. Maman est sans doute au salon.

Georges revint à ce moment, posa une limonade devant la visiteuse.

— Si tu vois des petits morceaux de bran de scie dans ton verre, ne t'étonne pas. Les vendeurs mettent la glace dans des entrepôts qui en sont pleins.

— Je sais. C'est pareil chez mon oncle.

Sophie redonna toute son attention à son amie.

— Et ton père ?

— Dans son bureau. En voilà un qui sanctifie le jour du Seigneur une fois sur deux.

— Je pourrais aller le voir, maintenant ?

Son hôtesse haussa les épaules, incertaine.

— Je tente ma chance.

Elle descendit l'escalier pour rejoindre le trottoir, puis alla sur le côté de la maison afin d'utiliser la porte du cabinet. Cela la gênait moins que de traverser la moitié de la maison.

Sophie craignait de trouver l'accès verrouillé. Après tout, les médicaments coûtaient cher, assez pour intéresser les cambrioleurs. Pourtant, le bec de cane tourna tout de suite, et elle fut dans la petite salle d'attente. Sur le côté, la porte du bureau de consultation était ouverte. Depuis l'embrasure, l'adolescente regarda Évariste penché sur ses dossiers. Un bel homme. Une question lui traversa l'esprit : Georges lui ressemblerait-il, dans vingt ou vingt-cinq ans ?

Mieux valait en venir à la raison de son passage à cet endroit. Son « hum hum ! » fit lever la tête au médecin. La surprise le laissa interdit un bref instant.

— Mademoiselle Deslauriers, vous allez bien ?

Évidemment, personne ne venait dans cet endroit sans éprouver un quelconque problème de santé.

— Oui, monsieur Turgeon.

— Tout de même, montez là-dessus.

Il se leva pour s'approcher du pèse-personne. Impossible de se dérober. Une fois sur la plate-forme, elle regarda son hôte faire glisser l'indicateur.

— Ah ! Votre poids sera bientôt tout à fait normal pour une personne de votre taille, et avec votre morphologie.

Il voulait dire mince et élancée, des caractéristiques que toutes les autres femmes lui envieraient.

— Je suis heureux de vous voir en bonne santé. Maintenant, venez vous asseoir, et dites-moi ce qui vous amène.

Lui-même reprit son fauteuil derrière la table de travail. Sophie hésita un long moment avant de commencer :

— Tout à l'heure, Corinne m'a invitée à venir avec vous samedi prochain.

Évariste ne broncha pas. L'initiative de sa fille ne le surprenait pas du tout. Depuis le début des grandes vacances,
celle-ci paraissait s'être dotée d'un double.

— Toutefois, je veux être certaine que je ne dérange pas.

Le médecin appréciait cette grande fille rougissante, et
même sa petite audace pour venir ainsi lui parler face à face.

— Mon oncle s'inquiète que je sois devenue une nuisance, et moi aussi.

— Vous savez que votre oncle est d'abord venu parler à
ma femme de vos visites, pour être certain que vous seriez
la bienvenue. Cette dernière s'est assurée de mon accord
avant de dire oui.

Les choses ne s'étaient pas déroulées exactement comme
cela, mais pourquoi le préciser à cette jeune fille ? Et pourtant, le prêtre continuait de s'inquiéter de ce qu'elle abuse.

— Chaque fois que ma fille vous invitera, considérez que
l'invitation vient de moi aussi.

— … Je vous remercie, monsieur Turgeon. Bonne fin
d'après-midi.

— À vous aussi, mademoiselle.

Il la regarda sortir. Son pas trop rapide témoignait de
son malaise. Après cet intermède, l'homme se pencha de
nouveau sur les documents rapportés de l'hôtel de ville.

Il approchait six heures quand Évariste émergea de son
cabinet. Il retrouva Délia dans le salon, occupée à feuilleter
un magazine. Elle le déposa.

— Franchement, tu exagères, lui dit-elle. Les patients
se font moins nombreux, mais au lieu de profiter un peu de
l'été, tu te passionnes pour la politique municipale.

— Avec un peu de chance, si je peux faire accepter le règlement sur l'inspection des viandes, j'aurai moins de patients encore. Donc j'aurai davantage de journées de relâche.

— Après cela, tu t'enthousiasmeras pour les bécosses.

— Mais penses-y, si tout le monde demeure en bonne santé, je serai en vacances toute l'année !

Cela lui valut un sourire attendri. Autant l'idée de se porter candidat lors de l'élection municipale le rebutait en janvier, autant il se prenait au jeu maintenant. Quelques instants plus tard, Aldée vint se planter dans l'entrée de la pièce pour annoncer :

— Nous sommes prêtes à servir le souper, madame.

— Vous savez où sont les enfants ?

— Dans la cour. Je vais les avertir.

Le trio arriva alors que les parents étaient déjà attablés.

— Sommes-nous en retard ?

— Pas du tout.

— Sophie peut manger avec nous ?

— Comme tu vois, son couvert est déjà sur la table.

Les domestiques avaient maintenant l'habitude. Si la grande fille traînait près de la maison à cinq heures, selon toute probabilité elle serait à table à six heures.

Quand les jeunes gens s'installèrent, Évariste prit la parole :

— Mademoiselle Deslauriers, je saisis l'occasion pour vous inviter à nous accompagner samedi prochain. Nous irons jusqu'à Sorel, nous passerons la nuit dans les îles, puis nous reviendrons le lendemain.

Le plaisir se fit visible sur le visage de l'adolescente. Le docteur se montrait fidèle à son engagement de l'après-midi.

— Je ne sais pas si mon oncle le permettra.

— Je suis certaine que ce sera le cas, affirma Délia.

Comment le bon curé pourrait-il refuser quoi que ce soit à sa si charmante nièce ?

Depuis son emménagement dans la pension de famille, Clotilde Donahue passait une partie de son temps au Club nautique. La salle à manger recevait de nombreux estivants, ainsi que des *yachtmen* de passage. Plusieurs portaient une jaquette rappelant vaguement celle des capitaines, et une casquette assortie. D'autres préféraient une veste de lin de couleur pâle et un chapeau de paille. Même si la logeuse proposait des repas passables, le plaisir des conversations, et même la cour appuyée de certains, fournissaient à Clotilde l'occasion de se changer les idées. Autrement, elle se serait mise à crier son malheur dans les rues.

Chaque jour, elle allait errer du côté du parc, les yeux le plus souvent fixés en direction du presbytère. Ainsi, elle pouvait voir passer Sophie avec cette autre adolescente, blonde aussi, ou alors de la contempler, assise sur la galerie dans une jolie robe pâle, un livre à la main. Elle incarnait la fille idéale dont rêvait chaque mère, chaque belle-mère. Et Alphonse Grégoire la lui avait volée.

Le lundi 9 juillet, ce fut plutôt le curé qui passa sous ses yeux. En marchant de l'église à son domicile, il empruntait les allées du parc. Quand il la vit, il s'arrêta net, incertain, puis il se dirigea vers elle.

— Que fais-tu là ?

— J'attends de la voir passer. Il ne me reste rien d'autre de mon rôle de mère.

La colère de l'ecclésiastique tomba d'un cran.

— Je peux m'asseoir ?

— Un prêtre près d'une femme ? Tu ne crains pas le scandale ?

L'attitude vindicative dont elle avait fait preuve lors de l'excursion à Saint-Lambert lui revenait tout naturellement. Le religieux s'installa à ses côtés.

— Si tu te présentes comme ça sans crier gare, elle sera bouleversée.

— … Je le sais.

— Elle aura l'impression que sa vie vole en miettes.

« Et elle me détestera pour tous mes mensonges », songea Grégoire. Que lui dirait-il, si cela devait survenir ? « Je voulais te préserver en te permettant de vivre avec de saintes femmes ? » La véritable explication, « je voulais te garder pour moi seul », ne serait guère plus convaincante.

— Je sais, je te dis. Alors, tu devras la préparer à entendre la vérité.

« Jamais ! » hurla le prêtre en esprit.

— Quand je suis arrivée ici, je souhaitais tout lui dire et me sauver avec elle.

Dans de pareilles circonstances, il se serait agi d'un enlèvement. Grégoire voulut protester, la menacer d'une intervention de la police. Elle ne pouvait présenter aucun document pour confirmer sa maternité. Même si son histoire risquait de faire du bruit, aucun constable, aucun journaliste de langue française ne lui donnerait crédit.

— Finalement, je n'ai pas pu. Je suis sa mère, je ne veux pas lui faire du mal.

Après ce constat, le curé se mit à espérer qu'elle lui annonce son départ prochain. La suite le déçut :

— Mais je ne renoncerai pas à elle. Je saurai obtenir justice.

Il murmura :

—Bon, si c'est comme ça…

Alors qu'il se levait, elle continua :

— Une autre raison m'a retenue. Depuis notre souper de l'autre soir, je n'ai pas juste envie de partir avec elle, mais avec toi aussi.

Dans cet endroit public, malgré les promeneurs allant et venant dans les allées, son érection fut immédiate, douloureuse. Clotilde s'offrait à lui, comme au moment de leur rencontre. Il fallait prendre la fuite sans jamais se retourner. Pourtant, il ne bougea pas.

— Tu sais que c'est impossible.

— Pourquoi ? Ça te manquerait tellement, ta soutane malodorante, la compagnie de ton vicaire, de ta vieille ménagère ?

Il aurait dû répondre : «Non, mais le service de Dieu, oui.» Les mots ne lui vinrent pas. Cet engagement coûtait trop cher, finalement : l'amour d'une femme, d'un enfant. La vie du cordonnier défunt, Valiquette, lui semblait si riche en comparaison.

— Je ferais quoi ?

Cette fois, il se leva pour marcher d'un pas résolu vers le presbytère. Elle eut envie de crier : «Je ne renoncerai pas à ma fille.» Mais c'était inutile. Au lieu de s'opposer, de menacer, il s'était interrogé à haute voix sur ce que serait son destin s'il abandonnait sa soutane.

Chicoine rêvait d'obtenir sa propre paroisse pour une multitude de raisons, dont celle de contrôler son espace de vie personnel. À Douceville, son trouble devant Sophie l'obligeait à se terrer dans sa chambre. Et même avant son arrivée, ses rapports avec le curé n'étaient pas assez cordiaux pour qu'il passe avec lui de longues soirées au salon.

Alors, souvent, il restait dans sa chambre, debout près de la fenêtre à contempler le monde par le triangle découpé en poussant le rideau de côté. Aussi, il remarqua la grande femme blonde, celle dont la nièce du curé disait qu'elle parlait avec un accent. Aujourd'hui, son large chapeau portait une grande plume bleue. La teinte reprenait celle de la robe. Bien qu'il remonte haut dans son cou et descende bas sur les chevilles, le vêtement la rendait très désirable.

Puis l'abbé Grégoire apparut dans une allée du parc. Sans hésiter, ou presque, il alla s'asseoir près de l'inconnue. Elle ne l'était pas pour lui, car la conversation s'engagea tout de suite, animée. Après quelques minutes, le prêtre se leva pour aller vers le presbytère. Chicoine entendit la porte s'ouvrir, puis se refermer. Selon toute probabilité, il serait dans son bureau dans la minute suivante. La touriste demeura à sa place.

La curiosité du vicaire prit bientôt le dessus. S'il voulait savoir qui était cette femme, rien de plus simple que d'aller le lui demander. Personne ne restait silencieux devant une soutane. Chicoine descendit au rez-de-chaussée, marcha sur le bout des pieds en passant devant la porte du bureau de son patron, puis sortit.

Sur la galerie, il vit que l'inconnue était toujours sur son banc. Quand il s'engagea dans la rue, il aperçut Sophie à l'autre bout du parc. Elle venait du terrain de jeu, seule pour une fois. La grande silhouette bleue se leva pour marcher dans sa direction. Il apparaissait donc que cette séduisante femme connaissait au moins deux personnes dans la ville…

Dans ces circonstances, sa propre enquête était ajournée. Il se dirigea vers l'église.

Sophie s'étonna d'abord de voir l'inconnue s'approcher d'elle. Évidemment, elle se souvenait de leur première rencontre, de sa question sur l'adresse d'un avocat que personne ne connaissait.

— Bonjour ! Nous nous sommes déjà parlé, dit la femme en tendant la main.

La politesse exigeait que Sophie accepte de la serrer. Les gants lui parurent très élégants, comme tout le reste des vêtements de l'étrangère.

— Oui, je vous replace. Bonjour. Vous avez trouvé celui que vous cherchiez ?

Comme la dame haussait les sourcils, l'adolescente comprit que le prétexte de l'autre jour avait été oublié. Ainsi, elle n'avait eu d'autre dessein que de lui parler. Le souvenir lui revint d'avoir lu dans des magazines d'affreux récits sur la traite des Blanches. Selon Corinne, les blondes représentaient les principales victimes. Pour les hommes de pays exotiques, cette couleur de cheveux et un teint de porcelaine remportaient tous les suffrages. Se pouvait-il que ces criminels utilisent des femmes pour tromper leurs proies ?

— Voulez-vous marcher un peu avec moi dans le parc ?

Sophie hocha la tête de haut en bas, toutefois bien résolue à ne jamais s'éloigner de cet endroit public où chacun pouvait la voir.

— Alors, prenez mon bras.

Après une hésitation, la jeune fille accepta. Au bout de quelques pas, la dame indiqua :

— Je m'appelle Tilda. Tilda Donahue.

Les criminelles à la chasse aux oies blanches ne se présentaient sans doute pas. D'un autre côté, impossible de vérifier la véracité de l'information.

— Sophie Deslauriers.

— Oui, je sais.

L'adolescente s'immobilisa, interloquée. Tilda comprit qu'elle venait de faire un faux pas.

— Je connais votre oncle, il a mentionné votre nom.

Cette révélation suscitait toute une liste de questions.

— D'où le connaissez-vous ?

— Il y a une dizaine d'années, l'abbé Grégoire dirigeait une paroisse à Lowell. J'ai été l'une de ses paroissiennes.

— Je me souviens à peine de cette époque.

Elles arrivaient à une extrémité du parc, revenaient sur leurs pas.

— J'habitais chez une dame Richard, mais si je la croisais dans la rue, je ne suis pas certaine que je la reconnaîtrais. Vous la connaissiez ?

— Non, mais j'aurais aimé être cette personne. Vous deviez être une très gentille enfant.

Le compliment troubla la jeune fille.

— En réalité, je n'habitais plus Lowell à cette époque, mais Boston. J'ai quitté la paroisse de votre oncle un peu avant votre naissance.

— Je suis née à Québec, mais maman est morte.

Tilda sentit sa tête tourner. La tentation de révéler la vérité à Sophie la tenaillait. Seul le désir de ne pas la bouleverser la retint. Cela, mais aussi la nécessité de ne pas heurter Alphonse. Elle ne songeait plus seulement à récupérer sa fille.

— Évidemment, je ne m'en souviens pas.

La couventine eut un petit rire d'autodérision.

— Parfois, je dis des sottises.

— Comme tu es sévère ! Remarque, si tu t'en souvenais, tu serais plus extraordinaire que la Grande Comète.

Tilda mentionnait un événement survenu en 1810. Qu'il demeure encore dans les mémoires était remarquable. Cette fois, le rire de la jeune fille fut plus franc.

Elles parcoururent encore deux fois l'allée d'une extrémité à l'autre, abordant divers sujets. Puis elles s'arrêtèrent en face du presbytère.

— Je ne connais pas cette ville, confia enfin Tilda. Demain après-midi, accepteriez-vous de me la faire visiter ?

L'adolescente hésita. Trente minutes plus tôt, elle soupçonnait cette femme d'être la complice d'un gang voué à la traite des Blanches. Maintenant, elle la trouvait sympathique, presque rassurante. Qui plus est, en la regardant, elle avait l'impression de se voir dans quinze ou vingt ans, une vision plaisante.

— Je ne la connais pas très bien moi-même, je sors du couvent.

— Dans ce cas, nous la découvrirons ensemble.

— Je peux vous rejoindre dans le parc en début d'après-midi.

« Et tant pis si Corinne me propose une activité », se dit la jeune fille.

— Alors, c'est un rendez-vous.

Tilda eut envie de lui faire la bise, mais jugea le geste prématuré. Après un au revoir, elles se séparèrent.

À l'heure du souper, Alphonse Grégoire demeurait perturbé par sa rencontre de l'après-midi. Clotilde lui faisait miroiter une existence totalement différente, la possibilité de renouer avec la passion mise entre parenthèses en 1889. En face de lui, Chicoine le scrutait à la dérobée, se triturant les méninges pour deviner ce qui le tracassait.

Sophie les tira de leurs pensées :

— L'inconnue qui cherchait un avocat l'autre jour, je l'ai croisée dans le parc.

— Celle qui avait un accent anglais ? intervint le vicaire.

— Oui, mais aujourd'hui, il m'a semblé moins marqué.

— Peut-être récupère-t-elle la maîtrise de sa langue première au fil des jours.

L'adolescente hocha la tête devant une suggestion si raisonnable. De son côté, le curé se troublait de plus en plus.

— Que voulait-elle savoir cette fois ?

Chicoine perçut la tension dans la voix de son supérieur.

— Oh ! Rien, en réalité. Elle m'a dit avoir été l'une de vos paroissiennes à Lowell. Je lui ai demandé si elle connaissait la femme s'étant occupée de moi quand j'étais petite. Elle n'habitait plus là quand je suis arrivée, n'est-ce pas ?

— C'est vrai.

Le curé paraissait ému de parler de cette inconnue. Le vicaire y décelait un mystère méritant toute son attention. La découverte d'un sombre secret changerait la relation entre eux.

— Vous avez connu cette dame il y a deux décennies ? s'enquit-il. Pourtant, elle se souvient bien de vous, et vous d'elle.

— Qu'est-ce qui vous dit que nous nous souvenons l'un de l'autre ?

— Cet après-midi, vous sembliez bien vous connaître.

— Vous oubliez si facilement vos paroissiennes ?

— Celles qui sont aussi jolies, peut-être pas.

Cette fois, le curé posa résolument les yeux sur son assiette, bouleversé. Clotilde pourrait lui amener de sérieux ennuis, même si Sophie demeurait sa pupille. Déjà, des paroissiennes dénonçaient le fait qu'une adolescente vive au presbytère. La présence répétée d'une beauté en face de sa demeure, ses conversations avec elle attireraient aussi les indélicats. Puis le souvenir d'un certain pénitent lui revint.

— Les jolies paroissiennes vous intéressent ? rétorqua-t-il à Chicoine en le regardant bien en face.

Ce fut au tour du vicaire d'éviter son regard.

Rendu dans sa chambre, le curé Grégoire passa un long moment à genoux sur son prie-Dieu, un chapelet entre les mains. Cinquante *Je vous salue Marie* ne suffirent pas à le calmer. Cinq cents ne feraient pas mieux. Un bref instant, il pensa utiliser les mêmes tactiques que Chicoine : se fouetter le dos ou même porter un cilice.

Rien de cela ne fonctionnerait. Aux yeux de Dieu, tous les désirs amoureux étaient marqués du sceau du diable. Même dans le mariage, le plaisir était suspect dès qu'on le séparait de l'acte de procréation. Les prêcheurs parlaient de pulsions animales, alors que seuls les animaux pratiquaient une sexualité conforme aux vues de l'Église : une saillie durant la période du rut, une mise bas quelques mois plus tard, et le cycle recommençait.

Les êtres humains s'avéraient tellement plus complexes. Au point d'être bouleversés quand une maîtresse connue vingt ans plus tôt suggérait de reprendre la relation où ils l'avaient laissée. Était-ce vraiment plus répugnant que les rencontres entre un chien et une chienne dans un bosquet ? Le curé éteignit l'ampoule, gagna son lit. Les lumières des rues et la lueur de la lune se conjuguaient pour lui permettre de contempler le plafond.

Puis, quand le sommeil vint enfin, Clotilde habita ses rêves. Une Clotilde de dix-sept ans, vêtue d'une robe de jeune fille. La mode de cette époque était si flatteuse… Ou peut-être ne s'agissait-il que de nostalgie.

Chapitre 19

La pension où logeait Tilda accueillait seulement des femmes. Des bourgeoises de Montréal, des vieilles filles ou des veuves, sauf l'une d'entre elles. L'époux de celle-ci préférait la voir à quelques dizaines de milles de sa résidence.

— Vous aimez notre jolie ville ? s'enquit la logeuse en déposant un bol de Corn Flakes devant Tilda.

Depuis une vingtaine d'années, le docteur John Harvey Kellogg préconisait, entre autres, le maintien d'intestins bien propres afin d'assurer une bonne santé. Les céréales devaient accomplir cette fonction.

— Pour se reposer, on ne trouve pas mieux. Pas de salle de spectacle, pas de *movie theater*, pas d'endroit où danser… On arrive à se coucher et à se lever à l'heure des poules.

La propriétaire n'apprécia sans doute pas cette ironie, car elle tourna les talons pour regagner sa cuisine.

— On peut parfois danser au Club nautique, indiqua une petite boulotte de quarante ans.

— Vous savez, cette province est dirigée par les prêtres, releva une autre, grande et maigre.

Les clientes, une demi-douzaine de femmes, étaient réunies autour de la table de la salle à manger. L'anglais sans accent et le patronyme Donahue de Clotilde lui permettaient de passer pour l'une des leurs, aussi personne ne se donnait la peine de faire preuve de délicatesse envers les Canadiens français.

— Alors, pour s'amuser un peu, il faut se limiter à fréquenter les Anglais, reprit la première pensionnaire.

— Qui sont-ils ? Je veux dire, ceux du Club nautique, s'informa Tilda.

— Certains habitent Douceville, comme les dirigeants de la Willcox & Gibbs. Les autres viennent de Montréal.

Les convives la dévisageaient avec méfiance. Elle était la plus séduisante du groupe, elle raflerait sans doute le meilleur parti. Pourtant, pendant cet échange, Clotilde pensait à un curé devenu bedonnant, aux cheveux clairsemés. Le restaurant et le bar du Club nautique offraient certainement de meilleurs partis que le presbytère. Peut-être devrait-elle les fréquenter plus assidûment.

Pour une fois, Sophie avait refusé un rendez-vous avec Corinne. Cette situation la réjouissait : choisir entre deux activités lui donnait l'impression d'avoir une vie sociale bien garnie, en quelque sorte. Quand elle quitta le presbytère, elle aperçut l'inconnue assise sur un banc du parc, encore une fois élégamment vêtue de bleu, un grand chapeau à plume d'autruche sur la tête. Pareille élégance attirait certainement l'attention.

Quand elle s'approcha, Tilda se leva pour lui tendre une main gantée.

— Je suis heureuse de vous revoir.

L'adolescente lui abandonna ses doigts, hocha la tête afin d'indiquer que le sentiment était réciproque.

— Madame, où avez-vous appris le français ? Vous le parlez si bien.

— À la maison. Je porte le nom de mon défunt mari. Je m'appelais Serre, auparavant.

— Je suis désolée… Pour votre époux, je veux dire.

— Vous êtes gentille.

La femme fit une pause, puis enchaîna :

— Me permettriez-vous de vous tutoyer, Sophie ? Évidemment, vous pourrez le faire aussi.

— Oh ! Non, je n'oserais pas, mais vous, vous le pouvez.

— Un jour, tu seras peut-être moins timide. Maintenant, voudrais-tu me montrer où tu as étudié ?

La requête déconcerta la jeune fille, mais elle accepta de prendre le bras offert. Dans la ville, tout était à quelques minutes de marche. Bientôt, la grande bâtisse en pierre grise se dressa devant elles. Un peu plus de deux semaines après la fin de son séjour à cet endroit, l'établissement lui paraissait déjà appartenir à un autre monde.

Tilda paraissait suivre le cours de ses pensées.

— Tu habitais là, n'est-ce pas ?

— Oui, dans le dortoir, sous les combles.

— Tu n'aimais pas cela ?

Sophie leva la main droite pour cueillir une larme du bout d'un doigt.

— Pas du tout.

— Pourquoi ?

— À Lowell, je vivais dans une famille, il y avait des enfants plus grands. Je me suis trouvée seule là-dedans.

Son départ des États-Unis lui laissait un souvenir pénible. Là-bas, des gens avaient fait office de famille pour elle. Du jour au lendemain, son oncle l'avait obligée à les quitter pour venir habiter parmi des inconnues.

— Il y avait d'autres élèves.

— … Je suis timide, alors je me tenais dans un coin. Mais, le pire, c'était l'été, avec toutes ces religieuses.

« Il me l'a enlevée pour lui imposer ça », se rebella Tilda en son for intérieur. Toutefois, Alphonse avait eu raison. Sans époux, sans fortune, qu'aurait-elle fait avec un enfant ?

— J'ai été pensionnaire aussi, il y a… Mon Dieu ! Il y a presque trente ans.

Jamais elle ne l'aurait avoué devant un homme. Bientôt, elle aurait quarante ans. Pendant quelques années encore, on se retournerait sur son passage. Ensuite, on dirait : « Elle est jolie pour son âge. » Cette pensée la déprima.

— Alphonse… Je veux dire, monsieur le curé, m'a dit que tu habitais chez lui depuis quelque temps.

Ainsi, cette inconnue discutait de son sort avec son oncle. La situation devenait embrouillée.

— Je ne supportais plus la nourriture.

— Tous les couvents doivent embaucher des cuisinières semblables dans tous les pays du monde, parce que j'ai vécu la même chose. Je me vidais l'estomac une heure après avoir mangé.

Le sujet ne pouvait les retenir bien longtemps. Sophie continua de guider Clotilde dans la ville, passant devant le collège des garçons, l'académie tenue par des Frères des écoles chrétiennes. Puis elle s'aventura dans des quartiers inconnus, poussant jusqu'à la manufacture de machines à coudre. Pendant ce temps, elle décrivait le programme du primaire supérieur, précisait quelles étaient ses matières de prédilection, et celles lui donnant des cauchemars.

Elles revenaient vers l'église quand Tilda remarqua :

— Je t'ai souvent vue avec une fille de ton âge.

Sophie fut dérangée par le fait que cette inconnue la surveille.

— Il s'agit de Corinne, ma meilleure amie.

« Ma seule amie. » Cette pensée l'attristait toujours.

— Elle habite loin du presbytère ?

— À deux pas. Quand j'ai quitté le couvent, elle a été la seule à m'inviter chez elle, pour prendre le thé ou pour souper. Nous sommes justement dans sa rue, je vais vous montrer où elle habite.

Tilda aima les belles maisons. Pendant tout le chemin, l'adolescente lui fit part des vertus de sa camarade de couvent. Son enthousiasme avait quelque chose de touchant. Ensuite, toutes deux rejoignirent la rue Richelieu.

— Je suis déjà venue danser là, confia Sophie en désignant le Club nautique.

— Sérieusement ? Al t'a laissée faire ?

Sophie mit un instant avant de comprendre qui désignait le diminutif. Pour utiliser son prénom, cette femme devait avoir été bien proche de son ancien pasteur.

— Mon oncle est même venu nous souhaiter de nous amuser, affirma-t-elle en riant.

Puis elle craignit que cette inconnue ne la juge mal.

— Nous étions entre étudiants du collège et du couvent, à l'heure du thé.

— Donc aucune activité que la morale réprouve.

Le ton sarcastique gêna Sophie.

— Écoute, nous sommes presque à l'heure du thé. Viens, je t'invite.

Un moment, l'adolescente songea à refuser. L'intérêt de cette femme à son égard lui semblait trop mystérieux. Et si l'immoralité prenait les traits d'une Canadienne française des États-Unis ? Puis elle se jugea tout à fait ridicule.

— D'accord, mais je ne dois pas rentrer trop tard.

— Je te ramènerai à la porte du presbytère d'ici une heure, une heure trente au plus tard.

Peuplée d'adultes des deux sexes, avec des serveurs quadrillant la place, la salle à manger du Club nautique impressionna la couventine. Tilda s'installa à une table, commanda du thé et des biscuits. Quand elles furent seules, la jolie femme murmura :

— Tu as vu les regards sur toi, quand nous avons traversé la pièce ?

Sophie resta bouche bée.

— Tu n'as rien vu. Parmi les plus jeunes, il y en a au moins deux qui t'ont suivie des yeux jusqu'à cette table.

Du regard, elle lui désigna un garçon portant une veste grise légère ; un canotier était posé sur la table devant lui. Puis un autre, vêtu exactement de la même façon.

— Personne, je veux dire, aucun garçon ne t'a jamais dit combien tu étais jolie ?

De rose, les joues de Sophie devinrent cramoisies. Son malaise était si évident que Tilda lui prit la main.

— Évidemment, personne ne te l'a dit, puisque tu sors du couvent. Alors, crois-moi sur parole.

Le serveur revint avec leur commande. Afin de faire un peu oublier son statut de couventine, Sophie évoqua ses projets.

— Samedi, les Turgeon, je veux dire les parents de Corinne, vont m'emmener avec eux faire une excursion sur la rivière Richelieu.

— Voilà qui est généreux de leur part.

— C'est vrai. Cela me donne l'occasion de goûter à la vie de famille.

La jeune fille réfléchit un instant, puis se reprit, mal à l'aise :

— En disant cela, je ne veux pas manquer de reconnaissance envers mon oncle. Sans sa générosité, je ne sais pas comment je survivrais. Mais…

— Mais habiter dans un presbytère, ce n'est pas comme vivre parmi les siens.

Sophie opina de la tête.

— Remarquez, pour moi, les miens se limitent à mon oncle, et la ménagère est très gentille avec moi. Si l'autre n'était pas là…

Un pli au milieu de son front trahissait son malaise.

— L'autre ?

La jeune fille secoua la tête de droite à gauche, comme pour évacuer le sujet.

— Quelqu'un t'ennuie, là-bas ?

— … Le vicaire Chicoine. Il paraît toujours porter un jugement sur moi. Puis son regard me gêne.

Déjà, le regard des quelques clients présents l'intimidait. Celui d'un prêtre devait lui faire peur. La conversation porta ensuite sur des sujets anodins, puis la femme la raccompagna au presbytère.

Du parvis de l'église, Chicoine vit la grande inconnue approcher, toute de bleu vêtue, avec Sophie pendue à son bras. Toutes deux s'arrêtèrent au pied de l'escalier du presbytère, le temps de se serrer la main pour se dire au revoir. Ensuite, la femme retourna vers le parc, la tête penchée vers l'avant, une de ses mains sous ses yeux.

Il s'avança vers elle à grandes enjambées, silhouette noire vaguement menaçante. Mélancolique après avoir quitté sa fille, Tilda ne le vit pas avant d'entendre :

— Bonjour, madame. J'ai appris que vous aviez été une paroissienne du curé Grégoire.

Elle leva son regard pour contempler le visage ascétique. Tout de suite, elle serra les mâchoires.

— Je parie que vous êtes l'abbé Chicoine.

— … Vous me connaissez ?

— Il faut croire que votre réputation vous précède.

Ce fut au tour de l'ecclésiastique de se sentir embarrassé. Il n'avait pas l'habitude d'un ton aussi caustique.

— Vous avez été la paroissienne du curé Grégoire, répéta-t-il.

— En quoi cela vous intéresse-t-il ?

— Je vous ai vue parler à mademoiselle Deslauriers à deux ou trois reprises.

— Vous la surveillez ?

Le vicaire fut tout à fait décontenancé. Maintenant, elle fixait sur lui ses yeux bleus, un sourire ironique aux lèvres.

— Je m'inquiète, plutôt. Je suis responsable de cette jeune personne, et voilà qu'elle se promène avec une inconnue.

— Faudrait vous décider. Si je suis une ancienne paroissienne de votre curé, je ne suis pas une inconnue.

Elle fit un pas dans sa direction, les yeux dans les siens. Après un petit duel de volonté, le vicaire s'écarta pour la laisser passer.

Au moment du souper, Sophie était encore sous le charme de son après-midi. Voyant son sourire, Grégoire demanda :

— Corinne t'a proposé une activité intéressante, aujourd'hui ?

— Non, je ne l'ai pas vue.

— Vous étiez avec cette femme, martela Chicoine sur un ton accusateur.

La jeune fille se troubla. Décidément, juste le timbre de la voix de cet homme suffisait à la mettre mal à l'aise.

— … Oui, madame Donahue.

— Qu'avez-vous fait ?

Le curé regretta son ton vif, le désarroi de Sophie était perceptible sur son visage.

— Je veux dire : vous aviez échangé seulement quelques mots, jusque-là.

— Elle m'a demandé de lui faire visiter la ville. Alors, nous avons fait une grande promenade.

La jeune fille jugea préférable d'éviter d'évoquer l'arrêt au Club nautique. Seule avec son oncle, cela aurait été possible. Pas devant cet inquisiteur.

— Que penses-tu d'elle ?

— Elle se montre très gentille. C'est curieux, mais elle me paraît familière.

Le curé crut discerner une lueur intéressée dans le regard de Chicoine. Le vicaire n'allait pas rater cette occasion.

— Mais qui est cette femme, pour vous ? s'enquit-il.

— Une paroissienne de Lowell.

Si le vicaire savait compter, il comprendrait que Clotilde ne pouvait pas figurer parmi les dames patronnesses de la paroisse autour de 1895, quand il était revenu dans la province.

— En réalité, j'ai surtout connu ses parents. C'étaient les premiers bienfaiteurs de la paroisse. Tout de même, il s'agit d'une accointance, comme on dit là-bas.

— Elle doit vous être très attachée, à vous ou à mademoiselle Deslauriers. Je pense qu'elle passe toutes ses journées dans le parc, en face.

— Les Américaines assez prospères pour jouer les touristes peuvent bien passer leur temps dans un parc et prendre l'air, grommela le curé, cela ne nous regarde pas.

Sophie était de plus en plus tendue, comme si son initiative de l'après-midi était répréhensible. La lutte entre les ecclésiastiques, et surtout ses motifs, lui échappaient totalement.

Au moment du petit déjeuner, Tilda bavarda de sa visite de la veille au Club nautique avec ses voisines. Les charmes du lieu, les possibilités offertes par tous ces hommes en vacances ne les retinrent pas longtemps. Après tout, ce ramassis de vieilles filles habitaient cette pension parce qu'aucun mâle ne s'était intéressé à elles au cours de la dernière, ou même des deux ou trois dernières décennies.

L'Américaine prêtait de toute façon un intérêt médiocre à ces conversations. Depuis la veille, les confidences de sa fille lui tournaient dans la tête. Ce vicaire la dérangeait, et ce genre d'instinct méritait le respect. Et puis, le visage revêche du religieux lui avait aussi fait un effet très désagréable. En avalant sa dernière gorgée de café, sa résolution était prise et elle n'en dérogerait pas, quitte à provoquer la colère d'Alphonse.

Vêtue de la même robe bleue et du même chapeau que la veille, Tilda se dirigea vers le presbytère. Un peu après neuf heures, elle frappa à la porte de la vaste demeure. La ménagère mit un moment avant de venir ouvrir.

— Oui, madame, vous voulez quoi ?

— Rencontrer le curé Grégoire.

— Y vous attend ?

— Non, mais il acceptera de me recevoir.

Après une pause, elle ajouta :

— S'il est là.

— Oui, oui, y est là. Entrez, pis attendez-le icitte. Y devrait pas tarder.

De la main, Cédalie lui désigna les trois chaises destinées aux visiteurs. Le saint homme devait être dans sa chambre, ou alors il se faisait une beauté. L'imaginer planté devant un miroir pour chercher à se rendre élégant à l'intention de ses vieilles paroissiennes amusa Clotilde. «Il y a vingt ans, il le faisait pour moi.» Dans le cas d'un prêtre, cela signifiait porter une soutane propre et un col romain bien blanc.

Des bruits de pas résonnèrent bientôt dans l'escalier, le froc noir apparut devant elle.

— Clotilde…

La surprise marquait son ton. Bien plus bas, il s'enquit :

— Qu'est-ce que tu fais là ?

Il voulait dire : « Va-t'en bien vite. »

— Je dois te parler.

— Pas ici.

— Déjà, dans ton bureau, ce serait plus discret.

Grégoire laissa échapper un grand soupir, puis il ouvrit la porte de la pièce et s'écarta pour laisser passer la visiteuse. Debout, Clotilde examina le décor. Toute la panoplie était présente : un immense crucifix pendu au mur, une grande gravure représentant le pape Pie X, une image plus petite de monseigneur Bruchési, puis l'inévitable statue de la Vierge sur un présentoir. Dans un coin, un prie-Dieu. Une pièce identique se voyait certainement dans tous les presbytères du monde.

— Si tu veux t'asseoir, proposa-t-il en désignant la chaise devant son bureau.

— Ferme la porte.

Comme Grégoire l'interrogeait du regard, elle expliqua :

— Hier, ton charmant vicaire s'est montré vraiment insistant pour connaître mon nom et la nature de ma relation avec toi.

Le curé grimaça. Sachant tout cela, elle venait néanmoins le relancer dans son presbytère. Pourtant, quand il eut fermé la porte et rejoint son siège, elle enchaîna sur un autre sujet.

— Hier, j'ai passé la majeure partie de l'après-midi avec ma fille.

Cette façon de désigner Sophie déstabilisait le curé. Pourtant, il s'agissait de la stricte réalité.

— Oui, je sais.

— Il s'agit d'une très charmante jeune fille. Je dirais même qu'elle est absolument adorable.

— Là-dessus, nous sommes du même avis.

Une ombre passa sur le visage de Clotilde.

— À moins d'évoquer l'hérédité, je ne peux même pas dire que j'y suis pour quelque chose. Toi, tu as pu jouer un meilleur rôle dans son éducation.

Cela sonnait comme un reproche, un autre, sur le fait qu'il lui avait enlevé sa fille. Le prêtre entendit réduire sa responsabilité.

— Excepté ces dernières semaines, j'ai eu peu de contacts avec elle. La dame qui s'en occupait à Lowell, puis les religieuses ici, sont responsables du résultat.

— Dans le cas des sœurs, à part l'avoir à demi empoisonnée…

En réalité, le charme de Sophie devait tenir à sa bonne nature – l'hérédité évoquée par Clotilde –, à ses lectures, à ses liens avec ses camarades de classe. Et, plus récemment, peut-être à Délia Turgeon.

— Passer du temps avec elle, comme ça, cela va te faire du mal pour rien.

Il sous-entendait : « Quand viendra le temps de t'en séparer. » Le sens de la remarque n'échappa pas à Clotilde.

— Cela ne se passera pas comme ça, et tu le sais. Je l'ai perdue une fois, mais je ne commettrai pas la même erreur de nouveau.

Cette fois, le ton ne contenait pas d'agressivité, mais impossible de douter de sa détermination. Clotilde ne renoncerait pas, et d'un autre côté, l'archevêque voulait voir Sophie quitter le presbytère. Une solution existait peut-être.

Comme il restait coi, l'intervention de la femme le surprit totalement.

— Puis tu dois la faire sortir d'ici.

— Là, tu…

— Ton vicaire la terrorise et, franchement, elle a tout à fait raison.

Grégoire ouvrit de grands yeux, ébahi.

— Que veux-tu dire ?

— Hier, il m'a abordée dans le parc, je te l'ai dit. Cela m'a permis de juger le bonhomme. *He gives me the creeps.* Comment dis-tu en français ?

— Il t'effraie ?

— Non, c'est pire que ça.

Certaines expressions n'avaient pas d'équivalent dans une autre langue.

— Si un homme comme lui me fait cet effet, imagine celui qu'il produit sur une jolie jouvencelle.

Déjà au printemps, Sophie réclamait de ne plus se confesser à lui, puis divers indices avaient montré que son malaise demeurait tout aussi profond.

— Où voudrais-tu qu'elle aille ?

Le prêtre regretta tout de suite sa question, car pour son interlocutrice, la réponse était évidente. Elle lui adressa un sourire narquois.

— Dans l'immédiat, tu as une solution très simple. Déjà, elle passe tout son temps chez ce médecin.

— Tu exagères. Elle a une amie…

— Je sais, Corinne. Sors-la de la maison où vit ce type. Comme tu ne voudras sans doute pas l'envoyer dans ma pension, ce serait une idée de la placer chez ces Turgeon. De toute façon, cette fin de semaine elle sera avec eux, non ?

La colère rendait cassant le ton de la dernière phrase. Grégoire tenta de l'apaiser.

— Ce sont des gens bien.

— Je n'en doute pas. Là-bas, quelqu'un joue à la mère avec ma fille, et moi je suis seule.

L'instant précédent, elle suggérait de confier Sophie à cette famille, maintenant la jalousie la rendait furieuse.

— Remarque, pendant deux jours, tu n'auras pas à jouer à l'oncle protecteur. Alors, tu pourrais bien m'accompagner à Montréal.

— Voyons…

Pourtant, l'image d'un couple en tête-à-tête lui vint immédiatement. Le baiser, la fois précédente, l'avait ramené à ses années de séminaire, quand la moindre pensée le faisait jouir.

— Tu as certainement encore ton veston pas très chic. Nous pourrions renouer avec le bon vieux temps, pour une fin de semaine.

— Je ne peux pas me libérer.

— Le patron, dans cette paroisse, c'est toi. Tu peux dire à ton larbin de prendre le relais.

Le qualificatif aurait certainement fait hurler Chicoine. Oui, en théorie, il n'avait qu'à le lui demander.

— Tu n'imagines pas les qu'en-dira-t-on. Déjà, des commères ont dénoncé la présence de Sophie au presbytère.

Aussitôt, il regretta de lui avoir livré cette information. Clotilde s'en servirait certainement un jour pour avoir gain de cause. Toutefois, pour l'instant, son ancienne maîtresse n'entendait pas reprendre ce sujet. Elle se leva.

— Bon, tu sais que je serai libre samedi matin, et toi aussi. Nous avons eu une bonne discussion à Saint-Lambert, nous pourrions la poursuivre.

Cette discussion s'était terminée par un vêtement souillé. Souhaitait-elle la reprendre au même moment ? Et pour s'arrêter où ? Il se précipita pour lui ouvrir la porte du bureau, puis celle qui donnait à l'extérieur, tout en disant un peu trop fort :

— Je vous remercie de votre visite, madame Donahue.

Si des oreilles indiscrètes écoutaient, leur rencontre paraîtrait tout à fait légitime. Elle adopta le même ton :

— C'est à moi de vous remercier de votre accueil, monsieur le curé.

Grégoire la regarda descendre les quelques marches, captivé par le mouvement de ses hanches.

Chapitre 20

Cédalie se tenait devant ses fourneaux, les joues rougies tant par la température extérieure que par celle de la cuisinière.

— Vous s'rez pas là demain, ni après-demain.

— Malheureusement non. Le devoir m'appelle à Montréal.

La vieille femme hocha la tête de haut en bas, mais son regard exprimait un grand scepticisme. Pour briser le silence, il demanda :

— Le repas sera prêt à l'heure, ce soir ?

— Bin, en v'là une question ! C'est-tu déjà arrivé qu'y soit pas prête ?

— Non, non. Vous êtes une ménagère exemplaire.

Sur ces mots, il retraita vers son bureau. Son bréviaire ouvert dans les mains, il n'en lut pourtant pas une ligne. Malgré tous ses efforts, la perspective de rencontrer Clotilde le lendemain le maintenait dans un état d'excitation continue.

Surtout, cela signifiait renouer avec les fautes du passé, renier son engagement des dernières années. Pour un pécheur récidiviste, qui avait affirmé à chacune de ses confessions avoir le ferme propos de ne jamais recommencer, cela représentait le chemin de l'enfer.

Durant le souper, Sophie ne cessa de babiller, tellement l'expédition du lendemain l'enthousiasmait.

— Vous vous rendez compte, mon oncle, je vais monter sur un bateau pour la première fois de ma vie !

— Malheureusement, tu n'embarqueras pas pour la France.

— Ne me taquinez pas.

— Il ne s'agit pas de taquinerie. Je te souhaite vraiment de traverser l'Atlantique un jour.

Deux ou trois pour cent des gens avaient les moyens de se payer un voyage de cette ampleur. Même les Turgeon n'y arriveraient sans doute pas. Pour cela, elle devrait faire un mariage magnifique.

— Cela ne vous dérange pas de me voir partir avec eux ?

— Non, profites-en. Je leur fais confiance et je te fais confiance.

Un charmant sourire fit office de remerciement. Ces mots venaient comme une bénédiction. De son côté, Chicoine trouva convenable de gâcher un peu son plaisir.

— Vous ne reviendrez que dimanche.

— … Oui. Monsieur Turgeon a loué des chambres sur une île.

Grégoire fronça les sourcils. Depuis la visite de Clotilde, il scrutait tous les mots, tous les gestes du vicaire. Et les réactions de sa nièce en sa présence. Littéralement, Chicoine agissait comme un éteignoir sur sa bonne humeur.

— Et comme je viens de le dire, je fais confiance aux Turgeon, répéta le curé.

Puis il retrouva son sourire pour ajouter :

— Nous serons deux à profiter d'un petit congé. Je dois me rendre à Montréal demain.

— Comment cela ? intervint Chicoine. Dimanche, c'est la grand-messe.

— Les affaires de l'archevêché. Enfin, plutôt les projets de l'archevêque.

Chicoine pousserait-il l'audace jusqu'à téléphoner au palais épiscopal pour vérifier ? Sans doute pas, mais dans le cas contraire, son mensonge serait vite éventé. Autant changer la perspective.

— Pour vous, ce sera l'occasion de tenir le gouvernail. Qui sait, peut-être l'archevêque songe-t-il à décréter bientôt la fameuse division de Douceville en deux paroisses.

Le ton contenait une pointe de défi.

— Je devrais y arriver. Après tout, une grand-messe, c'est une basse messe un peu plus longue.

— Puis, vous aurez tous les pénitents pour vous.

La file s'allongerait devant le confessionnal. D'un hochement de la tête, le vicaire signifia son accord.

Le repas se termina bientôt, et Sophie déclara devoir monter pour préparer sa valise. Pourtant, il s'agissait d'un tout petit sac de voyage. Après son départ, Grégoire pria son subalterne :

— Venez dans mon bureau un instant.

Le ton, ainsi qu'une telle rencontre en tête-à-tête, n'annonçaient jamais rien de bon. Dans la petite pièce, une fois la porte close, le curé désigna la chaise réservée aux visiteurs, puis il prit la sienne.

— Je me sens un peu mal à l'aise d'aborder ce sujet, mais quelqu'un m'a parlé de votre attitude inconvenante avec… certaines femmes. Des jeunes.

Depuis la veille, il avait établi un lien entre le malaise de Sophie à l'idée de confier ses fautes au vicaire, l'homme qui avait évoqué le harcèlement subi par « la fille d'un ami » à confesse, et les paroles de Clotilde.

De son côté, son interlocuteur pensa aussitôt à la future mariée et à leurs rencontres dans la petite salle de la sacristie.

— Ce sont des calomnies. Qui a dit ça ?

La colère rendait son visage violet, la pression faisait palpiter une veine sur son front. À ce moment, Grégoire sut qu'il avait fait mouche.

— Heureusement, dans un milieu comme le nôtre, quand un péché implique deux personnes, généralement, au moins l'une des deux se confesse. Et vous savez que le secret de la confession est inviolable.

— Ce sont des calomnies. Accuser un prêtre d'une bassesse pareille tient du sacrilège. Celle qui a dit ça ira tout droit en enfer.

Vrais ou pas, ces mots s'avéraient la défense habituelle des membres du clergé pris dans cette situation. Lui-même les aurait peut-être employés, des années plus tôt, alors qu'il fréquentait Clotilde.

— Mais pourquoi quelqu'un inventerait de telles accusations ? insista Grégoire.

— L'action du démon. Peut-être même s'agit-il d'un protestant voulant porter préjudice à notre sainte Église.

Oui, cela se pouvait aussi. Aux États-Unis, des écrivains faisaient carrière en dénonçant les turpitudes des prêtres, des religieux et des religieuses catholiques. Des couvents étaient décrits comme des bordels, et les orphelinats présentés comme des lieux tout indiqués pour cacher les fruits de ces fautes.

— Je vous invite donc à la plus grande prudence.

Chicoine demeura un moment immobile, maintenant effaré. Puis il se leva pour quitter les lieux, sans prononcer un seul mot.

❀

Pour prendre le train vers Montréal, Tilda avait revêtu une jupe et une veste rouges avec un chemisier blanc. Comme d'habitude, son allure lui valut quelques attentions de la part des autres passagers. Elle monta parmi les premières, s'installa sur un banc libre en première classe.

Elle avait lancé l'invitation à tout hasard, sans rien en attendre. Puis, moins de vingt-quatre heures plus tard, Alphonse lui avait fait savoir que non seulement la petite escapade lui agréait, mais qu'il avait pris sur lui de réserver une chambre dans un hôtel de l'ouest de Montréal. Depuis, elle entendait se faire plus accommodante au sujet de Sophie, avec l'espoir d'entrer dans les bonnes grâces de son ancien amant.

— Tout de même, je ne peux pas la laisser faire le trajet à pied avec une valise à la main !

Georges se tenait dans l'entrée de la maison de la rue De Salaberry, très élégant dans son complet de lin léger, un canotier incliné sur l'œil. Avec un peu plus de poil sous le nez, on l'aurait pris pour un étudiant universitaire.

— Voilà qui t'honore, commenta son père. Mais je comptais sur toi pour porter le bagage de ta sœur. Moi, je dois m'occuper de celle-là.

Évariste désignait la grosse malle du couple.

— Peux-tu croire que nous serons de retour demain en fin d'après-midi ? Deux hommes voyageraient deux semaines avec ça.

— Mais ces deux hommes s'attendraient à ce que leurs compagnes se montrent élégantes à chaque activité prévue au programme, intervint Délia en descendant l'escalier.

À tout le moins, elle entendait être à la hauteur de cette exigence ce jour-là. Sa robe blanche s'ornait de dentelle et son chapeau de paille portait un jardin de fleurs.

— Je veux bien me montrer serviable, dit encore la mère. Georges, je porterai ta valise, avec l'aide de Corinne. Tu t'occuperas de celles de ta sœur et de Sophie.

— Ça m'en fera deux, et celle de ma sœur est énorme.

— Voilà une bonne occasion de te préparer à la vie conjugale.

Le garçon répondit au sourire moqueur de sa mère en le lui retournant, puis il attrapa le bagage avant de sortir.

— Une préparation à la vie conjugale ! reprit Évariste en riant.

— Tu as bien vu ses yeux de merlan frit devant Sophie. Au moins, maintenant, il connaîtra le poids de sa valise et de celle de sa sœur. N'aurais-tu pas souhaité être mieux informé à ce sujet, le jour de tes noces ?

— J'avais de plus larges épaules.

Délia ne releva pas la remarque légèrement prétentieuse. Nouveau diplômé en médecine, son mari n'avait rien d'athlétique vingt ans plus tôt. Son regard se porta vers le haut de l'escalier, puis elle lança :

— Corinne, si tu ne te presses pas, notre petite promenade sera remise à la semaine des quatre jeudis.

Une réponse leur parvint, incompréhensible, puis les pieds apparurent. La fille n'entendait pas le céder en élégance à sa mère, se préparer demandait du temps. La famille, enfin réunie, se dirigea vers la rivière.

Vêtue de blanc elle aussi, Sophie cachait mal sa nervosité. Assise avec son oncle sur la galerie, elle attendait son chevalier servant.

— Il a peut-être eu un empêchement.

— Voyons, à son âge, il ne risque ni la syncope ni de perdre la mémoire.

— Pourtant, c'est l'heure.

Grégoire lui adressa un sourire attendri, posa la main sur la sienne. Elle était résolue à s'inquiéter, la rassurer était inutile. Puis la silhouette de Georges apparut. Peu après, il grimpait les quelques marches pour les rejoindre.

— Bonjour, monsieur le curé. Sophie.

L'adolescent salua la jeune fille d'un signe de la tête.

— Te voilà avec une bien grosse valise, remarqua le prêtre.

De son côté, le garçon mesurait du regard le bagage de Sophie, heureux de le trouver d'une taille raisonnable.

— C'est celle de ma sœur. Nous y allons ?

Il prit le second sac et regarda Grégoire :

— Nous ne pouvons pas nous attarder. Le bateau…

— Oui, bien sûr. Alors, mon gars, prends bien soin d'elle.

— Certainement, monsieur le curé. Au revoir.

Les deux valises dans les mains, il descendit l'escalier. L'adolescente salua son oncle.

— Au revoir… À demain.

— À demain, ma petite.

Elle hésita, puis s'élança pour poser ses lèvres sur sa joue. Enfant, elle osait ce geste, et l'avait réprimé dès ses dix ans environ. Devenue jeune fille, la soutane présentait un obstacle insurmontable. Le prêtre posa sa main sur son épaule, puis murmura :

— À bientôt. Je t'aime, tu sais.

Une larme perla à sa paupière alors que plusieurs coulèrent sur les joues de Sophie. Si quelqu'un avait vu ce geste d'affection, toutes les commères de Douceville en auraient discuté en après-midi, et le lendemain, les langues se seraient déliées auprès de l'archevêché.

Sur le trottoir, Georges vit bien les pleurs. Ne sachant que dire, il prit la meilleure décision en se taisant. Au bout de quelques pas, Sophie murmura :

— Je suis ridicule. Nous nous reverrons demain.

— Il n'y a rien de ridicule…

— Je suis restée des semaines sans le voir, au couvent.

— … à te sentir émue.

Le quai était tout près. Ils s'en approchaient quand elle dit encore :

— Tu es gentil, Georges. Très gentil.

Tout à coup, les deux valises furent légères.

Dans le presbytère, Alphonse Grégoire se tenait au milieu de la cuisine. Lui aussi portait un sac.

— Bon, je dois y aller. Ne me préparez rien pour souper demain. Je rentrerai sans doute trop tard.

— C'est-tu qu'y vont vous nommer évêque, asteure ?

— Comment ça ?

— Vous êtes toujours rendu à Montréal.

Elle prononçait « Monrial ». À entendre le timbre de sa voix, on aurait pu croire qu'il s'agissait d'un mauvais lieu. Le curé n'avait guère envie de recevoir des leçons de sa ménagère.

— J'y suis allé quelques fois, tout au plus. Nous nous reverrons demain soir, ou lundi matin si vous êtes déjà couchée à mon retour.

Il tourna le dos à son employée pour marcher vers la porte. Sur son chemin, sans surprise, il rencontra son vicaire.

— Chicoine, vous voilà responsable de la boutique pour trente-six heures.

— Oui, monsieur le curé.

Depuis leur dernière conversation en privé, l'homme se montrait bien sombre. Que savait son supérieur exactement? Il craignait que celui-ci lui revienne avec des noms précis.

Sans en avoir conscience, Grégoire enfonça le clou:

— C'est bien demain que vous allez annoncer le mariage de vos... protégés? Vous me rappelez leurs noms?

— Malvina Péladeau et Elzéar Morin.

Plus pâle de teint, il aurait rougi.

— Bon, alors à demain.

Sur ces mots, le prêtre sortit du presbytère.

Il lui était impossible de vérifier si Clotilde avait bien pris le train de huit heures. Pour un homme en soutane, frapper à la porte de la pension afin de s'en enquérir serait du plus mauvais effet. Il entra dans la gare du Grand Tronc juste à temps pour le train de dix heures.

Finalement, à force de se presser, les Turgeon étaient arrivés en avance. Une cabane près du quai permit aux dames de se protéger du soleil. Dehors, contemplant le cours boueux du Richelieu, Évariste remarqua:

— Pour une personne heureuse de participer à une excursion en bateau, Sophie semble terriblement triste.

— L'idée de quitter son oncle. Pourtant, cela durera moins de deux jours.

— Tu devras partir combien de temps avant de t'ennuyer ?

Le médecin lui adressait un sourire narquois.

— Je m'ennuierai dès le premier jour, mais je saurai me faire une raison pour toute la durée de mes études de médecine.

Son père lui frappa l'épaule du plat de la main.

— Seigneur, voilà que je te découvre de plus grandes habiletés politiques que moi. J'espère que tu ne tourneras pas mal pour autant.

Bientôt, le vapeur *Richelieu* – le propriétaire manquait sans doute d'imagination – s'approcha du quai. Il s'agissait d'un vieux bateau doté de roues à aubes. Au lieu d'être envoyé à la casse, il avait été récupéré afin d'offrir des excursions d'un jour ou deux. Des hommes lancèrent de gros câbles, d'autres les attachèrent aux bittes. Ensuite, les marins jetèrent des passerelles pour l'embarquement. Leurs billets de première classe permirent aux Turgeon de monter rapidement, et des tables les attendaient à la proue.

— Viens à l'avant, suggéra Corinne à son amie.

Déjà, celle-ci affichait une mine plus joyeuse. Les adolescentes s'appuyèrent à la rambarde. Leurs commentaires murmurés portèrent sur les maisons sur la berge, le beau coup d'œil sur le cours d'eau, et la musculature des employés du port.

Cette fois, à cause de l'affluence et surtout de la présence de nombreux Canadiens français en deuxième classe, le prêtre choisit de garder sa soutane pendant tout le trajet. Sa métamorphose s'opéra dans les toilettes de la gare Bonaventure. En sortant de la cabine, il portait son vilain veston noir et une cravate tout aussi miteuse sur une chemise blanche.

Plus riche, Alphonse Grégoire aurait donné rendez-vous à Clotilde à l'hôtel Windsor. Des établissements de l'est de Montréal, tout à fait décents et moins chers, auraient parfaitement fait l'affaire, mais un prêtre n'était jamais véritablement un inconnu dans ces parages. Il suffisait de croiser un paroissien venu faire ses emplettes chez Dupuis Frères pour que tout le monde sache que le curé de Douceville vivait ses vices vêtu d'un costume de ville.

Aussi, il avait préféré réserver une chambre rue Stanley, dans un hôtel portant le même nom, un peu au nord de la rue Sainte-Catherine. Ils pourraient courir les magasins, si d'aventure l'envie leur en venait.

Quoique petites, l'entrée, tout comme la réception, décorées de jolies boiseries, se révélaient coquettes. Grégoire marcha vers le comptoir où se tenait un jeune homme.

— Ma femme doit être arrivée, dit-il en anglais. Madame Donahue.

Après des années aux États-Unis, passer à l'anglais ne faisait pas de problème. Il sortit son portefeuille de sa poche pour en tirer un billet de deux dollars. Il lui revenait de régler la chambre. Le gérant s'était montré très généreux en ouvrant la porte à une cliente venue seule. Le commis regarda les casiers avant de répondre :

— Comme la clé manque, je suppose que oui. La numéro 8, au deuxième. Vous voyagez chacun de votre côté ?

L'indiscrétion agaça le curé, mais il répondit tout de même :

— J'avais une affaire à régler ce matin.

Afin de compléter son déguisement, il avait tourné sa bague pour que la pierre soit à l'intérieur de la paume. Cela laissait voir un anneau doré pouvant passer pour un jonc de mariage.

Grégoire empocha sa monnaie, toucha la bordure de son chapeau en guise de salut. En haut, il frappa légèrement contre la porte. L'huis s'ouvrit sur Clotilde. Son sourire ironique lui signifiait quelque chose comme : « Tu parles d'un curé ! »

— Tu n'as pas eu de mal à trouver, ce matin ?

— Heureusement pour moi, le cocher connaissait l'adresse, répondit-elle.

Il était entré dans la chambre. D'un coup d'œil, il la jugea petite et confortable. La salle de bain représentait un véritable luxe ; la plupart du temps, il fallait se contenter de celle du palier. Le sac de Tilda était sur le lit, ouvert, laissant voir des dessous en dentelle. La situation d'intimité entraîna tout de suite son érection.

— Nous devons parler, dit-il.

Avant de rencontrer Clotilde, jamais il ne s'était tenu seul dans une pièce avec une femme. Ni après l'avoir perdue de vue.

— Oui, ça aussi.

Elle fit deux pas pour venir se coller contre lui. Les bras du prêtre agirent d'eux-mêmes pour la serrer. Puis les lèvres se rencontrèrent. Tous ses principes, toutes ses résolutions, tous ses engagements de ne plus pécher volèrent en éclat.

Le trajet vers Sorel dura près de dix heures, à une vitesse équivalent peut-être à deux fois le pas d'un homme. Pour quelqu'un ayant besoin de se reposer, Évariste ne pouvait demander mieux : assis dans une chaise confortable avec sa femme à côté de lui, il regardait le paysage défiler lentement sous ses yeux. La limonade, le lunch, le thé apparurent et disparurent devant eux.

— Cela ne vaut-il pas mieux que de recevoir des malades ? s'enquit Délia.

— C'est parce que je reçois assez de malades que nous pouvons nous offrir de telles journées.

— Tu trouves toujours de bons arguments pour ne pas prendre congé de ton travail.

Tout de même, elle savait qu'il disait vrai. Leur compte d'épargne à la Banque de Montréal grossissait lentement et constituait une petite réserve pour leurs vieux jours. D'ici là, seules les visites au cabinet lui valaient un agréable train de vie.

— La politique prend de plus en plus de place dans ta vie.

— À qui la faute ?

Délia se sentait coupable de l'avoir encouragé en ce sens. Elle songea à se défendre mais son mari continua :

— Ce foutu Pinsonneault ! Son étoile pâlit, au conseil.

— Ce qui signifie ?

— La tâche des autres augmente.

En réalité, les temps de loisir du médecin passaient de plus en plus dans les dossiers du conseil de ville.

Les adolescents étaient restés tout l'après-midi à la proue du navire, se donnant des allures d'aventuriers. Au passage, ils avaient reconnu Saint-Marc, Saint-Charles, Saint-Antoine, puis Sorel. De nombreux passagers descendirent dans cette ville, puis le vapeur continua jusqu'à l'île Saint-Amour.

— Voilà un nom charmant, commenta Évariste.

— C'est le nom d'un saint patron des amoureux, demanda Corinne, comme saint Valentin ?

— Désolé de te décevoir, mais c'est celui d'un soldat français. Il y a deux siècles, son nom lui est sans doute venu de ses succès comme séducteur.

— Un compère de saint Félix, nota l'adolescente en s'engageant sur la passerelle pour descendre.

Pendant un instant, son pas se fit plus affirmé, puis, en touchant terre, elle retrouva sa bonne humeur. Derrière elle, le médecin interrogea sa femme des yeux.

— Maintenant, elle considère que les garçons les plus charmants sont un peu timides et très respectueux.

— Voilà qui ressemble à la façon de voir de quelqu'un que je connais. Merci au ciel pour ce brin de sagesse.

Quand le couple arriva sur la rive, Évariste indiqua une grande bâtisse toute blanche, construite en planches.

— Voilà où nous allons coucher. J'espère que ce sera à la hauteur.

— Déjà, nous avons fait une jolie balade. Viens.

Finalement, malgré des matelas un peu défoncés, les chambres offraient un confort suffisant. La femme et les jeunes filles occupèrent longuement la salle de bain, tandis que l'homme et son fils se retrouvèrent dans la pièce du rez-de-chaussée servant à la fois de bar et de salle à manger. Évariste commanda un whisky. Devant le regard interrogateur de Georges, il dit :

— Du vin en mangeant. Et encore, seulement si ta mère ne proteste pas trop.

En réalité, son épouse ne protesta pas du tout, tout en recommandant la modération.

Après tout ce soleil, quand le repas tardif se termina, les paupières de Délia s'appesantirent. Lentement, le ciel se teintait d'indigo. Tout le monde gagna sa chambre. Corinne et Sophie partageaient la même. Les lumières éteintes, dos à dos, elles avaient revêtu leur chemise de nuit. La pudeur de chacune avait souffert de l'exercice. Une fois étendue, la seconde chuchota :

— C'est la toute première fois que je partage le lit de quelqu'un.

Formulé ainsi, cela ressemblait à un aveu honteux.

— Même chose pour moi… sauf quand j'ai dormi avec maman, lorsque j'étais malade.

Cela faisait toute la différence du monde. Après un moment, Sophie dit encore :

— Je me sens mal à l'aise de dépendre de tes parents. Je leur coûte une fortune.

— Voyons, ce soir je ne coucherais pas avec Georges. Que tu sois là ou pas…

— Le billet, les repas.

— Tu sais bien que ton oncle s'en chargera. Comme pour les robes.

Corinne avait raison. Il prenait soin d'elle comme un père.

— Bon, moi je dors. Tu devrais faire la même chose.

Cela ressemblait à un rappel à l'ordre. Après un « bonne nuit » murmuré, elle ferma les yeux. Un instant plus tard, sa respiration devint régulière. Dans le cas de Sophie, le sommeil ne vint pas. Les paysages de la journée, l'impression de liberté, la gêne de vivre dans la famille d'une autre, tout cela se mélangeait pour la tenir éveillée.

Finalement, elle quitta le lit tout doucement, chercha son peignoir posé sur une chaise, puis sortit de la chambre. Dans toute autre circonstance, la simple idée de se promener dans un lieu public en petite tenue lui aurait été insupportable. Son audace venait du constat qu'au souper, les quelques familles logeant à cet endroit paraissaient respectables. Un vaste balcon à l'étage permettait de contempler le fleuve. Elle choisit une chaise en rotin et s'y assit. Ses cheveux défaits se répandaient sur ses épaules. Dans l'obscurité, ils paraissaient noirs.

Un murmure lui parvint :

— Toi non plus, tu ne dors pas.

La voix de Georges. Sa main droite serra encore plus fort les pans de son peignoir, pour ne rien révéler de son corps. L'obscurité ambiante la rassura.

— Non. Je ne suis pas habituée à autant d'excitation.

Le garçon aurait pu dire la même chose. La journée entière avec Sophie sous les yeux, puis la liberté donnée par ce lieu étranger, levaient sa retenue.

— Tu as aimé ta journée ?

L'adolescent approcha un fauteuil.

— Oui.

Elle songea à reprendre sa rengaine sur la générosité des Turgeon. À la place, elle en vint directement à la raison de son malaise.

— Dans ces circonstances, je mesure toutefois très bien ce qui me manque. Une famille.

— Ton oncle…

— Un curé. Il est généreux, mais cela ne remplace pas un père et une mère.

Le silence dura un long moment. À la fin, Georges murmura :

— Un jour, tu auras ta famille. Ce sera la tienne, personne ne te l'enlèvera.

Des larmes montèrent aux yeux de la jeune fille. Elle lâcha son peignoir pour les essuyer du bout de ses doigts. Pendant une demi-heure, ils se turent. Puis Georges se leva.

— Je sais bien que nous pourrons somnoler toute la journée demain, mais nous devrions regagner notre lit, conseilla-t-il.

Il tendait la main pour l'aider à se lever. Dans la nuit, la peau de Sophie se révéla fraîche. Quand ils furent devant la porte de la chambre des filles, le garçon se pencha pour poser ses lèvres sur les siennes, puis ses mains se portèrent à sa taille. Le contact contre ses paumes l'émut plus que de raison.

— Bonne nuit.

Son premier baiser. Il ouvrait la porte de sa propre chambre quand elle répondit à son souhait dans un souffle.

Chapitre 21

Le baiser laissa Sophie stupéfaite. Les regards insistants du frère de son amie, ses petites attentions, même les remarques amusées de Corinne prirent tout leur sens. Georges la désirait. Le contact de ses lèvres ne lui avait procuré aucun plaisir. La surprise, les années passées à apprendre à se blinder contre les péchés de la chair la rendaient méfiante à l'égard des garçons.

Cependant, une fois allongée près de Corinne, Sophie éprouva une excitation diffuse. Le sentiment de se savoir convoitée. Dans une certaine mesure, ce simple geste la confirmait dans son identité de jeune femme. Puis vint la honte pour avoir fait naître ce désir. Elle devait bien être coupable de quelque chose. Devait-elle se confesser pour cela ? À qui ? L'idée d'aborder le sujet avec son oncle lui était insupportable. Avec Chicoine, franchement inconcevable.

Ces émois l'empêchèrent de dormir. À six heures trente, de tout petits coups contre la porte attirèrent son attention. Sa compagne de lit geignit, puis tira la couverture par-dessus sa tête. Sophie se leva pour s'approcher de la porte et demander à voix basse :

— Qu'est-ce que c'est ?

— Habillez-vous, la messe commencera dans une demi-heure.

— Oui, madame Turgeon.

Si prendre un congé de la routine de Douceville était possible, il n'était pas question de négliger les devoirs religieux, ne serait-ce qu'en de rares occurrences. Sophie revint vers le lit pour poser la main sur le pied de son amie, exercer une légère pression.

— Corinne, nous devons nous lever.

La fille du docteur ronchonna, puis finit par quitter le lit. En pleine clarté, aucune des deux n'osait ôter son vêtement de nuit pour mettre sa robe. Corinne finit par se décider :

— Je vais m'habiller dans la salle de bain.

Sa pudeur obligea la couventine, son peignoir fermé sur son cou, à faire la queue devant le petit réduit avec d'autres estivants. Quand elle revint dans la chambre, Sophie avait remis la même robe que la veille. Cela expliquait son petit bagage.

Bientôt, toutes deux se tenaient dans l'entrée de l'auberge. Georges les salua, rougissant. Malgré la gêne pour son élan de la nuit, le garçon adressa un regard très tendre à la nièce du curé.

— Heureusement, l'église est tout à côté, se réjouit Évariste.

C'était une façon de signifier aux jeunes filles qu'elles étaient en retard au rendez-vous fixé la veille.

Le temple se trouvait à trois cents pieds tout au plus. En y pénétrant, Sophie tourna les yeux vers le confessionnal. Malheureusement, le temps lui manquait pour s'y arrêter. Dès le lendemain, elle tenterait de marcher jusqu'à Iberville pour obtenir le pardon de sa faute. Mais quelle était précisément cette faute ?

Privée de toute musique, la basse messe dura peu. À huit heures, les clients de l'auberge prirent place à table pour le déjeuner. Puis, leurs bagages à la main, les Turgeon et leur invitée montèrent sur le vapeur amarré au quai. De nouveau, ce serait une journée clémente. Les parents reprirent la même table, les enfants se regroupèrent à la proue.

— Vous avez passé une bonne nuit ? demanda Georges. Mon lit était si creux que mes fesses touchaient le plancher.

— Pauvre petit ! se moqua Corinne. J'ai dormi comme une marmotte, mais Sophie a passé une partie de la nuit dans la nature.

À ces mots, l'adolescente s'émut. Elle crut utile de se défendre :

— Je ne dormais pas, alors je me suis assise sur la galerie un moment.

— Toute seule ?

— … Oui, bien sûr. Autrement, je n'aurais pas osé.

Ses yeux cherchèrent ceux de Georges, pour l'implorer de se taire. Leur rencontre nocturne devait rester secrète. Le sourire du garçon la rassura.

— Pourquoi ne dormais-tu pas ? voulut savoir Corinne.

— Tu ronfles peut-être, suggéra son frère.

— Non, ce n'est pas ça. Pour moi, partager un lit était une nouveauté, sans compter l'excitation de la journée.

L'escale au quai de Sorel les intéressa un moment, puis ils bénéficièrent de nouveau du magnifique panorama des rives de la rivière Richelieu.

Vers dix heures, Alphonse Grégoire se réveilla. Les rideaux de l'unique fenêtre de la chambre étant tirés, la pénombre lui avait permis de dormir aussi tard. Tout de même, la lumière était suffisante pour lui permettre de voir le corps nu de Clotilde à côté de lui. Le drap lui arrivait tout juste à la hauteur du ventre. Étalée sur le dos, elle lui offrait ses seins, son visage serein dans le sommeil.

Il multiplia les précautions en se levant, puis se rendit dans la petite salle de bain. Une fois la porte refermée dans son dos, il put allumer la lumière électrique. Près du lavabo, il reconnut le condom de caoutchouc vulcanisé. Il appartenait à Clotilde, et elle s'était donné la peine de le nettoyer avant de s'endormir. Depuis la matinée de la veille, elle avait répété l'opération une demi-douzaine de fois.

« J'aurais dû m'équiper de cela quand je l'ai rencontrée il y a vingt ans », songea l'homme. Tout de suite, il regretta cette pensée. C'était comme s'il voulait effacer Sophie de la surface de la terre. En 1886, il connaissait l'existence des prophylactiques – les études en théologie permettaient de connaître tous les vices imaginables, et les pénitents complétaient ses connaissances, si nécessaire. Mais alors il n'en avait jamais vu, ses compagnons au Grand Séminaire non plus.

Assis sur le siège des toilettes, le prêtre se remémora les dernières heures. Dix minutes après son arrivée dans la chambre, tous les deux étaient nus, étendus sur le lit. À l'heure du souper, le commis avait accepté de contacter un restaurant voisin pour leur faire livrer un repas. Même adolescent, Grégoire ne s'était jamais senti aussi excité. Il se faisait penser à une bête privée de nourriture pendant des jours.

Normalement, à ce moment, il aurait dû se trouver à l'église pour célébrer la grand-messe. Depuis sa première communion, jamais il n'avait raté l'un de ces rendez-vous dominicaux.

En chemin vers l'église, Donatien Chicoine ressentit une anxiété profonde. Quelqu'un – une femme – avait évoqué son « inconduite » devant le curé Grégoire. Cela devait être

Malvina Péladeau. Jamais il ne soupçonna les élèves du couvent de la Congrégation de Notre-Dame. À ses yeux, les coller d'un peu trop près trahissait peut-être de mauvaises pensées, mais rien de plus. Chacune faisait certainement bien pire avec des garçons de son âge.

Pourtant, cette future mariée lui paraissait bien consentante, malgré ses airs offensés. La responsabilité de la faute ne lui revenait certainement pas en totalité. Le plaisir était partagé. Dans la sacristie, en mettant ses habits, il s'impatienta contre les petits servants de messe, trop enclins à bavarder entre eux.

— C'est la maison du bon Dieu, ici. Vous vous confesserez pour lui avoir manqué de respect.

Chicoine ne pouvait s'attarder à leur faire des remontrances. Avant la cérémonie, il devait entendre les fautes de quelques pénitents. En le voyant entrer dans le confessionnal richement sculpté, deux paroissiens quittèrent la file d'attente pour gagner leur banc. Ceux-là préféraient se passer de la communion plutôt que de s'adresser au vicaire.

En retraversant le temple vers la sacristie, Chicoine chercha des yeux le futur marié, pour le trouver avec des membres de sa famille. Il ne repéra pas la fiancée. Pouvait-elle s'absenter de la messe simplement pour se soustraire à sa vue ?

Au moment du prône, il livra maladroitement un prêche sur son sujet de prédilection, la chasteté. Quand il aborda ensuite les nouvelles de la paroisse, il débita :

— Il y a promesse de mariage entre Malvina Péladeau, fille de...

À ce moment, il aperçut la jeune femme dans le banc de sa famille. Puis il nomma le futur époux. Ainsi, toute personne ayant des raisons légitimes d'empêcher ce mariage pourrait s'exprimer.

— Je ne croyais pas te trouver en aussi bonne forme.

Le couple occupait une table dans un restaurant de la rue Saint-Catherine. Clotilde lui adressait un sourire à la fois railleur et affectueux. Le prêtre ne douta pas un instant de ce à quoi elle faisait allusion. Au moins, elle ne dit pas : « Depuis le temps que tu te retenais. »

Quand il avait accepté la proposition d'un voyage à Montréal, il savait ce qui se passerait. Pourtant, sa conscience était demeurée muette. Ce péché de la chair, il n'avait pas cherché à s'en détourner. Jamais l'idée ne lui était venue de recourir aux moyens de repousser la tentation qu'il conseillait à des jeunes gens dans sa situation : le sport, la mortification de la chair, la consultation d'un conseiller spirituel. Pas même la prière.

Chicoine au moins se flagellait pour mater ses désirs. Lui avait profité d'une absence opportune de sa nièce – son hypocrisie s'exprimait dans son entêtement à penser à Sophie sans utiliser les mots « ma fille » – pour réserver une chambre d'hôtel à Montréal, revêtir un habit laïc et venir s'y vautrer.

— Ne fais pas cette tête, sinon les gens vont penser que je t'ai pris de force.

La culpabilité, il l'avait éprouvée en 1887, en commençant sa cour à une jeune fille au sang chaud, certes, mais aussi très impressionnable. Mais l'idée de mettre fin à cette relation ne lui était venue que le jour où elle s'était retrouvée enceinte, afin d'éviter le scandale et la ruine de sa carrière.

— Pour moi, il n'y a pas matière à rire. Tout mon choix de vie est remis en jeu.

— Ton choix de vie, tu y étais il y a quatre-vingt-dix minutes. Ta soutane, c'est la mort.

Moins de deux heures plus tôt, tous les deux s'agitaient sous les draps.

— Et si je te disais de me suivre de nouveau dans cette chambre pour recommencer, tu le ferais.

Seule l'obligation de rendre les clés avant midi les avait tirés du lit. Oui, il y retournerait, si possible.

— Arrête. Tu as raison, je suis un pécheur.

La colère palpable dans le ton la convainquit de recourir à une autre stratégie.

— Tu me dis n'avoir jamais cédé à la tentation depuis 1888, nous sommes en 1906. Je reviens ici, et cela se passe comme ça.

Elle fit le geste de claquer des doigts. Les gants prévinrent le moindre bruit. Grégoire s'en réjouit, car même si, dans l'ouest de la ville, l'usage du français leur garantissait une certaine discrétion, leurs visages tendus pouvaient attirer l'attention des autres dîneurs.

— Que tu l'admettes ou non, cela signifie que tu es toujours amoureux de moi.

Pour Clotilde, ce mot valait un sésame : l'intimité physique devenait non seulement acceptable, mais désirable si un sentiment amoureux existait. Le curé en était encore à se demander s'il s'agissait bien de cela, ou seulement de désir physique. La tyrannie des sens, en quelque sorte.

— Là, tu entends retourner dans ton presbytère, puis te cacher dans ta soutane jusqu'à la fin de tes jours ?

Les mots pesaient comme une condamnation épouvantable. Pire que la mort.

— Dans ce cas, ce sera sans ma fille !

Clotilde posait là les termes d'un contrat : elle repartirait avec lui et Sophie, ou seulement avec l'adolescente, mais pas seule.

— Dans la province, personne ne quitte l'Église. À moins de vouloir crever de faim.

— Donc, tu dois aller ailleurs. Tu iras aux États-Unis, tu diras t'appeler Trudeau ou n'importe quel nom qui te plaît, on ne te posera pas de questions.

Personne ne se promenait avec ses papiers dans les poches ; toutefois, dans certaines circonstances, il fallait produire un certificat de naissance. En tant que curé, Grégoire pouvait s'en écrire un avant de partir. Il ne s'agissait que de choisir le nom d'un paroissien décédé d'à peu près son âge.

— Et qu'est-ce que je ferais ? Les compétences d'un curé, ça ne se transfère pas dans un autre emploi.

Qu'il aborde l'aspect pratique de cette proposition indiquait que l'idée faisait son chemin. Après une douzaine d'heures passées en tête-à-tête avec Clotilde, il en était là.

— Tu es instruit, tu trouveras quelque chose à faire.

Le prêtre s'imagina curé d'une paroisse américaine, avec une maîtresse cachée quelque part.

— Je ne vois pas quoi…

— Puis, tu as certainement des économies. En tout cas, moi, j'en ai. Assez pour te permettre d'opérer ta… reconversion.

Des journaux parlaient des chasseurs de dot, ces hommes à la recherche d'une épouse capable de les entretenir. Alphonse Grégoire s'imaginait mal dans ce rôle. Pourtant, il demanda :

— Ton époux t'a laissé de quoi vivre ?

— Les hommes sérieux comme lui fréquentent l'église, se tuent au travail, font un testament et prennent une assurance-vie susceptible de permettre à une veuve de se tirer d'affaire, en cas de décès.

Même si elle décrivait un comportement responsable, la voix contenait une dose de reproche. Comme si l'enthousiasme n'avait pas été au rendez-vous dans ce mariage. Peut-être lui manquait-il le frisson de l'interdit : avoir un ecclésiastique comme amant !

— Assez d'argent pour une veuve sans enfant. Pour un ménage…

La moue qu'elle fit lui exprima que dans une telle situation, le budget serait un peu juste.

— As-tu pensé venir t'installer à Douceville ? Un dollar américain va certainement plus loin ici qu'à Boston.

Le coût de la vie dans une petite ville de la province était certainement moins élevé que celui de Boston. Pour l'illustrer, le prêtre ajouta :

— Une bonne te coûterait quelques dollars par mois.

— Je ne vois pas l'intérêt de m'enterrer vivante.

Les plaisirs de la grande ville paraissaient essentiels à son bonheur.

— Tu pourrais voir Sophie, une fois de temps en temps.

« Nous pourrions nous permettre quelques escapades », songea le prêtre. La grimace de sa compagne valait n'importe quel « Non ! » tonitruant. Chacun avait maintenant raconté son scénario idéal. Il était temps de manger leur dîner, devenu froid.

Après le repas, Clotilde suggéra de louer une autre chambre d'hôtel jusqu'au moment du retour à Douceville. Grégoire repoussa l'idée en plaidant le côté sordide d'une location de quelques heures. Cela suggérait des amours mercenaires. Puis, en toute honnêteté, après le marathon érotique des dernières vingt-quatre heures, il craignait de ne plus pouvoir être à la hauteur. Ses cinquante ans pèseraient sur ses performances.

Ils marchèrent donc rue Sainte-Catherine, s'arrêtant parfois devant les vitrines pour détailler les marchandises. Deux promeneurs anonymes, peu susceptibles d'attirer l'attention des autres badauds. Vers trois heures, le couple choisit un banc dans le parc Dominion et s'y assit, échangeant quelques mots sur le magnifique hôtel Windsor devant eux, supputant le prix des chambres. Clotilde paraissait certaine qu'un jour elle pourrait fréquenter des établissements de ce genre. Son compagnon attribua cela à la culture matérialiste des États-Unis.

Bientôt, le silence s'installa entre eux. Il était tôt, aucune raison ne les incitait à rentrer tout de suite à Douceville, mais chacun ressentait le besoin de réfléchir aux derniers événements. À la fin, la femme demanda :

— Que vas-tu faire ?

Dans la chambre d'hôtel, le prêtre n'imaginait pas revenir à son ancienne existence. Maintenant, en plein soleil, renoncer à son statut d'ecclésiastique, au confort de son grand presbytère, au respect dû à sa personne, lui paraissait trop difficile.

— Je ne sais pas. Tu me proposes de tout abandonner…

Puis sa propre mesquinerie lui parut méprisable. Il entendait profiter de la situation sans trop s'inquiéter des conséquences pour sa compagne, puis retrouver ensuite sa routine.

— Ma soutane me sert de bouclier contre les aléas de la vie. Tu me demandes de m'en priver pour plonger dans l'inconnu.

Clotilde serra les dents, eut envie de le traiter de lâche. Pendant un an, au siècle précédent, il avait satisfait ses appétits avec elle pour l'abandonner ensuite, tout en emportant sa fille. Évidemment, il justifiait ses gestes en invoquant son désir de lui épargner la déchéance. Dans ses motivations, toutefois, la volonté de se protéger lui-même l'emportait sans doute.

En se maîtrisant avec peine, elle déclara :

— Ta vie a changé complètement déjà, seulement tu ne veux pas le voir. Je ne repartirai pas seule à Boston.

— Tu ne peux pas faire ça ! Pour Sophie, sa mère est décédée à sa naissance. Tu imagines sa souffrance, si elle apprend la vérité ?

Dans certaines circonstances, le sourire de Clotilde ressemblait à celui des carnassiers.

— Pour ça, je te crois. Elle découvrira que son père a enlevé son enfant à sa mère, qu'il lui a menti toute sa vie en se présentant comme son oncle, tout en la condamnant à une vie de misère dans un couvent. Je remercie le ciel tous les jours pour lui avoir donné la force de résister aux pressions, plutôt que de se soumettre à l'horreur de la vie d'une nonne.

Clotilde Serre ne se montrait pas particulièrement religieuse, mais son invocation du ciel lui parut tout à fait sincère. Après ces mots, Grégoire se surprit qu'elle soit toujours disposée à lui faire une place dans sa vie. Lui se sentait haïssable.

Elle se leva en disant :

— Je rentre à Douceville.

Comme il faisait mine de quitter sa place, elle l'arrêta :

— Je rentre seule. Ma patience tire à sa fin.

Quand elle s'éloigna, le prêtre ne put s'empêcher d'admirer la jolie silhouette. Ensuite, il put s'apitoyer sur lui-même tout à son aise.

La cathédrale Saint-Jacques étant toute proche, Alphonse Grégoire décida de s'y rendre. En plein dimanche après-midi, seules quelques grenouilles de bénitier hantaient les lieux. Avec son sac de voyage à la main, il faisait un bien curieux paroissien.

Dans un temple de cette ampleur, les confession-naux s'alignaient à l'arrière, et des prêtres de tous les âges recevaient leur lot de pénitents. Les plus jeunes demeu-reraient bouche bée en entendant ses fautes. Mais Grégoire avait reconnu un vieux prêtre qui venait d'entrer dans l'un des cagibis, un professeur de théologie au Grand Séminaire.

Après quelques minutes dans la file d'attente, il s'age-nouilla sur le prie-Dieu, faisant un peu de bruit en essayant de caser sa valise dans le réduit. À l'ouverture du guichet, il commença avec la formule habituelle :

— Pardonnez-moi, mon père, parce que j'ai péché.

Les hommes qui, au lieu de se confesser à leur curé, profitaient de l'anonymat de la cathédrale présentaient souvent un répertoire de fautes hors du commun. Pourtant, Grégoire réussit à ébahir le confesseur.

— Je suis un prêtre, commença-t-il. Il y a dix-huit ans, j'ai fait un enfant à une jeune paroissienne, et après des années sans l'avoir vue, je viens de passer la nuit avec elle.

— Vous êtes un prêtre catholique romain ?

Le vieux chanoine paraissait croire qu'un tel com-portement se voyait certainement dans les autres églises chrétiennes, mais pas dans la sienne.

— Ordonné dans le diocèse de Québec par monseigneur Taschereau, il y a plus de vingt-cinq ans.

— Et ce péché de la chair, où est-il survenu ?

Répondre : « À Lowell » serait révéler son identité. Des annuaires rendaient compte des carrières de tous les ecclésiastiques. Combien de ceux ordonnés à Québec au début des années 1880 étaient allés faire du travail pastoral dans le diocèse de Boston ? Il n'en connaissait aucun autre.

Pendant quelques minutes encore, le confesseur demanda des précisions, mais Grégoire refusa de les lui donner. Finalement, il quitta l'église sans attendre l'absolution.

Les passagers du Richelieu avaient soupé à bord. À neuf heures du soir, surtout sur l'eau, la fraîcheur provoqua quelques frissons aux dames. Mais cela ne justifiait pas qu'elles se réfugient dans la salle aménagée sur le pont. De toute façon, l'achalandage leur aurait paru plus désagréable que la brise.

Quand le vapeur accosta au quai, la famille et son invitée se pressèrent sur la passerelle. Tout naturellement, Georges reprit les valises de sa sœur et de Sophie. L'initiative lui valut un sourire reconnaissant. Puis, tout ce beau monde se dirigea vers la rue De Salaberry.

Devant la demeure, la nièce du curé commença :

— Monsieur Turgeon, madame, je ne sais pas comment vous remercier.

— Tu viens pourtant de le faire, sourit Évariste.

Après tout ce temps à l'avoir dans son champ de vision, le médecin était passé au tutoiement. Sa femme aussi se sentait plus intime avec elle. Elle s'approcha pour lui faire la bise sur la joue.

— Alors, va te mettre au lit. Avec ce soleil, nous sommes toutes ensommeillées.

Corinne embrassa son amie à son tour, puis lui souhaita bonne nuit. En montant les quelques marches conduisant à la porte, elle ajouta :

— Nous nous parlerons demain.

Pendant cet échange, Georges était allé déposer le bagage de sa sœur dans l'entrée de la demeure. Il tenait toujours celui de Sophie, déterminé à jouer son rôle de chevalier servant jusqu'au bout.

— Je te raccompagne, annonça-t-il en revenant sur le trottoir.

Après des « bonne nuit » au couple, la blonde emprunta la direction du presbytère.

— Tu as aimé notre longue promenade ?

Le garçon connaissait la réponse, cette question lui permettait tout bonnement d'entamer la conversation.

— Oui, beaucoup.

L'obscurité croissante cacha le trouble de Sophie. Elle devinait où la conduirait cet échange.

— Je devrais peut-être m'excuser pour la nuit passée, mais en réalité, je ne regrette rien. Pour moi, cela demeurera le plus beau moment de notre excursion.

Tous deux partageaient la même innocence, et la même fièvre. La confidence lui coûtait bien un peu, mais Georges continua :

— C'était la première fois, tu sais.

Une adolescente un peu plus expérimentée l'aurait deviné sans mal. Sophie se sentait intimidée au point de ne pouvoir formuler un « moi aussi ». Son compagnon ne l'ignorait pas. L'aveu touchait la jeune fille. Il ressemblait à une déclaration d'amour.

Puisque sa compagne ne lui avait pas demandé de tenir ses distances, Georges espérait vivre la griserie d'un autre baiser. En s'approchant du presbytère, une grande silhouette assise sur une chaise en rotin ruina tous ses espoirs : le curé attendait sa parente. Depuis son retour dans la ville, Alphonse Grégoire n'avait pas quitté son poste, impatient de la voir arriver. Quand il laissait libre cours à son imagination, il voyait Clotilde l'interceptant en pleine rue pour l'emmener aux États-Unis.

— Bonsoir, monsieur le curé, salua le fils du médecin en s'engageant dans l'escalier conduisant à la galerie.

— Bonsoir, mon garçon.

Sophie se tint devant son oncle, les mains jointes dans le dos, empruntée. Son plaisir de le voir était évident, pourtant aucun geste n'exprimait ce sentiment.

— Bonsoir, mon oncle, murmura-t-elle.

— Tu vas bien ?

Un sourire timide, à peine visible dans la pénombre, fit office de réponse. Après avoir posé le bagage, Georges dit au revoir au curé puis, tourné vers la jeune fille, il chercha ses mots.

— Je serai heureux de te voir demain…

Le regard de l'ecclésiastique l'amena à ajouter :

— Quand tu viendras tenir compagnie à Corinne.

Puis il descendit les marches et se dirigea vers la rue De Salaberry. Quand Sophie fit mine d'entrer, Grégoire demanda :

— Veux-tu t'asseoir un instant avec moi ?

— Bien sûr, mon oncle.

La jeune fille occupa une chaise près de la sienne. Tout de même, elle réprima un petit frisson. Sa timidité l'empêchait de prendre une minute pour aller chercher de quoi couvrir ses épaules.

— As-tu vraiment apprécié ces deux jours ?

Voulait-il entendre une confession ? Le baiser de la veille la tiendrait sans doute encore éveillée une partie de la nuit… Mais son parent respectait son désir de s'adresser à un autre que lui.

— Oui, beaucoup.

Après une hésitation, elle ajouta :

— Cela me fait tout drôle de participer à la vie d'une famille qui n'est pas la mienne. Ils se montrent gentils les uns avec les autres, et avec moi.

Grégoire ressentit dans ces mots un reproche implicite. Ou plutôt, elle lui rappelait l'accusation de Clotilde. Il lui avait fait perdre toute chance de connaître l'expérience d'une vraie famille.

— Tu aimerais en faire partie ?

Sa tête esquissa un mouvement de haut en bas, puis tout de suite, elle se reprit, craignant de lui avoir fait de la peine :

— Bien sûr, je vous suis infiniment reconnaissante pour tout ce que vous faites pour moi. Et auparavant envers les religieuses…

— Je sais, je sais. Tout ce que je dis, c'est qu'un cadre d'existence comme celui-là te plaît.

Sophie croisa ses bras sur sa poitrine pour réprimer un frisson. Sa jolie robe blanche soulignée de dentelle la protégeait bien mal de la fraîcheur de la nuit tombante. Cette fois, Grégoire remarqua le geste de sa nièce. Il lui proposa d'entrer.

Chapitre 22

Alphonse Grégoire et sa nièce étaient revenus au presbytère largement passé neuf heures. Cédalie ne dormait probablement pas encore, mais elle ne daigna pas venir accueillir son patron. La domestique se comportait comme une épouse trahie, son départ précipité de la veille lui restait sur le cœur.

Le lendemain matin, au déjeuner, la vieille femme arrivait à peine à présenter un meilleur visage. Toutefois, si elle s'informa auprès de Sophie de sa belle excursion, sa curiosité ne s'étendit pas au curé. De son côté, Grégoire se taisait. Ses yeux allaient de son vicaire à sa nièce. Le premier la regardait à la dérobée, la seconde fixait son assiette. L'adolescente perdait son entrain en sa présence. Son oncle se rappela de nouveau les confidences du mystérieux pénitent.

Son malaise était d'autant plus grand qu'il devait convenir qu'un observateur aurait noté le même intérêt chez lui vingt ans plus tôt, lors de sa rencontre avec Clotilde. Cependant, cette jeune femme ne présentait pas le même air innocent. Au contraire, son penchant pour le jeune prêtre l'amenait à redresser son dos, à rejeter ses épaules en arrière pour faire ressortir sa poitrine.

Puis, inévitablement, ce raisonnement apparut à Grégoire comme une simple excuse, une façon d'alléger sa faute. La pensée que sa paroissienne d'alors se montrait frondeuse, aguicheuse même, lui permettait de faire porter la moitié du poids de sa propre faute sur ses épaules.

Après un déjeuner sinistre, Chicoine sortit de table en annonçant :

— Monsieur le curé, je me rends au bureau de poste pour déposer quelques lettres. Souhaitez-vous que je rapporte votre courrier ?

Grégoire eut envie de refuser, certain que son subalterne examinerait les enveloppes une à une, cherchant les adresses des expéditeurs, supputant leur contenu. Irait-il jusqu'à les mettre au-dessus du bec d'une bouilloire pour en décoller le rabat ? Puis il se reprit : sans doute jugeait-il trop sévèrement son vicaire. Sa soutane lui commandait de lui donner sa confiance.

— Bien sûr. Vous m'éviterez ainsi une marche sous le soleil.

Chicoine quitta la salle à manger. Sophie se leva, se mit à débarrasser le couvert.

— Je vais me rendre utile, Cédalie ne semble pas dans son assiette.

— Bonne idée, murmura le prêtre. Tu arriveras sans doute à lui redonner le sourire.

Sur ces mots, il gagna son bureau.

Au bureau de poste, Chicoine profita sans vergogne de la politesse des paroissiens pour passer au premier rang de la file d'attente. Même les protestants affichaient cette délicatesse. Somme toute, les prêtres s'assuraient de garder soumise la population de langue française.

— Ah ! Monsieur le vicaire, commença le commis, vous venez chercher votre malle.

— Et celle de monsieur le curé.

L'employé fronça les sourcils, indécis.

— À sa demande.

Impossible de mettre en doute la parole d'un religieux.

— Il a une lettre recommandée, vous devrez signer.

Cela, surtout, dérangeait le commis. Le paraphe devait venir du destinataire, afin de certifier qu'il avait reçu le courrier en main propre. Mais il n'osa pas refuser au vicaire de rendre service.

Bientôt, l'ecclésiastique sortait de l'immeuble fédéral. Ralentissant le pas, il examina les enveloppes une à une. Lui comme son supérieur recevaient du courrier de personnes rencontrées durant leurs études au collège et au Grand Séminaire. Des amitiés pour toute une vie. Mais dans le coin supérieur gauche de la lettre recommandée, il reconnut le sceau épiscopal.

— Ça, c'est parti avant-hier, marmotta-t-il, le jour où le curé rencontrait Sa Grandeur.

Toute l'histoire racontée par Grégoire le vendredi précédent était donc fausse. En arrivant au presbytère, il alla frapper à la porte du bureau de son supérieur.

— Vous avez reçu ça.

Il lui tendit les trois enveloppes, la lettre enregistrée sur le dessus. Grégoire remarqua son petit sourire en coin.

— Merci, Chicoine.

Son ton abrupt chassa le vicaire.

Mon cher frère en notre Seigneur,
J'apprends que la jeune fille habite toujours au presbytère.
Je veux vous voir dans les meilleurs délais.
Paul †

Cette invitation était prévisible. Si une demi-douzaine de paroissiennes avaient signalé la présence de Sophie dans la demeure, on pouvait compter sur elles pour rendre compte à l'archevêque de ce qu'il n'avait pas fait suite à ses recommandations. Cette fois, une mesure disciplinaire pendait au bout du nez du curé. Des malades ne recevraient pas la sainte communion ce lundi. Ni le lendemain.

Grégoire n'avait plus le cœur à se livrer à ses tâches habituelles. Il resta néanmoins dans son bureau toute la matinée. Un peu avant dîner, le téléphone sonna. Peut-être l'archevêque entendait-il le sommer de se présenter devant lui. Après son « allô », le curé entendit une voix féminine :

— Al, je dois te parler.

La veille, Clotilde lui avait lancé un véritable défi. Elle revenait maintenant à la charge.

— Mais pas au téléphone. Je viens à ton bureau.

— … Non, ce ne serait pas une bonne idée.

— Pas question que je retourne à Saint-Lambert.

Le ton contenait une part de provocation. Dorénavant, elle entendait écrire leur histoire.

— Pourquoi ne pas dîner ensemble ?

En émettant cette proposition, le curé imagina la colère de sa ménagère. Puis il se sentit ridicule.

— Par exemple, à l'hôtel National.

— Tu vas scandaliser tes paroissiens.

Un repas partagé avec une belle Américaine attirerait certainement l'attention. « Tant qu'à y être… »

— Je peux vivre avec ce risque.

Le ricanement à l'autre bout du fil signifiait sans doute : « Tu finiras bien par me céder. » Après s'être entendu avec Clotilde, Grégoire poussa un profond soupir, puis se rendit dans la cuisine. Sophie y était. Quand Corinne négligeait son amie, celle-ci venait profiter des enseignements de la ménagère, afin de ne pas se retrouver totalement ignorante de ses responsabilités au moment de se marier.

— Cédalie, encore une fois, je vais rater l'un de vos excellents repas.

La vieille domestique le toisa, les poings fermés posés sur ses hanches.

— Encore ? Parce qu'à midi, ce s'ra pas des restes d'hier. J'ai fait du rôti comme d'habitude. C'est pas parce que vous êtes toujours parti que j'peux arrêter de nourrir m'sieur le vicaire.

— Et je suis certain qu'il vous en est très reconnaissant.

La réponse ne réduisit en rien la colère de la cuisinière. Elle lui tourna le dos pour s'occuper de ses tâches.

— Vous serez là pour le souper, mon oncle ? s'enquit Sophie.

Une pointe d'inquiétude marquait sa voix. Il devina que l'idée d'un second repas en tête-à-tête avec Chicoine dans la même journée ne lui disait rien.

— Certainement. Considère qu'il s'agit d'un rendez-vous.

Sur ces mots, il sortit.

Plus Grégoire approchait de l'hôtel National, plus l'excitation montait en lui. Heureusement, une soutane s'avérait un vêtement idéal pour dissimuler une mauvaise pensée. En pénétrant dans l'entrée de la salle à manger, il constata l'absence de Clotilde. Évidemment, aucune femme ne se contentait de décrocher son chapeau pour se rendre directement à un rendez-vous.

— Monsieur le curé, vous voulez dîner ici ? demanda un employé.

— À la longue, la cuisine du presbytère peut lasser.

— … Vous verrez, vous ne serez pas déçu.

Le maître d'hôtel le conduisit à une table. En s'y installant, l'ecclésiastique précisa :

— Quelqu'un me rejoindra.

L'autre hocha la tête, puis retourna à son travail.

Clotilde Serre – le patronyme Donahue et le diminutif Tilda ne concernaient pas Alphonse – arriva une bonne demi-heure plus tard, comme il convenait pour une jolie femme soucieuse de se présenter à son meilleur. Dans sa robe rouge, avec son large chapeau assorti, elle avait dû attirer tous les regards sur son passage.

Le curé se leva pour l'accueillir, il accepta la main tendue.

— Décidément, tu défies toutes les conventions, dit-elle.

Son sourire moqueur témoignait de sa conviction d'avoir remporté la victoire. Un curé se montrant ainsi en public avec une étrangère deviendrait le sujet de conversation de tous les bons catholiques de la ville. Bientôt, ce comportement ne paraîtrait plus convenir à la fonction de curé.

— Tu n'as pas eu envie de mettre ton vieux veston ?

Elle était résolue à pousser son avantage.

— D'abord, nous pourrions nous asseoir, nous sommes le point de mire.

Son ton bourru amena la femme à faire preuve d'une plus grande délicatesse.

— Je ne voulais pas te mettre de mauvaise humeur.

— Dans cette ville, me présenter dans un endroit public sans ma soutane porterait plus à scandale que de la porter. Là, les meilleures âmes croiront que je veux convertir une mécréante.

— Et les pires, que tu t'es entichée de la mécréante.

Elle espérait qu'il admette : « Voilà qui correspond plus à la réalité. » Si les événements du samedi et du dimanche précédents témoignaient éloquemment de l'existence d'un désir toujours vivant, tous deux avaient pris soin d'éviter précautionneusement le sujet de leurs sentiments respectifs. De toute façon, englué dans sa culpabilité, Grégoire avait bien du mal à clarifier les siens.

L'arrivée du serveur permit de mettre fin à un échange qui ne les conduirait nulle part. Après son départ, Clotilde murmura timidement :

— Je voulais te proposer de nous asseoir avec Sophie et de lui expliquer la situation.

Clotilde souhaitait redéfinir au plus tôt sa place dans la vie de la jeune fille. Ces rencontres où cette dernière l'appelait « madame » lui avaient donné envie de hurler la vérité. Et la présence du prêtre rassurerait l'adolescente.

— … Je ne sais pas. Tu imagines combien elle sera bouleversée ! Nous lui mentons depuis sa naissance.

— Toi, tu lui mens depuis sa naissance. Pas moi. Je n'ai eu aucune participation dans la conception de ton scénario. Cela ressemble à un mauvais feuilleton français.

Dans les romans populaires, les histoires d'orphelines faisaient recette. Les meilleures se concluaient généralement par la découverte d'un parent noble. Un héritage et souvent un mariage très avantageux résultaient de la mise au jour de la vérité. Dans le cas de Sophie, découvrir que son père était le curé ferait éclater toutes ses certitudes.

— Tu peux me reprocher mes décisions pendant l'éternité, cela ne changera rien à la situation.

— Cesser de mentir représentera déjà un progrès.

Grégoire imaginait la scène. La discussion devrait se dérouler dans un endroit clos, sans témoin, à cause des débordements d'émotions inévitables.

— Je me demande… ce qu'elle peut comprendre des rapports entre un homme et une femme, et des risques d'une naissance hors mariage.

— Tu es sérieux?

— Crois-tu que je pouvais aborder le sujet? Ou que les religieuses l'aient fait?

Au moins la moitié des jeunes filles affrontaient leur nuit de noces avec une seule recommandation venue de leur mère: «Laisse-toi faire.» Les plus attentionnées ajoutaient: «Ça ne durera pas longtemps.» Évidemment, à la campagne, et même à la ville, l'observation des animaux procurait quelques idées sur le cours des choses. Cela sans compter les confidences murmurées entre amies, en collant sa paume sur la bouche.

— Seigneur! Qu'imagine-t-elle? Les bébés sous les feuilles de choux, ou alors apportés par des cigognes? s'indigna Clotilde.

Pourtant, elle n'en savait guère plus lors de sa première rencontre avec l'abbé Grégoire.

— Je ne sais pas. Jamais je n'en ai discuté avec elle.

— Pourtant, qui est mieux informé qu'un curé?

De nouveau, Clotilde utilisait son ton sarcastique. Elle avait raison. La succession des pénitents dans les confessionnaux informait les prêtres de tous les désirs humains, même les plus pervers. Cela augmentait le risque qu'ils rompent leurs vœux.

— Alors, ma présence est d'autant plus essentielle, reprit Clotilde.

— S'il te plaît, pas tout de suite.

Elle s'apprêtait à protester, mais l'inquiétude sur le visage de son interlocuteur la retint. Un long moment, ils s'intéressèrent à leur repas. Puis elle demanda:

— Que se passe-t-il? Tu parais anxieux.

Impossible de lui confier : «Mon archevêque me lance un ultimatum au sujet de Sophie.»

— Tu me mets au pied du mur.

— Je l'ai été aussi, en mon temps.

Dans une situation désespérée, Clotilde s'était fait imposer une décision «raisonnable». Sa compassion pour son amant demeurait limitée. Comme il l'avait fait en 1889, à la naissance de Sophie, aujourd'hui, elle lui forçait la main.

— J'ai fait pour le mieux, sincèrement. Le mieux pour nous deux. Tu me dis aujourd'hui que j'ai mal fait, mais alors, tu ne réclamais pas de la garder avec toi.

«Parce que j'étais seule, songea-t-elle. Le père n'a jamais proposé qu'il en soit autrement.»

— Tu sais pourquoi.

— Donne-moi quelques jours encore.

— Quelques jours, pas plus.

Son regard bleu se fixa dans le sien. Le curé y lut sa détermination. Toutefois, il tenait à entendre son archevêque avant de décider de la marche à suivre.

De retour au presbytère, le curé Grégoire était perplexe. Une nouvelle fois, il devait annoncer son départ pour Montréal le lendemain matin. Cédalie allait faire son petit numéro d'épouse négligée. La scène l'amuserait. Mais l'idée de laisser Sophie seule avec Chicoine l'ennuyait.

En toute honnêteté, il craignait davantage les initiatives de Clotilde en son absence que les regards troubles de son vicaire. Quand il entendit la jeune fille dans l'entrée, il ouvrit la porte de son bureau pour l'interpeller :

— Veux-tu venir me voir un instant?

— Oui, bien sûr, mon oncle.

Quand elle fut assise sur la chaise réservée aux visiteurs, il enchaîna :

— Tu arrives de chez les Turgeon ?

— Oui… Je ne devrais pas ?

— Au contraire, si tout le monde là-bas semble se réjouir de ta présence.

Le prêtre reconnaissait que l'accueil de la famille du médecin était opportun.

— Je voulais simplement te demander de m'accompagner à Montréal.

— À Montréal ?

Ce serait sa deuxième visite dans la grande ville au cours de sa courte vie.

— Oui, bien sûr !

— Nous partirons demain matin, pour revenir mercredi.

— Nous coucherons là-bas ?

— À l'hôtel. Je nous réserverai des chambres communicantes.

La précision visait à la rassurer. Un instant, la jeune fille eut envie d'inviter Corinne. Elle se sentirait moins embarrassée d'avoir accompagné les Turgeon à l'île Saint-Amour. Toutefois, imposer une seconde présence féminine, celle-là sans lien de parenté avec le prêtre, lui parut inconvenant.

Du bruit venait déjà de la salle à manger. Grégoire consulta la pendule posée sur une table : ce serait bientôt le souper.

— Je vais aider Cédalie, s'excusa Sophie en se levant.

À table, personne ne parla. La cohabitation devenait de plus en plus difficile, surtout à cause de la méfiance du curé à l'égard de son vicaire. Le patron profita de la présence de la vieille cuisinière dans la pièce, alors qu'elle servait le plat principal, pour annoncer :

— Mademoiselle, demain je dois me rendre à l'arche-vêché de Montréal, pour ne revenir qu'après-demain.

— Encore?

La ménagère posait de nouveau les poings sur les hanches, un air sévère sur le visage.

— Que voulez-vous, ma présence là-bas paraît devenir essentielle.

Son ironie n'échappa pas à son vicaire.

— Toujours pour parler de la scission de la paroisse? s'informa-t-il.

L'actuelle paroisse s'étendait à tout le territoire de Douceville, mais ce ne serait plus le cas bien longtemps, la population ayant beaucoup augmenté depuis dix ans.

— Parmi d'autres sujets, oui.

«Je deviens un menteur redoutable», se dit le prêtre. Puis tout de suite il se reprit: «Non, je l'ai toujours été. Au moins depuis ma première rencontre avec Clotilde.» Cédalie s'alarma.

— Y veut pas vous nommer ailleurs, toujours?

— L'archevêque est libre de prendre ces décisions à sa guise. Et il nous revient d'obéir.

Cependant, surtout dans les cures les plus riches, les titulaires pouvaient demeurer des décennies en poste, à moins que leur supérieur ne veuille les punir. Si la vérité finissait par éclater, ou plutôt quand elle éclaterait, les deux personnes qui cohabitaient avec le curé seraient ébahies.

Quand l'abbé Grégoire arriva sur le quai de la gare avec Sophie, les quelques paroissiens présents le saluèrent sans y mettre trop d'enthousiasme. Non seulement cette jeune femme habitait au presbytère, mais il se montrait en public en sa compagnie. Monseigneur Bruchési collectionnait peut-être encore des lettres anonymes sur cette situation scandaleuse. L'arrivée du train écourta le malaise du curé.

Heureusement, les autres Doucevilliens montaient en deuxième classe, aussi le couple improbable échapperait aux regards inquisiteurs en première. Seuls dans leur compartiment, ils s'assirent l'un en face de l'autre.

— Peut-être pourrons-nous aller voir une vue animée, suggéra l'adolescente avec entrain.

La traduction de *moving picture* ne s'imposait pas toujours. Les gens parlaient habituellement de « vue », tout simplement.

— Tu sais, avec cet habit-là sur le dos, cela ferait jaser.

« Je m'inquiète d'être surpris dans un théâtre. Si la pauvre savait… » Lui dire la vérité l'effrayait tellement, après toutes ces années de mensonge. D'autant que ce serait admettre avoir vécu sans respecter les préceptes qu'il enseignait aux autres. Encore deux ans plus tôt, elle se confessait à lui, gênée de lui avouer ses petits émois. Et il lui donnait un *Je vous salue Marie* en guise de pénitence. Quel hypocrite il faisait !

— Oh ! Pardon de l'avoir proposé.

Un bref instant, il eut envie de lui dire : « J'ai un habit laïc dans mon sac, je l'enfilerai à l'hôtel et nous irons. » Il n'osa pas.

— Tu n'as pas à demander pardon. Cela ferait une drôle d'impression, toutefois.

Elle hocha gravement la tête.

— Je te promets que nous mangerons dans un bon restaurant, ce soir.

Le partage d'un repas lui semblait moins porter à scandale que la vue d'un film assis côte à côte dans une salle obscure. La proposition lui valut l'esquisse d'un sourire.

De nouveau, Sophie Deslauriers aima la belle gare Bonaventure. En matinée, les voyageurs étaient nombreux. La soutane avait pour effet d'amener les gens à s'écarter de son chemin. L'adolescente suivait de près son oncle, se laissant remorquer, en quelque sorte.

Dehors, les badauds laissèrent leur place dans la file d'attente pour leur permettre de monter dans un fiacre. Le prêtre tendit la main pour aider la jeune fille, déposa les deux petits sacs de voyage à ses pieds puis grimpa à son tour.

— À l'archevêché, commanda-t-il au cocher qui se tournait à demi dans leur direction.

— On y va, m'sieur le curé.

En tirant sur les guides du côté gauche, le bonhomme incita le cheval à quitter la bordure du chemin, puis il l'encouragea à trotter avec des claquements de la langue.

— La p'tite demoiselle veut s'marier ?

Le cocher faisait référence aux motifs qui pouvaient pousser une personne de moins de vingt ans à se présenter devant Sa Grandeur monseigneur l'archevêque en compagnie de son curé. L'idée de la demande d'une dispense lui venait tout naturellement.

— Peut-être veut-elle devenir religieuse, répliqua Grégoire d'un ton froid.

— En v'là du gaspillage, commenta le vieil homme.

Il rendait ainsi hommage à la beauté de sa passagère. Celle-ci le comprit bien, et un peu de rose monta à ses joues.

Ils arrivèrent rapidement devant le palais épiscopal. Impressionnée, Sophie le contempla depuis le trottoir.

— Je peux attendre ici, chuchota-t-elle. Ou alors aller prier dans la cathédrale.

— Tu ne l'as jamais vue, n'est-ce pas? Nous pourrons nous y arrêter une minute tout à l'heure. Mais pour l'instant, tu patienteras dans l'antichambre.

Sur ces mots, l'ecclésiastique prit les devants. Une nouvelle fois, un chanoine les reçut. L'adolescente attira des regards appuyés de la part des religieux croisés dans les couloirs, moins intéressés qu'hostiles. Le diable voulait sans doute les induire en tentation en leur présentant cette jolie créature.

Monseigneur Paul Bruchési avait donné des ordres et le curé fut reçu aussitôt. Avant d'entrer, en fixant un jeune abbé, il suggéra:

— Vous pourrez certainement offrir du café à cette jeune personne.

— J'avertis sœur Marie-des-Anges de sa présence.

Le service domestique était assuré par des religieuses dans de nombreux presbytères, comme dans les palais épiscopaux. Quelques minutes plus tard, l'une d'elles venait s'enquérir des besoins de la visiteuse.

Dans le bureau de l'archevêque, l'accueil fut plus frais que la fois précédente. Le prélat lui désigna la chaise devant sa table de travail. Il le regardait par-dessus ses lunettes aux montures métalliques, une certaine colère dans les yeux.

— Attendez-vous que tous les habitants de Douceville m'écrivent, avant d'obéir à ma recommandation?

Le mot «commandement» aurait été plus exact.

— Vous avez reçu d'autres lettres anonymes?

— Pas toutes anonymes. Et quand quelqu'un met son nom en bas d'une missive adressée à son évêque, il s'attend à une réponse.

Parmi ces personnes se comptaient certainement quelques notables. Même en se comportant avec prudence, un curé finissait par heurter l'un ou l'autre de ses paroissiens. Parmi les raisons, le thé dansant figurait probablement en tête de liste.

— Je ne vous les montre pas, mais vous pouvez me croire sur parole.

— Dieu me garde de douter de vous.

La formule contenait tout de même une pointe de défi.

— Alors ?

L'archevêque lui demandait de rendre des comptes.

— Je ne peux pas l'envoyer vivre chez des étrangers. Une jeune fille comme elle a besoin de surveillance.

— Une jeune femme, pas une jeune fille. Avec deux prêtres.

— … J'aimerais vous la présenter. Elle est juste à côté.

Bruchési leva les sourcils, interloqué.

— Je lui ai demandé de m'accompagner. Vous verrez, il s'agit d'une jeune personne irréprochable.

Grégoire se leva à demi pour aller la chercher. Timide et si facilement rougissante, Sophie paraîtrait l'image même de la modestie féminine.

— Tout à l'heure peut-être, quand vous partirez, le freina l'archevêque, et le curé se rassit. Vous devriez profiter de sa présence pour la confier à un couvent. Choisissez la congrégation, j'interviendrai pour lui faire une place.

— Elle n'a pas la vocation.

L'archevêque eut un geste de la main pour chasser l'argument, comme si l'avis de la jeune fille dans ce domaine pesait bien peu.

— Comme pensionnaire. Tenez, elle pourrait même terminer ses études, des religieuses de la Congrégation de

Notre-Dame entendent permettre à certaines de leurs élèves de faire leurs humanités jusqu'au diplôme de baccalauréat.

Le ton du prélat laissait croire que l'initiative ne lui agréait pas tout à fait.

— Je ne voudrais pas l'éloigner de moi.

Bruchési enleva ses lunettes pour les poser sur son pupitre. La prochaine répartie serait celle mentionnant les sanctions.

— Si vous insistez, je pourrais la mettre en pension à Douceville.

En disant ces mots, tout de suite lui vint en tête l'image de l'établissement où habitait Clotilde. Ce serait combler sa maîtresse. Délia Turgeon représentait une meilleure solution. L'idée ne lui parut toutefois pas réalisable. L'épouse du médecin ne désirait certainement pas se transformer en logeuse.

— Vous auriez dû le faire il y a plusieurs semaines.

— … Je vous demande pardon. Ma négligence peut être attribuée à ma santé défaillante.

Il avait parlé sans réfléchir. Une fois les mots prononcés, ils lui parurent pleins de bon sens.

— Vous êtes malade ?

Bruchési le scrutait maintenant, cherchant sur son visage les marques de son état.

— Les poumons, selon le docteur Turgeon.

La tuberculose sévissait de façon endémique dans la province. Le prêtre imaginait que le praticien accepterait de rédiger un diagnostic en ce sens, si jamais son supérieur exigeait la preuve de sa condition. Grégoire continua, inspiré :

— Je risque de vous demander la permission de m'absenter pendant un moment. Si le docteur me recommande de me mettre au frais.

L'archevêque réfléchit. Une telle situation se produisait parfois.

— Si vous en venez là, votre vicaire pourra prendre la relève.

Après une pause, le prélat ajouta :

— Pour un temps assez bref, je veux dire.

Devant une absence prolongée, des collègues réclameraient d'obtenir cette cure riche et sans grands défis.

— Monseigneur, je n'avais pas prévu d'aborder le sujet, mais je dois me montrer honnête. Deux ou trois paroissiens sont venus me voir pour se plaindre de l'abbé Chicoine.

Grégoire signalait de cette manière les craintes de Sophie et la confession d'un mystérieux pénitent. Son interlocuteur fronça les sourcils.

— Des jeunes femmes se plaignent de ses attentions.

Vague à souhait, l'accusation laissa l'archevêque muet un moment. Puis, il murmura :

— Et vous résistez à l'idée de placer votre nièce en pension.

La répartie convainquit Grégoire que Bruchési n'entendait pas une allusion de ce genre pour la première fois. Le contenu des lettres anonymes s'avérait peut-être plus varié qu'il ne le pensait. Après un temps, l'archevêque conclut :

— D'ici dimanche, cette demoiselle devra aller vivre ailleurs.

— Je vous le promets, monseigneur. Voulez-vous lui dire un mot ?

Le prélat acquiesça et se leva. Dans l'antichambre, ils trouvèrent Sophie assise sur une chaise rembourrée, un verre d'eau à la main. Les joues cramoisies, elle se leva précipitamment en murmurant :

— Monseigneur.

— Mademoiselle… Deslauriers, c'est ça ? Votre oncle m'a parlé de vous.

Il tendait la main afin que l'adolescente embrasse son anneau.

— Acceptez-vous de nous bénir, Votre Grandeur ? demanda Grégoire.

L'instant suivant, le curé et Sophie s'agenouillèrent. Quand ils quittèrent les lieux, Paul Bruchési paraissait un peu rasséréné. Son curé se soumettait enfin.

Chapitre 23

En quittant le palais épiscopal, leur petit sac de voyage à la main, Sophie et le curé Grégoire prirent la direction de la cathédrale toute proche, inaugurée en 1894. La façade était achevée depuis trois ans seulement. Six grandes colonnes l'ornaient, et sur le toit s'alignaient les statues des treize saints patrons des paroisses de Montréal.

— La forme reprend celle de Saint-Pierre de Rome, expliqua le prêtre, mais le bâtiment est quatre ou cinq fois plus petit.

— Je n'ai jamais rien vu d'aussi splendide et grandiose.

— Viens à l'intérieur.

En entrant, le curé Grégoire se souvint de sa précédente visite, surtout du moment où il avait quitté le confessionnal sans attendre l'absolution. Sophie, elle, tenait la tête rejetée en arrière pour contempler le plafond en demi-cylindre, richement décoré. Le baldaquin au-dessus de l'autel reprenait celui de la basilique romaine.

Ensuite, ils revinrent sur le trottoir du boulevard Dorchester.

— Nous devons nous rendre dans un hôtel de la rue Sherbrooke, tout près de la rue Saint-Denis. Alors, nous ferons une nouvelle balade en fiacre.

Dans une voie aussi passante, leur attente dura moins de trois minutes. Le petit hôtel présentait une jolie façade en pierre grise. Le bâtiment rappela au prêtre l'établissement de l'ouest de la ville où il avait passé vingt-quatre heures avec Clotilde. Le souvenir lui suscita une érection instantanée. Son engagement au célibat et, en conséquence, à l'abstinence – le neuvième commandement de Dieu précisait bien *Œuvre de chair ne désireras qu'en mariage seulement* – ne résistait pas à cette maîtresse revenue du passé.

Grégoire prit les deux clés au comptoir après avoir payé la location, puis il guida l'adolescente vers l'escalier.

— Nous logeons à l'étage. J'ai demandé des pièces donnant sur l'arrière, cette rue doit être un peu bruyante la nuit, avec tous les étudiants dans ce quartier.

Sur le palier, le curé commença par ouvrir la porte d'une petite chambre, puis il remit la clé à sa nièce. Un lit étroit pouvait accueillir une personne. Sur une petite commode, un grand plat de porcelaine et un pot d'eau permettaient quelques ablutions. Une chaise complétait l'ameublement.

— C'est un peu limité comme aménagement, mais si cela peut te consoler, la mienne ne sera pas mieux.

— Comparée à ma chambre dans le dortoir du couvent, c'est le grand luxe.

— Content que tu aimes. Les toilettes sont dans le couloir.

Sophie grimaça à l'idée de se rendre là, surtout si la nature l'y appelait en pleine nuit.

— Tu vois, ma propre chambre est juste à côté.

Il ouvrit une porte accédant à une pièce à peu près identique à la première, excepté le lit double.

— Regarde, tu mettras le verrou de ton côté.

Il actionna le mécanisme pour lui montrer comment, puis continua :

— Nous nous rejoindrons en bas, dans l'entrée, dans une quinzaine de minutes pour aller manger. Il est déjà passé midi.

Après s'être rafraîchis, tous deux sortirent ensemble de l'établissement.

Dans la rue Saint-Denis, le grand immeuble de l'Université Laval à Montréal retint un instant l'attention de Sophie.

— Dans quelques années, Georges étudiera sans doute à cet endroit.

— S'il veut apprendre la médecine, il ne pourra y échapper. À moins de s'inscrire à McGill. Mais alors, les projets de ce garçon t'intéressent ?

La remarque amusée fit rosir les joues de la jeune fille.

— Puisque c'est le frère de Corinne, je peux le considérer aussi un peu comme mon ami, n'est-ce pas ?

— Évidemment.

Comment quelqu'un pouvait-il suggérer sérieusement de mettre cette fille en pension dans un couvent ? Malgré, ou à cause de son trouble évident à toute allusion à un garçon, sa vocation ne faisait aucun doute : il s'agissait du mariage.

Pendant qu'ils marchaient, quelques garçons saluèrent le curieux couple d'une inclination de la tête et d'un geste pour toucher le bord de leur chapeau de paille. Si un porteur de soutane suscitait ce genre d'attention de la part des aînés, les plus jeunes gardaient les yeux sur la jolie fille. Bientôt, ils atteignirent l'intersection de la rue Sainte-Catherine.

— Tout à l'heure, nous irons au magasin Dupuis Frères, mais pour tout de suite, pourquoi ne pas manger dans ce restaurant ?

Sophie acquiesça d'autant plus facilement que ce serait seulement sa deuxième visite dans un tel commerce. Une fois assise, elle remarqua :

— Je veux bien vous accompagner dans ce magasin, mais je n'ai besoin de rien. Vous avez été tellement généreux avant la remise des prix de fin d'études.

— Je suis prêt à investir pour que tu sois à ton avantage. Tu as vu les regards de ces étudiants, tout à l'heure…

— Mon oncle !

Si le commentaire la gênait, elle ne pouvait cacher son plaisir.

Ils quittèrent le magasin Dupuis Frères avec un grand sac. Comme la température demeurait clémente, et qu'ils ne souperaient pas avant deux bonnes heures, ils parcoururent les allées ombragées du carré Viger et s'installèrent sur un banc pour profiter de la musique d'un orchestre aux uniformes chamarrés. En fin d'après-midi, le nombre des badauds augmenta au gré de la sortie des travailleurs des manufactures, des boutiques et des bureaux des environs. De nouveau, de jeunes hommes émirent des salutations polies destinées surtout à Sophie.

À six heures, le curé suggéra qu'ils aillent manger à l'hôtel Viger. Après la visite d'un temple destiné à Dieu en matinée, ce serait celle d'un temple dédié au progrès en soirée : l'établissement était construit au-dessus de la gare de chemin de fer, le moyen de transport responsable de tous les progrès. Les chandeliers de cristal, les nombreuses ampoules électriques, la vaisselle de porcelaine, les linges de table brodés : tout cela tournait la tête de la jeune fille. Quand ils partirent, Alphonse Grégoire leva le bras pour attirer l'attention du troisième cocher de la journée. La fraîcheur du soir et la distance de leur logis justifiaient ce petit luxe.

Alors qu'ils entraient chacun dans leur chambre, le curé lança :

— Peux-tu venir me retrouver dans quelques minutes ? J'aimerais te parler un peu.

— Je vous ai déçu ?

— Ça, ce serait impossible, la rassura-t-il avec un sourire.

Un peu penaud, il se réfugia chez lui. Cette explication lui semblait absolument nécessaire. Son malaise n'en était pas moins grand.

Les deux petits coups contre la porte communicante entre les deux chambres le firent sursauter. Il alla ouvrir, pour découvrir Sophie très intimidée.

— Entre, et viens t'asseoir.

Le curé avait mis deux chaises l'une en face de l'autre. Sur la commode, une petite bouteille – un flasque – de cognac et deux verres pleins attirèrent l'attention de l'adolescente.

— Je t'ai versé une goutte de boisson.

Même si Sophie n'avait jamais goûté d'alcool, elle comprenait que ce genre de précaution accompagnait d'habitude une très mauvaise nouvelle. Son refus s'exprima par un mouvement de la tête de droite à gauche.

— Moi, je ne me priverai pas du mien.

Il avala son verre d'un trait, s'assit à son tour, chercha ses mots. Mais aucune précaution ne viendrait alléger l'annonce d'une tromperie aussi longue que la vie de son interlocutrice.

— Sophie, je… je ne suis pas ton oncle.

Le visage de la jeune fille demeura impassible, comme si elle ne comprenait pas.

— Je suis ton père.

Le silence s'allongea pendant de longues secondes. Puis, elle prononça d'une voix blanche :

— C'est impossible. Vous êtes un prêtre.

Grégoire prit une grande inspiration. Pouvait-elle tout, mais absolument tout ignorer des mystères de la vie ?

— Les prêtres sont aussi des hommes, sujets aux mêmes tentations que tous les autres.

« Comme l'abbé Chicoine », songea Sophie. Pendant un instant, elle imagina son oncle – il lui faudrait du temps pour parvenir à le percevoir autrement – confessant des jeunes filles. L'image lui répugnait.

— Tu me disais trouver une ressemblance entre toi et Clotilde… Je veux dire Tilda Donahue. Elle est ta mère.

La jeune fille gardait ses mains dans son giron. Son émotion l'amenait à se tordre les doigts. Grégoire décida de se taire, pour lui permettre de bien comprendre la situation. Elle finit par réussir à articuler :

— Alors… elle m'a abandonnée.

Quelle tare l'affligeait, pour connaître pareil rejet ? Grégoire devina où la conduisaient ses réflexions.

— Ne la juge pas. Une célibataire qui donne naissance à un enfant est mise au ban de la société. Si on l'avait appris, personne ne l'aurait reçue dans son salon. Elle aurait été incapable de trouver un mari. Pour une femme, la mort vaut mieux qu'un tel déshonneur.

À mots couverts, les religieuses, les prêtres lors des sermons et des retraites fermées, et même l'abbé Chicoine dans ses envolées sur la chasteté multipliaient les avertissements en ce sens.

— Vous êtes un curé.

Grégoire se leva pour se rendre à la commode et se verser un autre cognac.

— Tu es certaine de ne pas en vouloir?

Elle refusa encore d'un signe de la tête. Alors, il enfila son verre. Il se sentit légèrement ivre.

— Tu es une grande fille maintenant, tu peux comprendre.

Pourtant, la plupart des pénitentes de son âge n'auraient rien compris à ce genre de situation. Pour celles-ci, ces événements ne se concevaient même pas.

— Personnellement, j'aurais attendu avant de te le dire.

Sa résolution avait été de ne jamais aborder ce sujet, surtout à cause de sa crainte de se présenter comme un pécheur aux yeux de la jeune fille.

— Mais Clotilde... ta mère ne pouvait plus supporter de ne pas te connaître. C'est à la fois une loi de la nature et celle du bon Dieu, que les femmes aiment leurs enfants plus qu'elles-mêmes.

De nouveau, Sophie secoua la tête.

— Elle m'a abandonnée... pour garder intacte sa réputation.

— Aussi pour t'éviter la plus grande misère. De mon côté, je pouvais m'occuper de toi.

L'affirmation l'embarrassait cependant. Ses soins s'étaient limités à payer quelqu'un pour les donner : une dame à Lowell, les religieuses à Douceville.

— Je ne pouvais pas t'abandonner. Dès que je t'ai vue, je savais que je serais incapable de te confier à un orphelinat.

Ces institutions avaient la réputation de lieux horribles où mourait un enfant sur deux.

— Et votre vœu de chasteté?

— Peut-être est-ce impossible de rester chaste. On ne peut pas toujours endiguer l'amour.

«Ou le désir», se dit le prêtre. Les deux se confondaient-ils à coup sûr?

— Tu sais, quand je l'ai rencontrée...

Sophie ne voulait rien entendre de cela. Elle se leva pour se précipiter vers la porte et fuir dans sa chambre. L'homme entendit le verrou. Il résista à l'idée de frapper contre l'huis, de crier à travers le bois pour ramener la jeune fille à de meilleurs sentiments.

Sophie se jeta sur le ventre en travers de son lit. Des sanglots agitaient ses épaules. De couventine orpheline, elle passait au statut de bâtarde. Déjà, Chicoine, dont la présence seule suffisait à la déranger, lui paraissait être un satyre. Et maintenant son oncle… Non, son père.

Quand il avait rencontré Tilda… Elle se reprit : Clotilde. À ce moment, quel âge avait cette femme ? À ses traits et sa silhouette, elle ne lui donnait pas quarante ans. Son oncle… non, son père avait séduit une fille de moins de vingt ans. Tout dans sa vie était faux. Les enseignements du curé, ceux des religieuses, de toute l'Église en fait, masquaient des turpitudes de porteurs de soutane.

— Je m'appelle Grégoire ! ragea-t-elle dans son oreiller.

Son… cet homme avait-il seulement eu une sœur portant le nom de Deslauriers ? Même son certificat de naissance était faux. Maintenant, elle se sentait seule. Une mère totalement inconnue, pécheresse de surcroît, et un père trahissant son engagement au célibat ne constituaient pas une famille acceptable.

Finalement, Sophie ne connut pas une seule minute de sommeil de toute la nuit. À la tristesse alternait la colère dans son esprit. Quand la lumière se mit à blanchir le rectangle de l'étroite fenêtre, la jeune fille sortit de sa torpeur. Elle se sentait incapable de faire de nouveau face à ce menteur, mais il n'existait personne d'autre dans sa vie.

Cette mère qu'elle se découvrait demeurait une parfaite inconnue. Surtout, son premier geste envers elle avait été un abandon. Comment pourrait-elle jamais lui faire confiance ?

Quand des bruits s'élevèrent dans le corridor, Sophie se leva pour prendre la fuite. Elle portait sa robe depuis le matin précédent, mais le cœur lui manquait pour en changer. Le sac de Dupuis Frères traînait toujours sur la chaise, dans un coin. Peu désireuse de devoir quoi que ce soit au curé, elle le laissa là. Mais sa réaction frôlait le ridicule : tous ses vêtements venaient de Grégoire. Même ses vieux uniformes scolaires devenus trop petits. À moins de se promener flambant nue, impossible de ne pas dépendre de ses largesses.

Sa valise à la main, Sophie quitta sa chambre pour se diriger vers la salle de bain. Heureusement, personne ne l'occupait. Quelques minutes plus tard, elle mettait les pieds sur le trottoir.

Cependant, le problème demeurait entier. Seule au monde, désargentée, sa fortune se limitant aux quelques quelques dollars reçus de son oncle… de son père le jour du thé dansant, maintenant sans logis, que faire ?

Son instinct la ramenait à Douceville. Le trajet effectué la veille en fiacre lui demeurait inconnu. Son premier réflexe fut d'arrêter une passante.

— Madame, pouvez-vous m'indiquer le chemin de la gare Bonaventure ? la pria-t-elle.

— J'sais pas trop. J'vas jamais dans ce boutte-là.

Comme la jeune fille paraissait désemparée, la dame ajouta :

— Vous pouvez toujours descendre Saint-Denis, là, et tourner à drette su' Sainte-Catherine. Pis quand vous s'rez chez les Anglais, vous d'manderez encore vot' chemin.

Ces renseignements ne parurent pas limpides à Sophie, mais il ne lui restait qu'à dire merci. Comme il fallait descendre Saint-Denis, elle suivit la pente. La rue des grands magasins étalait une multitude de vitrines, mais son humeur ne la disposait pas à s'intéresser aux colifichets féminins. Elle pensa à héler un fiacre, mais la perspective de monter seule dans une voiture conduite par un homme la retint. Le tramway lui offrait une autre solution certainement moins coûteuse, mais tous ces gens qui se précipitaient à chaque arrêt l'effrayaient.

Dans l'ouest de la ville, en traversant une troisième rue portant un nom anglais, elle dut se résoudre à s'adresser à un inconnu pour demander son chemin. Son instinct la portait à arrêter une femme, mais deux d'entre elles ne comprenaient rien au français, et les leçons d'anglais reçues au couvent ne lui suffisaient guère pour se faire comprendre. La seconde fois, un homme, peut-être malintentionné, prit sur lui d'intervenir :

— Vous cherchez la gare ? C'est un peu plus loin à l'ouest, et au sud. Je vais vous guider.

Il se pencha pour lui prendre son sac des mains. Sophie s'y accrocha comme un naufragé à une bouée de sauvetage. Sa réaction amusa l'individu.

— Je ne veux pas vous le voler, mais vous paraissez si fatiguée.

Il disait vrai. Partie sans avoir mangé, la distance parcourue l'avait épuisée.

— Donnez-moi la direction, si vous la connaissez. Je peux me débrouiller avec le reste.

En entendant son ton, au bord de la panique, le passant s'empressa de lui donner des renseignements précis. Une quarantaine de minutes plus tard, l'adolescente arrivait devant le bel édifice victorien de la gare Bonaventure.

Alphonse Grégoire ne dormit pas vraiment mieux que sa fille, mais, par délicatesse, il n'essaya pas de lui parler avant sept heures trente. Quand il se décida à frapper contre la porte séparant les deux chambres, aucune réponse ne lui parvint. Des coups portés plus fort tout en répétant « Sophie, Sophie » n'obtinrent pas de meilleur résultat.

— Peut-être est-elle dans la salle de bain.

Quand il frappa contre cette seconde porte, une réponse masculine et très bourrue lui parvint :

— Y a quequ'un.

De nouveau, le curé revint à la porte de la chambre, en vain. Un bref instant, il l'imagina pendue, puis s'en voulut de la croire capable d'un tel acte. Descendu dans l'entrée, le prêtre attendit que des clients rendent leur clé avant de demander :

— La jeune fille... ma nièce a-t-elle quitté sa chambre ?

L'employé lui jeta un regard interrogateur :

— Elle a remis ses clés il y a une trentaine de minutes.

De surprise, le réceptionniste parut devenir soupçonneux.

— Où ai-je la tête ? fit le curé. Évidemment, je savais qu'elle devait partir très tôt. Pouvez-vous me prêter sa clé ? Je veux m'assurer qu'elle n'a rien oublié en partant.

Le client ayant payé les deux chambres, le commis se sentit autorisé à la lui remettre. Peu après, Grégoire entra dans la petite pièce pour apercevoir le sac de Dupuis Frères.

— Maintenant, elle me déteste.

L'abandon de l'un de ses présents ne s'expliquait pas autrement. Il ouvrit la porte communicante pour mettre tous ses effets dans sa valise, puis sortit à son tour.

— Pouvez-vous téléphoner pour me commander un fiacre ?

— Nous n'avons pas le téléphone, mais il en passe régulièrement devant la porte.

Régulièrement ne voulait pas dire fréquemment, dans le vocabulaire du concierge. Une voiture s'arrêta plus de trente minutes plus tard.

Le curé avait gardé les deux billets de retour dans son portefeuille la veille, aussi Sophie devait en acheter un autre pour retourner à Douceville. Un moment, elle se tint dans l'entrée du restaurant. Les odeurs de viande et d'œufs cuits dans la poêle lui rappelèrent que son dernier repas datait de la veille. La modestie de ses moyens et l'obligation de prendre bientôt le train l'empêchèrent de se sustenter.

Pourtant, son souci d'économie ne l'amena pas à se priver de voyager en première classe. Elle se rappelait que Délia Turgeon avait fait ce choix pour éviter l'attention trop insistante des voyageurs. Ses frayeurs de couventine l'habitaient. Dans le wagon, l'adolescente trouva un compartiment déjà occupé par deux femmes. Les efforts des passagères pour entamer la conversation avec elle demeurèrent vains.

La décision de Sophie de retourner seule à Douceville avait pour mobile son désir de rejoindre un environnement connu. Mais qu'y ferait-elle maintenant ? Pendant la moitié du trajet, la jeune fille fit mentalement l'inventaire des commerces et des ateliers de la petite ville. Peut-être voudrait-on l'embaucher. Puis l'absurdité de la situation lui apparut : comment habiter dans une paroisse où son père vivait au presbytère ?

Chez les Turgeon, quelques semaines plus tôt, elle avait entendu une discussion au sujet de tous les Canadiens français partis chercher un emploi aux États-Unis. Pareil exil la laisserait morte de peur.

Le poste de police numéro 1 de Montréal occupait une section de l'hôtel de ville. Alphonse Grégoire descendit du fiacre juste devant l'escalier monumental du grand édifice. À un planton de service à l'entrée, il demanda de rencontrer un détective.

— Coudon, quequ'un a-tu volé l'vin d'messe ?

Le regard noir du prêtre amena bien vite l'agent à retrouver son professionnalisme.

— V'nez avec moé.

Dans une grande salle s'alignaient une demi-douzaine de pupitres, dont un seul était occupé.

— M'sieur le curé veut t'voir.

Puis le planton disparut. Le détective se leva pour accueillir le visiteur en lui tendant la main. Il s'agissait d'un homme grand, noir de poils, aux yeux brûlants.

— Inspecteur Eugène Dolan, se présenta-t-il. Asseyez-vous et dites-moi ce qui vous amène.

Quand tous deux furent calés dans leur chaise, Grégoire se sentit un peu ridicule de se trouver là. Ridicule, et surtout honteux.

— J'ai une nièce. J'ai eu une querelle avec elle… Des histoires de famille.

Son récit était aussi proche que possible de la vérité.

— Quand je me suis levé ce matin, elle avait disparu.

— Disparu ?

— Nous étions à l'hôtel, car j'avais rendez-vous hier à l'archevêché. Nous devions rentrer à Douceville ce matin, mais quand j'ai frappé à la porte de sa chambre, elle n'y était pas, ni sa valise.

Dans son exposé, l'ecclésiastique avait tenu à spécifier que tous deux occupaient des chambres différentes.

— Elle a pu aller chez des parents, des amis ?

— Je suis son seul parent, elle n'a pas d'amis.

Le religieux marqua une pause, puis précisa :

— Enfin, pas à Montréal. À Douceville, oui.

— Peut-être a-t-elle déjà pris le train.

Décidément, l'inquiétude lui faisait perdre la tête. Où Sophie pouvait-elle aller, toute seule ? Chez Clotilde ? Il venait de lui apprendre que sa mère était toujours vivante… Ou plutôt chez les Turgeon ?

— Elle ne connaît pas la ville.

— Montréal n'est pas si grande. Puis il arrive très rarement que des jeunes filles se fassent enlever en pleine rue, au petit matin.

Grégoire hocha la tête. Pour s'excuser de faire perdre son temps au policier, il expliqua simplement :

— Je suis mort d'inquiétude. Il y a moins d'un mois, elle fréquentait encore le couvent.

— Je comprends. Le plus probable, c'est qu'elle soit allée dans un endroit familier. Toutefois, si vous me la décrivez, ainsi que ses vêtements, je peux demander aux cinq cents policiers de Montréal d'ouvrir l'œil. Si vous ne la retrouvez pas à Douceville, envoyez-moi sa photo.

L'ecclésiastique décrivit la taille, la silhouette, les traits et la coiffure de sa fille, détailla sa tenue, tandis que le policier prenait des notes.

— Je vous remercie de m'avoir écouté, dit-il en quittant son siège. Pourrais-je téléphoner ?

— Utilisez l'appareil de l'un ou l'autre de mes collègues.

— Je préférerais plus de discrétion.

Le détective hésita, puis proposa :

— Le chef ne se trouve pas dans son bureau, alors je vais vous ouvrir.

Le policier guida Grégoire jusqu'à une porte au fond d'un couloir. La pièce confortable lui procurerait toute l'intimité voulue.

— Je vais payer le prix de la communication.

— Je suis certain que le chef Campeau ne sourcillera pas. Refermez derrière vous en partant.

L'inspecteur tendit la main, échangea des salutations, puis retourna à son poste. Les prêtres se trouvant au-dessus de tout soupçon, on le laissait ainsi seul dans une pièce pleine de documents confidentiels. Il eut tout de même la délicatesse de tirer l'appareil près de la chaise réservée aux visiteurs au lieu de prendre le fauteuil de l'occupant du bureau.

Quand l'employée de Bell lui répondit, il demanda d'être mis en communication avec la pension où logeait Clotilde. La personne qui répondit parut particulièrement agacée par l'idée de chercher une locataire dans la maison. Trois ou quatre minutes plus tard, l'ecclésiastique entendit le « allô » de sa maîtresse.

— Sophie est-elle avec toi ?

Le silence s'étira, puis une voix blanche répondit :

— Que veux-tu dire ? Tu m'as demandé de me tenir loin d'elle pour un temps !

— ... Hier soir, j'ai profité du fait que nous étions seuls pour lui révéler que je suis son père, et toi sa mère.

Encore une fois, une demi-minute passa. Clotilde devait se réjouir que son identité soit enfin révélée. Mais la première question qui lui vint fut :

— Pourquoi me demandes-tu si elle est avec moi ?

— Ce matin, quand j'ai frappé à la porte de sa chambre, elle était partie. Je ne sais pas où elle est allée.

— Tu veux dire qu'elle s'est enfuie, seule dans la ville de Montréal !

— J'espère qu'elle est retournée à Douceville.

Clotilde connaissait quelques jurons en anglais, elle les aligna d'une voix à la fois rageuse et inquiète.

— En tout cas, elle n'est pas ici ! Franchement, les confessions, tu es peut-être bon pour les entendre, mais pas pour les faire !

Grégoire partageait cet avis. Ses mots n'avaient réussi qu'à heurter la sensibilité de sa fille. Dans cette affaire, elle avait perdu un oncle sans gagner un père.

— Tu menaçais de tout lui dire. J'ai pensé que cela paraîtrait plus crédible si ça venait de la part d'une personne familière.

Ce qui lui était apparu comme la meilleure idée la veille, il en convenait, s'était révélé une catastrophe.

— Maintenant, je vais continuer de la chercher. Si jamais tu la vois…

— Je vais la prendre dans mes bras.

Ce geste, sa soutane avait empêché Grégoire de le faire. Même à l'égard de sa fille. Surtout à l'égard de sa fille. Son existence même était la preuve d'une faute sacrilège. Après avoir appuyé sur la petite fourche pour interrompre la communication, le curé demanda à être mis en ligne avec le docteur Turgeon.

La sonnerie résonna plusieurs fois chez le médecin avant qu'une voix féminine réponde :

— Cabinet du docteur Turgeon, je vous écoute.

— Madame Turgeon ?

— Oui, c'est moi. Mon mari est à l'hôpital.

Visiblement, elle se demandait qui lui parlait. Il ne la laissa pas languir.

— Madame, ici le curé Grégoire. Il se peut que Sophie se présente chez vous. Si elle le fait, je vous prie de la retenir. Je reviendrai à Douceville bientôt.

— La retenir ?

— Je vous en prie, madame. Par amitié.

L'argument surprit Délia. Le curé d'une paroisse n'avait pas vraiment d'amis. Son devoir lui demandait de tenir ses distances.

— Je le ferai.

— Merci. J'irai vous voir dès mon arrivée à Douceville.

Ils se saluèrent. Quand Grégoire raccrocha, ce fut pour sortir immédiatement de l'hôtel de ville et se diriger vers la gare.

Chapitre 24

Heureusement, ce jour-là, le passage d'Évariste à l'hôpital dura peu. Cela lui permettrait de se pencher encore sur ses projets pour Douceville. Lorsqu'il pénétra dans son cabinet, il vit sa femme assise à sa place.

— Ah! Si tu entends prendre la relève avec mes clients, j'irai aussi à la pêche, comme les enfants.

L'activité de ceux-ci pour la matinée, discutée au moment du déjeuner, lui faisait envie. Devant la mine préoccupée de son épouse, il enchaîna:

— Il se passe quelque chose?

Machinalement, il prit place sur la chaise occupée d'habitude par ses patients.

— C'est le moins qu'on puisse dire. Je viens de recevoir un mystérieux appel à l'aide du curé Grégoire.

— Pour acheter des robes ou pour sortir sa nièce?

— Il a appelé de Montréal, expliqua Délia. Sophie a disparu ce matin. Une dispute, si j'ai bien compris. Il croit qu'elle reviendra à Douceville. Comme son univers se limite à une seule amie…

— Je dirais plutôt deux amis. Georges la couve des yeux.

Délia lui adressa un sourire amusé. Oui, son aîné devenait touchant, en multipliant les attentions à l'égard de la jolie adolescente. Turgeon se reprit bien vite:

403

— Non, pas vraiment un ami. Je pense qu'il connaît son premier amour.

— Il a dix-sept ans.

Délia se disait que le jour où ses enfants seraient amoureux, elle ne serait définitivement plus une jeune femme. Dans le meilleur des cas, on parlerait d'elle comme d'un femme attirante… malgré son âge.

— Roméo en avait quinze, lui rappela son époux.

La précision lui parut cruelle.

— Tu connais la raison de cette querelle entre l'oncle et sa nièce ? voulut-il savoir.

Délia secoua la tête de droite à gauche.

— Bon, on ne la laissera pas dehors si elle frappe à la porte. Mais cet homme est son tuteur.

Donc, elle ne serait que de passage dans la demeure de la rue De Salaberry.

— Je vais m'asseoir dans le salon pour accueillir Sophie, si jamais elle pointe le nez.

Tout de même, cette visite lui semblait bien improbable. Sophie souhaiterait retourner au presbytère dès qu'elle poserait le pied sur le quai de la gare.

Quand le train s'arrêta à Douceville, Sophie se sentait tout aussi incertaine. Debout sur le quai, son petit sac de voyage à la main, elle ressemblait à une enfant perdue. Son désarroi l'amena à regretter d'avoir quitté le couvent. Une congrégation religieuse lui procurerait la même sécurité qu'une famille, sans la tendresse toutefois.

« Mais j'ai une mère », songea-t-elle. Cette nouvelle réalité lui procurait des sentiments mitigés. Sans qu'elle l'ait vraiment décidé, ses pas la conduisirent vers la pension de famille située près du Club nautique. Pendant un instant, l'adolescente s'imagina frappant à la porte puis se jetant dans les bras de cette femme. Une inconnue. Non, cela ne servirait à rien.

La rue De Salaberry était tout près. Bientôt, Sophie se retrouva sur la grande galerie. Cette fois encore, l'envie lui vint de fuir. Heureusement, elle ne voyait ni Corinne ni Georges à proximité. Sa situation lui faisait honte. Pourtant, nulle part en ce monde elle ne connaîtrait une plus grande sécurité.

Sophie allait frapper quand la porte s'ouvrit. Délia s'était assise près de la fenêtre pour surveiller son arrivée.

— Madame…

— Viens.

La femme ouvrit les bras. Bien que mal à l'aise, Sophie s'y réfugia. Après un instant, elle se recula et avoua :

— Je ne savais pas où aller.

— Au contraire, tu es venue au bon endroit.

— Corinne, Georges…

— Ils sont sortis. Je pense que le jeune Nantel a invité mon garçon à pêcher dans la rivière dans l'espoir que ma fille l'accompagne.

Si le fils du juge ne cherchait pas ce résultat, il serait déçu, car aucune force n'aurait retenu l'adolescente à la maison. L'absence des enfants de la famille réjouit Sophie. Devant des personnes de son âge, sa honte aurait été intolérable.

— J'ai parlé à ton oncle tout à l'heure.

« Ce n'est pas mon oncle », corrigea la jeune fille en pensée. Elle n'osait formuler ces mots à haute voix.

— Il se mourait d'inquiétude. Pose ton sac. Nous allons nous asseoir et tu vas me raconter ce qui se passe.

L'idée de se confier à Délia inspirait à Sophie des désirs contradictoires : celui de se répandre en aveux et celui de taire farouchement les événements de la veille. La mère de famille se dirigea vers le salon.

— Des gens peuvent nous entendre.

Ainsi, elle parlerait. Son hôtesse la regarda, puis hocha la tête.

— Monte avec moi.

La jeune fille la suivit dans l'escalier. Dans la chambre conjugale, Délia saisit une chaise contre un mur pour la mettre près du banc de sa table de maquillage. Elle prit ce second siège, et désigna le premier à Sophie.

— Je ne peux pas être sa fille. C'est un prêtre.

Le récit était venu de façon hachurée, entrecoupé de larmes et de hoquets de sanglots. Délia se rappela le commentaire de Corinne sur l'ignorance des choses de la vie de son amie. Doucement, elle précisa :

— Sauf quelques infirmes, tous les hommes peuvent être pères.

— Les prêtres font vœu de chasteté.

La femme eut envie de lui servir l'argument d'Évariste, formulé des semaines plus tôt : les époux aussi s'engageaient l'un envers l'autre, ce qui n'empêchait pas certains de s'aventurer dans des amours adultères.

— Ce ne sont pas moins des hommes pour autant.

La jeune fille se demanda si les religieuses aussi commettaient les mêmes accrocs à leur serment. Le domaine des amours demeurait un mystère, ce qui limitait son aptitude à comprendre celui des passions.

— Il t'a aussi parlé de ta mère.

— Une Américaine qui habite la ville depuis quelques semaines. Elle m'a adressé la parole à quelques reprises dans la rue. Je me demandais bien pourquoi.

Maintenant, tout cela devenait clair. Tilda Donahue souhaitait retrouver son enfant, et le curé Grégoire n'avait d'autre choix que d'informer cette dernière des circonstances de sa naissance.

De petits coups contre la porte attirèrent l'attention des deux femmes. Délia se leva pour entrouvrir.

— Madame, excuse-moi, commença Aldée. Viendrez-vous dîner ? Les autres sont prêts à passer à table.

La maîtresse des lieux interrogea du regard la pendule sur une commode.

— Je descends dans un instant. Dites-leur de ne pas m'attendre.

Elle revint vers l'adolescente.

— Viendras-tu manger avec nous ?

Sophie secoua la tête de droite à gauche.

— Je ne veux voir personne.

— Alors, viens avec moi.

L'hôtesse l'amena dans une chambre au fond de la maison. Des visiteurs l'utilisaient parfois. Un grand lit, une commode, une chaise : Sophie s'y trouverait mieux installée qu'au presbytère.

— Je demanderai à Aldée de t'apporter un goûter tout à l'heure. Mais tu ne pourras pas te dissimuler aux autres bien longtemps.

La blonde hocha la tête. Pour l'instant, un seul désir l'animait : se cacher aux regards pour pleurer encore.

Quand Délia arriva dans la salle à manger, tous les regards se tournèrent vers elle.

— Elle préfère se reposer.

— Je vais aller la voir, décida Corinne en faisant mine de se lever.

— Non, reste ici. Présentement, rester à l'écart lui convient mieux. Laissez-la choisir le moment où elle voudra rompre sa solitude. Et ne lui posez pas de questions.

Cela faisait à la fois mystérieux et un brin mélodramatique. Avec un demi-sourire, elle ajouta :

— Si se confier fait du bien, les interrogatoires sont blessants.

Graziella fronça les sourcils, aussi curieuse que les autres. Cette blonde paraissait déterminée à s'incruster. Quand la famille quitta la table, la maîtresse de la maison se rendit dans la cuisine pour lui ordonner :

— Préparez quelque chose pour Sophie, un sandwich par exemple, pour le lui monter.

— Les escaliers, asteure, c'est le domaine d'Aldée.

Dans ce cas précis, elle aurait bien aimé effectuer la livraison elle-même, juste pour se faire sa propre idée.

Ensuite, Délia se dirigea vers le cabinet de son époux, tout en disant aux quelques patients assis dans la salle d'attente :

— Excusez-moi, je dois lui parler.

Tout de même, elle attendit que le malade présentement en consultation sorte, plutôt que de le chasser. En s'essayant devant le bureau d'Évariste, elle se lança :

— Moi qui pensais que les romans français présentaient des histoires exagérées ! Là, je crois que la réalité dépasse la fiction. C'est pire que *La faute de l'abbé Mouret*.

La référence au roman d'Émile Zola capta l'attention de son mari. En quelques phrases, Délia lui résuma les confidences de Sophie. Le médecin ne se considérait pas comme particulièrement scrupuleux, mais l'idée d'un confesseur mettant l'une de ses paroissiennes enceinte le déstabilisait. Son épouse résuma bien ses sentiments.

— Voilà dix ans que je me confesse à cet homme, soucieuse d'obtenir le pardon de mes fautes…

Elle s'interrompit pour lui adresser un beau sourire et préciser :

— De bien petites fautes, je t'assure. Mais quand même…

— Je te crois. Apprendre que celui qui posait des questions pour fouiller le fond de ton âme payait pour maintenir sa propre fille au couvent, cela a de quoi choquer.

Délia réfléchit un moment, puis reprit :

— En réalité, il est le seul prêtre qui ne m'ait jamais posé de questions sur ma vie amoureuse, ou sur mes pensées secrètes. Parfois, je me sentais ennuyeuse avec mes histoires de colère larvée, de jalousie…

Depuis une heure, Grégoire lui paraissait coupable. En même temps, cette faiblesse même le lui rendait humain, presque sympathique. Toutefois, un souvenir l'amena à se durcir de nouveau.

— Quand je pense à ce que Corinne nous a raconté au sujet de Chicoine !

Le curé avait-il procédé de la même façon, dix-huit ou dix-neuf ans plus tôt ? Des contacts physiques plutôt innocents, puis, si la gamine semblait intéressée ou particulièrement soumise, un enchaînement conduisant à une naissance ?

— Tu as une idée du moment où il voudra récupérer la demoiselle ?

Sa femme fit non de la tête.

— Sa présence t'agace ?

— Non, pas du tout. Mais je doute qu'il veuille nous la donner en adoption.

Fallait-il le prendre au sérieux? Délia fronça les sourcils.

— Imagine combien ce serait cruel pour Georges, dit encore son mari. Même quand il s'agit d'une sœur adoptive, les mariages incestueux font sourciller.

Elle se leva pour marcher vers la porte tout en disant:

— Bon, si tu veux plaisanter, je te laisse à tes patients.

Avant de sortir, elle précisa:

— Si jamais Grégoire téléphone, dis-lui de laisser à Sophie le temps de se remettre.

— D'ici la fin de l'été, je ferai installer un téléphone dans la maison. Comme ça, tu t'occuperas de ce genre de conversation.

La promesse fit plaisir à Délia. Jusque-là, la demeure avait été privée de cet équipement moderne.

Finalement, le prêtre avait dû attendre une bonne heure avant de pouvoir monter dans un train à destination de Douceville. En plein milieu de journée, l'affluence était grande. Il descendit sur le quai longtemps après midi. Il lui pressait de contacter Clotilde, ou les Turgeon, et pour cela le meilleur endroit demeurait le presbytère. En y entrant, il alla poser son sac de voyage dans son bureau, puis il se rendit dans la salle à manger.

Chicoine était attablé. En le voyant, le vicaire s'étonna:

— Je ne pensais pas vous revoir si tôt. Sa Grandeur ne semble plus capable de se passer de vous.

L'ironie blessante donna au curé envie de répliquer en mentionnant le curieux pénitent venu se plaindre de son comportement envers les jeunes filles. Puis la conscience de sa propre situation l'en empêcha. Il ne valait pas mieux.

— Seriez-vous en train de douter de la capacité de monseigneur Bruchési de diriger son diocèse?

Le vicaire tiqua.

— Bien sûr que non. Je voue le plus grand respect à monseigneur.

Les voix attirèrent Cédalie dans la pièce.

— Ah! C'est vous.

— Décidément, l'accueil est chaleureux, aujourd'hui. Préparez-moi une assiette, et apportez-la-moi dans mon bureau. J'ai un travail urgent à effectuer.

— La p'tite va-tu revenir manger icitte?

— Elle est allée directement chez les Turgeon.

La ménagère tourna les talons en bougonnant. Le curé comprit quelque chose au sujet des enfants qui préféraient la table des voisins à la sienne.

Une fois dans sa pièce de travail, Grégoire ferma la porte soigneusement, puis s'installa à son bureau pour téléphoner. D'abord chez les Turgeon. Le médecin répondit à la première sonnerie. Le prêtre entendit:

— Un instant, je vais faire vite.

Il s'adressait à un patient. Il reprit ensuite, agacé:

— Oui, je vous écoute.

— Docteur, ma nièce est-elle chez vous?

— Oui, depuis une heure ou deux.

Le praticien s'était interdit de répondre en évoquant la «fille» de son interlocuteur. Un poids immense quitta la poitrine du curé.

— Je passe tout de suite la prendre.

— Selon ma femme, ce serait une très mauvaise idée. Elle est plutôt… bouleversée. Téléphonez demain. Maintenant, je dois vous quitter.

Évariste raccrocha sans attendre la répartie. Évidemment, un médecin pouvait certainement évaluer l'état nerveux de quelqu'un. Grégoire préféra considérer la recommandation comme un avis professionnel. Sans attendre, il entra en communication avec la pension de Clotilde. Celle-ci se tenait certainement à côté de l'appareil, car elle répondit tout de suite.

— Elle est bien chez les Turgeon, annonça le prêtre en réponse à son «allô».

— Dieu merci.

Ensuite, il entendit un sanglot. Cette émotion sincère en apprenant que sa fille se trouvait en sécurité le toucha. Toutefois, il se rebiffa quand il entendit :

— Je vais la chercher.

— Non, ne fais pas ça.

Puis un peu plus bas, sur un ton affectueux, il poursuivit :

— Je viens de parler au docteur. Il me dit que mieux vaut attendre demain. Je suis enclin à respecter son avis professionnel.

Le «C'est ma fille!» ne le surprit guère. Cette petite phrase faisait office de mot de passe pour sa maîtresse.

— Moi non plus, je n'irai pas. Ce soir, nous devrions nous rencontrer pour faire le point. Demain, nous la verrons ensemble.

Le silence flotta brièvement entre eux. À l'autre bout du fil, les pleurs devenaient plus réguliers et étouffés. Clotilde ne voulait pas se donner en spectacle auprès de ses voisines. Quand elle put reprendre la parole, son ton était conciliant. Proposer qu'ils la voient ensemble, c'était donner forme à ce que serait leur existence future.

— Je ferai comme tu le dis.

Une telle soumission ne lui était pas coutumière. Elle ajouta aussitôt, avec de nouveau une pointe de méfiance :

— Nous nous voyons ce soir ?

— Oui… Mais je voudrais un endroit discret.

— Discret comment ?

Cette fois, la voix l'aguichait. Tout de suite, son bas-ventre réagit.

— Pas discret à ce point. Ici, au presbytère, cela ne convient pas, dans un café de la ville non plus.

— Vas-tu me proposer une promenade au clair de lune ?

— Pourquoi pas une rencontre due au hasard sur la berge, là où nous trouverons des bancs ?

De petits coups contre la porte se firent entendre. Il murmura immédiatement :

— Je dois raccrocher. À huit heures sur la rive, près du Club nautique.

Ensuite, il se leva pour aller ouvrir. Cédalie s'impatientait.

— Je suis désolé, mais j'étais au téléphone.

— C'correct, j'peux attendre dans le couloir.

Tout de même, son ton laissait entendre qu'il s'agissait d'un crime de lèse-majesté. Grégoire prit le plateau pour le poser sur son pupitre tout en priant sa domestique :

— Asseyez-vous un instant.

La ménagère grimaça, certaine d'avoir droit à un savon. Quand il fut à sa place, il commença :

— Je vous ai menti au sujet de mes visites à Montréal. Je me suis rendu chez le médecin. Un spécialiste.

Les deux derniers mots laissaient supposer que sa situation était sérieuse, peut-être sans espoir.

— Doux Jésus ! M'sieur le curé !

— Ne vous inquiétez pas, rien de très grave. Mais je devrai prendre congé pendant un moment.

Le prêtre avait commencé cette fable devant monseigneur Bruchési, autant s'y tenir aussi longtemps que possible.

— À un endroit où je pourrai profiter de l'air pur.

Le lendemain matin, l'hypothèse de la tuberculose commencerait déjà à circuler au marché et dans divers endroits de la ville.

— J'vas prier pour vous, m'sieur le curé. En travaillant après-midi, j'vas commencer avec un rosaire.

— Vous êtes très bonne, Cédalie, mais n'allez pas vous inquiéter pour rien. Je n'ai pas renoncé à l'idée de devenir un jour un très vieux curé.

D'un geste vif, elle passa son bras sous son nez pour l'essuyer sur sa manche, puis répéta l'opération sous ses yeux. Après un silence gêné, il s'excusa :

— Maintenant, si vous me le permettez, je dois régler certaines affaires.

— … Oui, bin sûr.

Juste avant d'ouvrir la porte pour sortir, elle répéta :

— J'vas prier pour vous.

Il aurait certainement besoin de toutes ces prières – en admettant qu'elles aient une quelconque efficacité – au cours des prochains jours. Mais ce ne serait pas pour soigner un début de consomption.

Comme convenu, Aldée s'engagea dans l'escalier de service avec un plateau dans les mains. Un sandwich, quelques crudités et une limonade feraient office de repas. Ce serait suffisant pour une jeune fille n'ayant pas mangé depuis le souper, la veille. Sophie vint ouvrir après trois petits coups du bout du pied dans le bas de la porte.

— Je suis une source d'ennuis pour tout le monde, se lamenta-t-elle.

Même à la cuisine, la tendance de la visiteuse à s'excuser de tout et de rien, et à dire merci à tout bout de champ attirait des commentaires. Toutefois, le visage défait de l'adolescente enleva à la jeune bonne tout désir de se moquer.

— Je ne fais que mon travail, vous savez.

Elle posa le plateau sur le lit, faute de mieux. En sortant, elle souffla un encouragement :

— Ça ira mieux bientôt, j'en suis certaine.

Aux yeux d'une fille née dans une ferme au bout d'un rang, avoir un oncle curé d'une paroisse prospère et tous les membres d'une famille de médecin pour amis paraissait une bénédiction. Les paroles optimistes découlaient de sa conviction que le malheur ne collait jamais bien longtemps sur ces gens.

— Je vous remercie, vous êtes gentille.

Quand elle fut partie, Sophie mangea de bon appétit, puis posa le plateau sur la commode afin de s'étendre sur le lit. Sa nuit sans sommeil lui pesait maintenant, et puis dormir un peu lui permettrait d'oublier la petite phrase qui lui tournait dans la tête : « Je suis la fille du curé ! »

Vers cinq heures, ce fut au tour de Délia de frapper à la porte. L'adolescente se leva pour venir ouvrir.

— Oh ! Madame Turgeon. Je me suis endormie.

— Voilà ce que tu pouvais faire de mieux. Maintenant, tu devrais descendre souper avec nous.

— Je ne sais pas…

La femme du médecin examina le visage toujours chiffonné, les cheveux en désordre de la jeune fugueuse. Apprendre, après toutes ces années, que son père était l'homme le moins susceptible de jouer ce rôle l'avait bouleversée. Toutefois, le temps de quitter sa cachette semblait venu.

— Demain, ce sera plus difficile encore. Viens.

Elle lui tendait la main.

— … Je vais changer de robe, je la porte depuis hier matin, puis j'irai à côté.

Elle voulait dire dans la salle de bain.

— D'accord. Rejoins-nous dans le salon, nous passerons à table ensuite.

Heureusement, la veille, Sophie avait apporté de quoi se changer. Après une toilette rapide, elle s'engagea dans l'escalier, s'arrêta en plein milieu, indécise, puis ramassa son courage pour continuer. Depuis l'entrée de la salle de séjour, elle murmura :

— Bonjour.

Les autres répondirent, puis le couple Turgeon s'efforça de reprendre le cours de sa conversation. Sur le canapé, avec un sourire engageant, Corinne désigna la place libre près d'elle. De sa chaise, Georges échangea un long regard avec l'adolescente. Sous les yeux, même bienveillants, du garçon, le malaise de Sophie s'accrut encore.

Au moment du souper, Cédalie se montra très prévenante à l'égard de son curé, multipliant les « Vous êtes pas trop fatigué, m'sieur l'curé ? », « Vous devriez vous coucher d'bonne heure, m'sieur l'curé. » À la fin, Chicoine lui demanda :

— Monsieur le curé, dois-je comprendre que vous êtes malade ?

Grégoire esquissa un sourire, puis expliqua :

— Je dois confesser un mensonge, pieux j'espère. Ces derniers temps, je me suis rendu à Montréal pour consulter un médecin. Il me conseille de me ménager.

— Rien de grave ?

— Si je fais attention, cela ne le deviendra pas trop.

Plus il reprenait cette fable, plus sa résolution s'affermissait. Son vicaire se tut un moment. Sans doute évaluait-il ses chances d'hériter de la cure. Puis, il demanda :

— Votre nièce n'est pas ici ce soir ?

— La vie du couvent, avec ses multiples voisines de dortoir, lui manque peut-être. Elle est allée passer la nuit chez les Turgeon.

— Chez les Turgeon. Quelle idée !

La répartie contenait un reproche implicite, comme si la maison du médecin représentait un lieu de perdition. Pourtant, la présence du vicaire dans ce presbytère donnait à la jeune fille une furieuse envie de se trouver ailleurs.

Après le repas, Grégoire plaida son désir de «prendre l'air». Ses pas le conduisirent sur la berge de la rivière Richelieu. Quelques bancs recevaient des promeneurs désireux de profiter de la fraîcheur du soir, des couples, la plupart du temps. Deux personnes interrompirent sa promenade pour discuter des affaires de la paroisse. Du coin de l'œil, le curé aperçut Clotilde marchant dans sa direction. Au moins, elle eut la délicatesse de l'ignorer, pour s'asseoir à une centaine de pieds.

Il salua ses paroissiens pour s'approcher d'elle. Une fois assis à ses côtés, il entendit :

— Ces gens-là, tu te fies à eux ?

Après un moment, il comprit qu'elle faisait allusion aux Turgeon.

— L'important est qu'elle leur fasse confiance, non ? Elle est allée là-bas directement, en descendant du train.

— Au lieu de venir me voir.

Le dépit marquait son ton. Après avoir regardé autour d'eux, le prêtre posa brièvement sa main sur la sienne.

— Sophie ne te connaît pas encore.

Elle lui adressa un petit sourire reconnaissant.

— Demain, nous pourrons pallier un peu cette situation, dit-il. Nous allons nous ménager une rencontre à trois.

— Il y a un joli salon à la pension.

— Nous ne sommes pas à Montréal. Tu m'imagines entrer dans une maison habitée par une dizaine de femmes ? En plus, des protestantes, pour la plupart.

Le regard des autres devenait une véritable prison pour lui.

— Ma présence au presbytère prêterait moins à scandale, tu penses ?

— Sans doute, mais ce serait un duo, pas un trio. Sophie ne se sent certainement pas prête à y retourner, et je ne veux pas la brusquer. Je demanderai à madame Turgeon si nous pouvons aller chez eux.

Clotilde lui adressa un sourire narquois.

— À madame, pas à monsieur ?

— La maison demeure son petit royaume, je serais surpris d'apprendre que le docteur Turgeon lui impose une présence. Puis comme son cabinet se trouve là, personne ne s'étonnera de voir des visiteurs.

Cette rencontre avec Sophie les perturbait tous les deux. Grégoire comprenait combien sa fille pouvait lui reprocher tous ses mensonges. Quant à la femme, son désir réaffirmé de retrouver la chair de sa chair ne se réaliserait qu'avec l'accord de la principale intéressée. La suite des choses la préoccupait.

— Nous allons lui parler, et après ?

— À Montréal, tu évoquais ton désir de reprendre… où nous avons laissé, murmura l'ecclésiastique. Tu étais sérieuse ?

— Là où nous avons laissé, impossible. D'abord nous n'avons pas le même âge. Toutefois, je serais prête à voir où nous pourrions aller, à partir d'ici.

De nouveau, il effleura sa main, puis la retira quand des passants s'approchèrent.

— Aux États-Unis ?

— Au moins au début. Parce que j'ai des amis là-bas. Ensuite, nous verrons. Cependant, pour toi, il importe de trouver un milieu où personne ne te connaît.

Clotilde laissa échapper un rire bref avant de commenter :

— Tu te tords le cou afin de surveiller tes paroissiens.

— Tu n'as aucune inquiétude ?

— Bien sûr que si. Mais je trouve préférable de risquer d'échouer, au lieu de regretter de ne pas avoir essayé.

Lui avait passé sa vie à enseigner la prudence à ses paroissiens, comme si toutes les nouveautés conduisaient au péché.

— Pourtant, si je me fie à notre dernière rencontre, commenta-t-elle, les retrouvailles ne manqueront pas de piquant.

Son rire fusa. Sur le trottoir, à plus de dix pas, des passants se retournèrent. Elle redevint grave.

— Je suis plus inquiète de mes rapports avec Sophie. Cette colère contre toi…

Peut-être la fille regarderait-elle sa mère comme le serpent tentateur qui avait conduit un saint homme au péché. Dans toutes les histoires jugées scandaleuses, la femme s'attirait toujours la condamnation. Le prêtre ne se sentait pas vraiment plus rassuré.

— Voilà vingt-quatre heures que je cherche la façon la plus… délicate de procéder.

« De façon à pouvoir reculer, si nécessaire », songea-t-il.

— J'ai déjà laissé entendre à mon archevêque que je devrai prendre un congé, pour des raisons de santé.

— Tu es malade ?

— Non, non. Mais ainsi, nous pourrions aller où personne ne nous connaît, le temps de voir comment les choses se passent.

En cas de désaccord, il lui serait possible de l'abandonner encore, pour se cacher de nouveau des vicissitudes de l'existence dans son presbytère. Clotilde le comprit bien ainsi, mais depuis leur nuit torride, elle doutait que son amant ne renoue avec sa vie d'abstinence.

— Et Sophie ?

— Je ne pense pas qu'elle reviendra aisément de ses émotions. Si les Turgeon acceptaient de la garder en pension, nous pourrions partir ensemble d'abord, puis venir la chercher ensuite.

Clotilde était songeuse, méfiante même. Quelques semaines plus tôt, elle arrivait à Douceville pour récupérer sa fille, pas son compagnon. Maintenant, il lui proposait de laisser leur enfant derrière eux.

— Je ne sais pas…

— Nous pourrions lui soumettre l'idée, puis voir sa réaction.

Présentée de cette façon, la proposition sembla moins menaçante à l'Américaine. Finalement, elle hocha la tête.

Chapitre 25

Sophie multiplia les efforts pour présenter un visage souriant pendant tout le repas, mais sa figure restait triste. Sa participation à la conversation se limitait à des monosyllabes. Les autres convives s'efforçaient de demeurer sérieux, comme pour l'accompagner dans sa tristesse.

Quand tout le monde migra vers le salon, elle se tint dans l'embrasure de la porte pour les prévenir :

— Madame, monsieur, si vous me le permettez, je vais monter tout de suite.

Après une pause, elle se justifia :

— La nuit dernière, je n'ai pas dormi beaucoup.

— Bien sûr, dit Délia. Dors bien.

Les autres répétèrent ce souhait. Quelques minutes plus tard, Corinne laissa échapper un long soupir avant de murmurer, impatiente :

— Qu'est-ce qu'elle a ? Comme elle est seule au monde, il ne s'agit pas d'un décès.

Comme personne ne répondait, elle insista :

— Je suis certaine que vous le savez.

Ce fut Évariste qui lui dicta :

— Les confidences d'une personne méritent le respect. Si elle préfère demeurer discrète avec toi, accepte-le.

L'adolescente le regarda avec scepticisme. Ce principe ne valait pas entre ses parents. Eux partageaient tous leurs secrets. Puis, bientôt, elle se corrigea : sa mère préservait certainement l'intimité de sa fille. Les révélations entre femmes demeuraient certainement secrètes.

Bientôt, la famille se réunit au salon. Après avoir parcouru sans pouvoir se concentrer les pages d'un roman racontant les péripéties bien improbables d'un cow-boy, Georges annonça son intention de regagner sa chambre.

À l'étage, le garçon s'approcha de la porte de la chambre d'invité. Pas un son ne lui parvenait, aucun rai de lumière ne filtrait sous le battant. Peut-être Sophie dormait-elle déjà, pourtant il la soupçonnait de surtout vouloir être seule.

Du bout du doigt, il frappa le bois tout doucement, pour ne pas la réveiller ni attirer l'attention de ses parents en bas. Il s'apprêtait à entrer dans sa propre chambre quand la poignée tourna.

— Georges ?

Sophie s'était attendue à voir madame Turgeon. Machinalement, sa main ferma les pans de son peignoir contre son cou.

— Je m'inquiétais. Ça ira ?

Son hésitation dura un court instant, puis elle s'écarta pour le laisser entrer. Elle baissa d'abord les yeux vers le sol. À la lumière du soir, le garçon apprécia les cheveux défaits répandus sur les épaules de la jeune fille. Les pieds nus, les chevilles découvertes donnaient une impression d'intimité à leur tête-à-tête.

— Maintenant, je ferais aussi bien d'aller m'enfermer au couvent. Au moins, je changerais de nom. Quelque chose comme mère Saint-Antonin-de-Pamiers, à la place de Deslauriers.

Elle eut un rire d'autodérision avant de murmurer :

— Même ce nom-là, ce n'est pas le mien.

Georges résista à l'envie de demander : « Comment ça ? » La confidence viendrait, ou ne viendrait pas. « Je ne vais tout de même pas me présenter comme Sophie Grégoire », se dit-elle. Ses yeux fixèrent ceux du garçon. Sa bienveillance ne durerait pas, une fois qu'il saurait.

— Je ne suis pas la nièce du curé, dit-elle enfin dans un souffle. Je suis sa fille.

Dans son scénario, Georges laisserait maintenant entendre un rire méprisant, ou alors sortirait drapé dans sa dignité. À la place, il dit :

— Je ne comprends pas.

Les yeux fixés sur le plancher, en trois phrases, elle l'informa de sa situation. Puis vint la conclusion :

— Dans les circonstances actuelles, aucune famille respectable ne m'ouvrira plus sa porte.

Plus précisément, elle pensait : « Aucune famille d'un garçon respectable. » Elle s'inquiétait déjà de demeurer vieille fille. Délia la laissait bien occuper une chambre dans sa maison, cela ne signifiait pas qu'elle l'accepterait comme belle-fille.

— Personne n'accepte les bâtardes.

— À moins que tu ne l'annonces à toute la paroisse, personne ne le saura. Et monsieur le curé n'en parlera certainement pas en chaire !

Le mot d'humour n'eut aucun effet sur son amie.

— Moi, je le saurai. Mon père a fait un enfant à une paroissienne, et depuis il parle de chasteté en chaire un dimanche sur deux.

En prononçant ces mots, le comportement du vicaire Chicoine lui vint en mémoire. Elle revécut les attentions malsaines de celui-ci.

— Je suis l'enfant du péché.

Son ton ne rappelait nullement les visions romantiques des feuilletons des journaux français, ni *L'éducation sentimentale* de Flaubert.

— Mais toi, quelle faute as-tu commise, là-dedans ? demanda doucement Georges.

Sophie leva les yeux pour le regarder. Dans la pénombre, le bleu des iris prenait une teinte foncée. Comme elle ne répondait rien, il renchérit :

— Rien n'a changé pour toi, non ? Tu demeures la même personne.

Sa timidité l'empêcha d'ajouter : « Tu es toujours aussi belle. » Le moment ne se prêtait guère à ce genre de flatterie.

— Mais je suis née hors mariage, d'un prêtre consacré en plus. Je deviens indigne de tous les partis acceptables.

— Pas pour moi. Mon estime, mon affection demeurent les mêmes.

Comme déclaration d'amour, aucun jeune homme n'aurait fait mieux. Quand l'adolescente cligna des yeux, une larme quitta ses paupières.

— Je suis encore très jeune, encore un enfant aux yeux de maman. Mais quand je laisse mon esprit vagabonder, je nous imagine sur un *homestead* dans l'une de ces nouvelles provinces, la Saskatchewan ou l'Alberta.

Voilà où le conduisait sa lecture assidue de romans de cow-boys. Sophie ne ferait pas une grande impression avec un fusil dans les mains et une horde d'Indiens à ses trousses. Toutefois, il tint à apporter une précision :

— Mais j'ai dix-sept ans, alors que je devienne colon dans l'Ouest ou docteur dans une grande ville, ce ne sera pas avant longtemps.

Tout de même, il jugea bon de nuancer, pour qu'elle ne le prenne pas pour un enfant :

— Dix-sept, mais bientôt dix-huit ans.

Après ces paroles, l'adolescent ne savait plus du tout quoi ajouter. Le silence se prolongea au point qu'il pensa sortir. Mais elle quitta sa place, au bord du lit, pour s'approcher. Il fit de même, toujours incertain de l'attitude à adopter. Sophie effectua un dernier pas, pour se tenir à six pouces de lui. Heureusement, dans certaines circonstances, la timidité cédait le pas à l'instinct. Il la prit dans ses bras pour l'appuyer contre son corps. Le visage féminin se posa contre son cou.

Georges parcourut délicatement son dos de ses mains. Bien sûr, il s'inquiétait un peu qu'elle sente son émoi. Après tout, à cette époque de l'année, les couches de vêtement étaient légères. Si la jeune fille le remarqua, cette manifestation ne la rebuta pas. Le baiser fut d'abord léger, puis les lèvres s'agitèrent. Enfin, elle recula. Somme toute, si ce garçon la considérait comme sans faute, autant ne pas remettre en cause son opinion favorable en s'abandonnant à lui.

— Tu es gentil, Georges.

Un second pas en arrière lui indiqua que mieux valait quitter la pièce.

— Je te souhaite une bonne nuit, dit-il.

Il posait la main sur la poignée de la porte quand elle murmura :

— Bonne nuit aussi. Pourrais-tu demander à Corinne de venir me rejoindre ?

Dans le couloir, Georges prit une grande inspiration, se remémora ses exercices de version latine afin de récupérer son calme. Puis il descendit dans le salon pour transmettre l'invitation à sa sœur.

Une fois que tous deux se furent entendus sur la stratégie du lendemain, Clotilde et Alphonse restèrent assis sur leur banc. À voix basse, ils discutèrent du contenu des barges, de la beauté des bateaux de plaisance des bourgeois, et même des couples qui déambulaient dans l'allée longeant la rivière Richelieu. Rien de tout cela ne les intéressait vraiment. Le plaisir d'être ensemble leur suffisait.

Le soleil disparut à l'horizon et l'obscurité s'étendit sur la ville. Il était largement passé dix heures quand Grégoire annonça :

— Bon, je devrais rentrer à la maison maintenant.

— Tu appelles le presbytère ta maison ? Cela ressemble à un couvent, ou encore à un siège administratif.

— Je sais, ça ne ressemble pas à la demeure d'un homme, d'une femme et de leurs enfants. Mais je n'en ai pas d'autre.

Tout en parlant, il s'était levé. Dans ces circonstances, tout homme offrait son bras à sa compagne. L'ecclésiastique choisit plutôt de maintenir entre eux une distance de dix-huit pouces au moins. Sans se concerter, ils se dirigèrent vers la pension de Clotilde. En longeant les hangars à bateaux, elle obliqua vers l'un d'eux et entra dans la grande bâtisse toute sombre.

— Que fais-tu ? Nous n'avons pas le droit d'être ici.

— Voyons, aucun catholique, et pas même un protestant, ne tiendrait rancœur à un curé pour avoir pénétré dans ses locaux.

Dans le cas des protestants, l'affirmation lui parut présomptueuse, mais sa compagne n'avait aucune envie de le laisser s'engager dans une semblable controverse. Elle le poussa vers un angle du hangar tout en s'accrochant à lui.

— Tu ne vas quand même pas me reconduire tout bonnement chez moi après avoir convenu de nous enfuir ensemble !

Sa façon de présenter les choses lui parut culottée. Pourtant, il s'agissait bien de cela. Un curé souhaitait partir dans un pays étranger avec sa maîtresse. Clotilde pendit ses bras autour de son cou, chercha sa bouche avec la sienne. Cette proximité le rendit fébrile ; ses mains parcoururent le dos, s'aventurèrent plus bas.

— Nous pourrions chercher un endroit discret, souffla-t-elle dans son oreille.

Si eux avaient pu entrer aussi facilement dans l'abri à bateau, n'importe qui pouvait les imiter.

— Non…

Le prêtre craignit de l'avoir heurtée.

— Tu sais bien que j'aimerais…

Elle colla son bas-ventre contre le sien, esquissa un mouvement de haut en bas.

— Je le constate.

Même sa grande soutane ne lui permettait pas de cacher son désir.

— Bientôt, aucune contrainte ne pèsera plus sur nous.

Avec cette promesse en tête, elle accepta de se laisser raccompagner à sa pension. L'au revoir ne s'accompagna ni d'un baiser ni même d'une poignée de main. Au contraire, Grégoire prit bien soin de maintenir une distance prudente entre eux au moment de lui souhaiter bonne nuit.

Après les nombreuses heures durant lesquelles Sophie avait tenu sa meilleure – sa seule – amie à distance, quand elles se retrouvèrent ensemble dans la chambre d'invité, les confidences durèrent jusque tard dans la nuit. Quand elle monta, Délia vit bien la lumière sous la porte. Qu'elles se parlent lui fit plaisir. Une excellente amie à l'adolescence, tout comme à l'âge adulte d'ailleurs, apportait un soutien essentiel lors des coups durs.

Dans la chambre, Corinne commenta :

— Comme c'est romantique ! Il ne pouvait t'abandonner, alors il a inventé toute une histoire pour te garder près de lui.

Pour la fille du médecin, pourtant vertueuse, le péché pesait moins que la belle histoire d'amour. Elles s'étaient couchées tout habillées, puis avaient tiré sur elles une couverture pour se protéger de la fraîcheur du soir.

— Cela me fait penser à des romans français. Tiens, comme dans *Le capitaine Fracasse*.

— Mon père n'est pas un grand noble vivant dans un château, mais le curé !

La rupture de ses vœux lui paraissait infiniment plus grave que le simple péché d'impureté.

— Bien, il a un gros presbytère. Ça compense.

D'abord, la liberté de ton de Corinne blessa Sophie, mais le regard contenait toute l'empathie possible. La nouvelle fille du curé consentit un sourire.

— Au moins, mon oncle… Je ne m'y habitue pas ! Je ne peux tout de même pas l'appeler papa !

Son amie comprenait l'absurdité de la situation.

— Si tu essayais Alphonse ?

Une seconde fois, Sophie accusa le choc, puis elle rit franchement. Tout de même, la fille du médecin jugea essentiel de préciser :

— Je sais que ta situation est délicate. D'un autre côté, ton oncle t'a toujours montré son affection. Jusqu'ici, tu étais seule, et là, tu as des parents.

— Une mère dont je ne sais rien.

— Que tu as trouvée très gentille. Tu me l'as dit toi-même.

L'adolescente réfléchit, puis opina de la tête. Enfin, Corinne l'incita à une attitude raisonnable :

— Maintenant, nous devrions dormir. Sinon, si je croise Jules demain, il me verra avec des poches sous les yeux.

À ces mots, Sophie songea à Georges. La proximité de son amie l'empêchait de revivre en pensée leur petit échange survenu plus tôt en soirée.

— Tu accepterais de dormir ici ?

Cette formulation lui paraissait plus innocente que les mots « avec moi ».

— Pourquoi pas ? Mes parents ont fini dans la salle de bain, alors je vais me changer.

Peu après, une fois la lumière éteinte, toutes deux se glissaient sous les draps.

Tôt le lendemain matin, Alphonse Grégoire téléphona à Délia afin de demander à la voir. Ses visites devenaient assez fréquentes pour que des voisines charitables s'inquiètent de la santé physique de la femme du médecin, ou de celle de son âme. À dix heures, le prêtre arriva à la maison de la rue De Salaberry pour la trouver assise sur sa galerie.

Après avoir gravi les quelques marches, il se tint devant elle, l'air penaud. Son hôtesse tendit la main en le fixant dans les yeux.

— Madame, dit-il en acceptant sa main, après avoir fait la morale aux autres pendant toutes ces années, vous direz que ma situation représente un juste retour des choses.

— Je ne le dirai pas, mais je le pense. Il s'agit d'un jugement téméraire, je suppose.

— Un jugement, mais sans aucune témérité.

Curieusement, le voir sans son piédestal, les pieds sur le sol comme tous les autres mortels, le lui rendait plus sympathique.

— Nous pourrions nous installer ici.

Des yeux, elle indiquait les fauteuils en rotin.

— Asseyez-vous. Je vais vous chercher une boisson froide.

Délia entra aussitôt dans la maison. Demeurer à l'extérieur les protégerait des oreilles indiscrètes. À son retour, elle posa une limonade devant son invité, puis prit une chaise à son tour.

— Comment va Sophie ?

— Son monde a été secoué. Maintenant, il lui faut accepter que les voies du Seigneur sont vraiment impénétrables.

Décidément, son hôtesse entendait se venger de tous les malaises subis devant ses confesseurs. Après un silence, elle reconnut toutefois :

— Ce matin, elle avait retrouvé le sourire.

Un sourire bien hésitant, mais la jeune fille affichait néanmoins une certaine contenance.

— Je vous remercie de l'accueillir ainsi. Vous êtes une personne très charitable.

— Je m'efforce de pratiquer les vertus théologales.

En plus de la charité, s'ajoutaient la foi et l'espérance.

— Je comprends que j'ai dû vous sembler très arrogant, pour me rendre ainsi la monnaie de ma pièce.

Elle lui adressa un sourire, puis admit :

— En vérité, non. Vous payez pour d'autres prêtres qui sont passés dans ma vie. Mais vous n'êtes sans doute pas ici pour recevoir mes reproches. Sophie a accompagné mes enfants dans une promenade en bateau sur la rivière. Comme je ne savais pas que vous viendriez, je l'ai laissée sortir.

En fait, elle s'était demandé si la jeune fille était prête à vivre une rencontre avec ce père découvert sur le tard.

— Vous me direz ce que vous en pensez, car je vous considère comme très franche. Je souhaite qu'elle rencontre sa mère. Elles se sont croisées en ville, mais cela ne compte pas.

Il voulait dire qu'une conversation avec une inconnue n'annonçait rien de la relation susceptible de se construire avec une mère découverte à dix-sept ans.

— Cette rencontre devra avoir lieu tôt ou tard, continua le prêtre. Je ne connais aucun mode d'emploi pour une situation de ce genre, mais cela devrait bien se dérouler.

Grégoire prit son verre pour se donner une contenance, en vida la moitié. Quand il commença à commenter la météo, Délia l'interrompit :

— Je pense que vous ne m'avez pas annoncé vos projets.

— Vous avez raison. Vous comprendrez que je ne peux pas tenir ce rendez-vous au presbytère. Votre époux accepterait-il de me prêter son cabinet ? C'est un endroit public, ma présence comme celle de... Clotilde n'entraînera pas de commentaires.

Il avait failli dire « cette femme ». Un bref instant, la bourgeoise eut envie de proposer : « Vous pourrez venir avec votre maîtresse. » Elle décida de l'épargner.

— Cela pourra se faire, je pense.

De nouveau, le curé s'intéressa à sa boisson. Cette façon d'hésiter lui ressemblait bien peu. Ce fut au tour de Délia de bavarder au sujet du climat. Elle en était à évoquer les nouveaux règlements d'hygiène présentés par Évariste quand le religieux prit sur lui et avoua enfin :

— Madame Turgeon, dans ma situation, je ne sais trop quoi faire. J'aimerais laisser la paroisse un moment pour aller réfléchir à... mon avenir. Je ne peux pas entraîner

Sophie dans mes pérégrinations, et je sais qu'elle est très bien chez vous.

Quand il s'arrêta encore, Délia se dit que le besoin de Grégoire de s'éloigner trahissait probablement son désir de rejoindre l'inconnue. Le genre de personne que les confesseurs appelaient des Bethsabée, du nom d'une femme mariée mise enceinte par le roi David.

— Pourriez-vous la garder en pension pendant quelque temps ? Évidemment, je paierai.

— Vous savez, l'argent n'est pas un problème. Sophie mange peu, elle n'exige pas de soins particuliers. Je peux l'accueillir. Pour l'aider.

La précision amena Grégoire à se raidir, car il ne doutait pas que les mots manquant à la phrase soient : «Mais pas pour vous aider, vous !» Sa situation ne lui attirerait aucune sympathie féminine.

— Bon, dit-il en se levant, je ne vous dérangerai pas plus longtemps. Ce soir, à quelle heure pourrons-nous nous présenter ?

— Il conviendrait d'arriver à la fin des consultations, vers neuf heures. Comme cela, les paroissiens ne se poseront pas de questions sur cette visiteuse.

— Vous avez raison. Je vous remercie de votre accueil, madame.

Le ton était bien un peu grinçant. Délia se leva pour lui serrer la main, puis elle le regarda s'éloigner, son chapeau de paille sur la tête. Un instant, elle regretta sa froideur, mais le souvenir d'un confesseur particulièrement indélicat connu au couvent la réconcilia avec son attitude.

Le lit conjugal abritait bien des rapprochements amoureux, mais il offrait aussi le seul endroit propice aux conversations discrètes relatives à la famille.

— La garder en pension ? s'étonna Évariste.

— Pour un temps indéfini. L'idée te déplaît ?

— … Non. Pas en ce qui concerne Sophie, en tout cas. Elle demeure l'incarnation de la bonne éducation dispensée par les sœurs de la Congrégation de Notre-Dame.

— Sans compter qu'elle se comporte comme la sœur de Corinne. Savais-tu que la nuit dernière, elles ont partagé le même lit ?

Pendant des années, Aline avait joué ce rôle, pour être supplantée en quelques semaines. Pour Corinne, la petite orpheline s'avérait sans doute une amie bien plus romantique que la fille d'un marchand. Qu'elle soit la fille du curé, cela la projetait dans le plus invraisemblable des scénarios.

— Je suppose qu'elles ont jasé jusqu'au milieu de la nuit.

Le médecin fit une pause, puis continua :

— Tu sais que, si l'histoire de Grégoire se répand, nous deviendrons les complices d'un horrible péché en gardant sa bâtarde chez nous. Des plans pour que la foule vienne faire un charivari devant la maison.

Le mot «bâtarde» choqua Délia, mais il n'y en avait pas d'autre. Les charivaris permettaient à la populace de reprocher son comportement à un notable. L'exercice ruinerait la réputation du médecin.

— L'Église fera tout pour que cela ne se sache pas, argumenta l'épouse. Reste à savoir si le démon du midi ne rendra pas notre curé imprudent. Il nous confie sa fille pour partir en goguette avec sa maîtresse…

— En tout cas, leur petite messe basse de demain ressemble à une conspiration révolutionnaire.

Que son cabinet serve de lieu de rencontre lui laissait des sentiments mitigés. L'amusement, bien sûr, mais aussi l'irritation devant le fait qu'un prêtre le rende complice d'un comportement fustigé par la sainte Église.

Depuis la conversation privée qu'il avait eue avec Sophie, chaque fois que Georges croisait l'invitée de la maison, il lui adressait un sourire gêné, mais néanmoins chargé d'affection. Elle lui répondait de la même façon, les joues brûlantes. Cette nouveauté la rendait plus compréhensive devant les turpitudes du curé de la paroisse.

Oui, elle devait en convenir, dans certains moments, l'émotion – et l'embrasement des sens – conduisait vraisemblablement à des comportements risqués. Le garçon n'en devenait que plus aimable à ses yeux, car depuis des mois qu'elle fréquentait les Turgeon, il se montrait attentif à ne jamais l'embarrasser.

À l'heure du souper, la nervosité rendit Sophie fébrile. Elle joua avec ses aliments du bout de sa fourchette, sans rien manger. Évariste quitta la table avant les autres afin de recevoir ses patients de la soirée. Les autres passèrent au salon. Un peu avant neuf heures, l'adolescente profita d'un moment en tête-à-tête avec Délia pour s'enquérir :

— Pensez-vous que je doive absolument les rencontrer ?

La femme posa la main sur son avant-bras, exerça une pression.

— Oui. Mais rassure-toi. Ton père et ta mère veulent ton bien, j'en suis certaine.

Sophie hocha la tête, guère rassurée.

Chapitre 26

Alphonse Grégoire se présenta à la porte du cabinet médical cinq minutes avant neuf heures. Un seul patient attendait son tour, et il insista, au point d'en devenir désagréable, pour laisser passer son pasteur avant lui. Finalement, ce fut le praticien qui lui imposa d'entrer dans son bureau.

Après le départ du gêneur, Évariste se rendit dans la salle d'attente pour inviter son dernier visiteur :

— Voulez-vous entrer, monsieur le curé ?

Grégoire eut l'impression que le médecin appuyait sur le dernier mot. Dans le bureau, Turgeon lui désigna les chaises devant la table de travail.

— Vous pourrez vous asseoir là. Quand vous quitterez les lieux, fermez simplement la porte derrière vous. Je viendrai verrouiller.

À ce moment, du bruit dans la salle d'attente attira leur attention. Le prêtre s'exclama, nerveux :

— La voilà ! Où est Sophie ?

— À la maison. Je vous l'envoie.

Les deux hommes rejoignirent la femme.

— Clotilde, dit l'ecclésiastique, je te présente le docteur Turgeon.

Puis, en se tournant à demi :

— Docteur, Clotilde Donahue.

La nouvelle venue tendit la main, tout en fixant le médecin dans les yeux. L'homme aima sa haute taille, ses cheveux blonds, ses traits réguliers.

— Je vous remercie de recevoir ainsi ma fille, docteur Turgeon. Vous êtes très généreux.

Le regard de l'étrangère contenait un certain défi alors qu'elle revendiquait sa maternité hors mariage.

— Il s'agit d'une charmante jeune personne. Tout le monde l'aime dans la maison.

— Vous avez raison. Ce qui me fait le plus de peine, c'est de ne pouvoir clamer que ces belles dispositions tiennent à l'éducation que je lui aurais prodiguée.

— Croyez-vous en l'hérédité ?

Clotilde sourit. Oui, elle voulait bien s'estimer responsable de quelques-uns des atouts de sa fille.

— Je vous l'envoie tout de suite.

Évariste passa dans la partie du bâtiment lui servant de domicile.

Même si Sophie connaissait ces deux adultes, les dernières révélations les lui transformaient en parfaits étrangers. Dix-huit ans plus tôt, ils s'étaient aimés. Un prêtre et sa pénitente. Chaque fois qu'elle pensait à eux, le vicaire Chicoine lui revenait en mémoire. Cela s'était-il passé de la même façon pour ses parents ?

— Nous allons quitter Douceville pendant quelque temps, expliqua Grégoire.

Ils étaient assis devant le bureau du docteur. Le père et la fille partageaient le même malaise, lié aux années de mensonge. De son côté, Clotilde regardait Sophie avec une réelle fascination. Dans le couple, elle faisait figure de victime.

— Tous les deux, précisa-t-elle. Nous espérons en venir à vivre ensemble.

— Sans être mariés ?

Ses années passées au couvent lui donnaient une vision claire du bien et du mal, sans aucune nuance de gris.

— Tu veux dire, sans avoir reçu la bénédiction d'un prêtre pas plus vertueux que moi.

Le ton de Grégoire était cassant. Il se reprit tout de suite :

— J'aurais dû prendre cette décision au moment de ta naissance. Je n'en ai pas eu le courage.

Clotilde rougit de plaisir. Cet aveu semblait un baume, après toutes ces années d'attente.

— Puis nous viendrons te chercher, déclara-t-elle. Il nous faut simplement du temps pour nous organiser une vie là-bas.

— Aux États-Unis ?

— Ici, personne ne me permettra de mener une vie normale, se justifia son père. Je suppose que si l'archevêque le demandait, n'importe quel badaud m'exécuterait en pleine rue.

Pourtant, pendant plus de vingt ans, il avait été l'un des artisans de ce monde manichéen où toutes les actions se divisaient entre bonnes et mauvaises. Et les êtres, entre sauvés et condamnés.

La mère rompit le lourd silence :

— Tu verras, tu aimeras. La liberté, surtout.

— Chez moi, c'est à Douceville.

— Chez toi, c'est avec tes parents, rétorqua Grégoire.

Jusque-là, le trio ne ressemblait en rien à une famille unie. Clotilde tendit le bras pour prendre la main de Sophie.

— Depuis le jour de ta naissance, il n'y a pas eu une journée, pas une heure où je n'ai pas désiré te retrouver. Et ça, personne d'autre que moi ne peut te le dire.

Clairement, elle faisait allusion aux Turgeon. L'adolescente baissa la tête, porta les mains à la commissure de ses yeux.

— Nous pouvons nous reprocher l'un à l'autre les malheurs du passé, raisonna Clotilde, ou nous consacrer à aujourd'hui.

En reniflant, Sophie hocha la tête, les yeux toujours rivés au plancher. Comme sa compagne trouvait les mots, le ton convenable, Grégoire la laissa continuer.

— Tu pourras rester ici quelques semaines. Ensuite, nous viendrons te chercher.

Un bref instant, la jeune fille songea aux plans qu'avait évoqués Georges : fuir dans l'Ouest, s'installer sur un lot de colonisation et oublier ces menteurs. Tout de suite, le garçon avait souligné l'irréalisme de son fantasme. En ce moment précis, elle serait pourtant partie avec lui.

Alors, elle acquiesça de la tête pour donner son assentiment.

— Tu verras, tu ne le regretteras pas, assura Grégoire. Maintenant, nous allons rendre son cabinet au docteur Turgeon.

Le curé se leva, les deux autres l'imitèrent. Dans la salle d'attente, le moment des adieux les plongea dans l'embarras.

— Tu me manques, tu sais, dit le curé à Sophie. J'aimais beaucoup te voir tous les jours.

Il se pencha brusquement pour poser ses lèvres sur sa joue, puis sortit.

— Je le laisse partir d'abord, expliqua Clotilde, pour éviter que l'on nous voie ensemble.

— Toujours cette hypocrisie.

— Moi aussi, il m'agace avec son entêtement à se cacher. Elle affichait un sourire ironique.

— Viens ici.

Elle ouvrit les bras. Sophie resta d'abord immobile, puis accepta l'étreinte. Sa mère la serra très fort contre elle, au point de lui couper le souffle, puis sa main vint caresser sa nuque, sous les cheveux.

— Si tu savais combien ce geste m'a manqué.

Elle l'embrassa. L'adolescente ne put retenir ses pleurs, sa mère guère davantage. Quand elles se séparèrent enfin, Clotilde murmura d'une voix émue :

— Ne t'inquiète pas, ça ira.

Puis elle quitta le cabinet. Demeurée seule, la jeune fille franchit la porte donnant accès au logis des Turgeon, avec l'espoir de ne croiser personne. Dans le salon, Corinne l'entendit se précipiter dans l'escalier. D'un geste de la main, sa mère l'empêcha d'aller la rejoindre.

Le lendemain, Clotilde téléphona chez les Turgeon afin d'échanger quelques mots avec sa fille. Peu après, toutes deux marchaient dans les rues, bras dessus, bras dessous.

— Al m'a dit que ce matin, il mettrait tes vêtements et tes livres dans une valise pour te les apporter.

Sophie mettrait un moment avant de s'habituer à entendre son oncle – elle ne le considérait pas encore spontanément comme son père – désigné par ce diminutif de son prénom.

— Quand partirez-vous ?

— Dimanche, probablement. Il doit encore régler quelques détails.

— … Lesquels ?

— Voir le médecin pour se faire déclarer malade, écrire à son archevêque pour lui demander un congé.

Comme le prêtre avait eu la précaution d'avertir Paul Bruchési de l'existence de ces faux ennuis de santé, son départ ne surprendrait personne.

— Il veut vraiment abandonner la prêtrise ?

— Je l'espère.

« Pour devenir un paria », conclut l'adolescente en son for intérieur. Pour sa part, Clotilde craignait de le voir solliciter une paroisse dans le diocèse de Boston, tout en gardant une maîtresse et un enfant dans les environs. Si cette pusillanimité la décevait, la perspective de récupérer sa fille lui rendait la situation tolérable.

Quand le curé Grégoire descendit de l'étage avec une valise contenant toutes les possessions terrestres de sa fille, la ménagère l'attendait au pied de l'escalier.

— A r'viendra pas icitte.

— Non, ma bonne Cédalie. Je ne peux pas l'emmener avec moi et je ne peux pas la laisser ici avec Chicoine.

La vieille femme hocha la tête. La jeune fille jugeait déjà la présence du vicaire lourde à porter. Sans la présence de son oncle, cette cohabitation était impossible.

— Comme elle s'entend bien avec les Turgeon, c'est la meilleure solution.

— A s'entend bin avec tout le monde. C't'une soie. J'vas m'ennuyer.

La mine de la vieille domestique était profondément désolée. Sa vie serait totalement bouleversée par la décision de son patron. Ne trouvant aucune parole pour la rasséréner, l'ecclésiastique préféra aller déposer le bagage dans son bureau. En soirée, il le laisserait au cabinet du docteur Turgeon.

Pour un second soir d'affilée, Évariste écourta son souper et alla dans son bureau afin d'accueillir un malade. À l'heure convenue, le curé Grégoire entra dans la salle d'attente, puis se rendit jusque dans l'embrasure de la porte du bureau.

— Je peux entrer, docteur ?

— Oui, oui, l'invita le praticien en levant les yeux d'un dossier. Venez vous asseoir.

Le prêtre s'exécuta, puis commença :

— Monsieur, j'ai besoin d'une lettre attestant de mon mauvais état de santé. J'espère quitter la ville dans deux jours, et il me faut me justifier auprès de mon archevêque.

— Voulez-vous passer de l'autre côté pour que je vous examine ? proposa le docteur en se levant.

— Non, non, ce n'est pas nécessaire. Je suis en bonne santé, pour un homme de mon âge.

À cinquante ans, l'âge lui voûterait bientôt les épaules, mais il comptait sur Clotilde pour retarder les plus vilains outrages du temps. Devant le visage intrigué du médecin, il précisa :

— Oui, je vous demande d'écrire un faux rapport médical afin de me permettre de m'enfuir avec ma maîtresse.

Le ton contenait une certaine provocation. Il la poussa plus loin :

— Vous me condamnez ?

Évariste esquissa un sourire.

— Vous voulez savoir si je vous donne mon absolution ? Ce n'est pas mon rôle.

— Ne jouez pas au curé. Je vous parle en tant qu'homme.

— Eh bien, en tant que médecin, et en tant qu'homme, je ne crois pas que l'abstinence soit saine. Quant à l'accroc à la morale, je ne m'en mêle pas.

Grégoire se contenterait de cet avis. Les parents d'une jeune fille devaient mépriser un confesseur qui séduisait sa pénitente. Leur parler d'amour les laisserait indifférents.

— Soit! Mais ce document, vous le ferez?

— Quelle maladie vous plaît le plus?

— J'ai fait allusion à une maladie pulmonaire. La consomption fait toujours des ravages.

— Malheureusement. Je dois vous recommander un congé immédiat, d'une durée indéterminée?

Le curieux patient hocha la tête de haut en bas. Évariste saisit une feuille et dévissa sa plume. La lettre, adressée à l'archevêque Bruchési, décrivait une liste de symptômes crédibles. Puis il la tendit à son visiteur pour la lui soumettre. Après une lecture rapide, Grégoire donna son assentiment:

— Voilà qui conviendra parfaitement. Accepterez-vous de l'acheminer vous-même à monseigneur?

— Évidemment. Ainsi, cela ressemblera moins à une conspiration.

Le curé chercha son portefeuille dans la poche de sa soutane, préleva quatre billets de cinq dollars pour les poser sur le bureau.

— Pour une consultation, c'est beaucoup trop, et je ne désire aucune récompense pour mon petit service.

— Il s'agit de la pension de Sophie pour un mois. Si cela s'avère insuffisant, dites-le-moi. Je vous ferai connaître mon adresse le plus tôt possible.

— Elle participera à toutes nos activités familiales. Par exemple, je n'échapperai pas à une sortie à Montréal pour voir une «vue», comme on dit. Alors oui, si cela ne suffit pas, vous le saurez.

Le silence s'installa entre eux. Enfin, le prêtre se leva.

— J'aimerais remettre ce bagage à… ma fille. Et lui dire un mot.

— Alors, je vous conduis dans la maison.

Le médecin lui montra le chemin. Dans le salon, le visiteur salua tout le monde, puis demanda à Sophie :

— Acceptes-tu de venir marcher avec moi ? Nous pourrions rejoindre Clotilde à sa pension, puis nous asseoir près de la rivière.

— Oui, mon oncle. Je veux dire…

L'adolescente s'interrompit et ne termina pas sa phrase. Le curé lui adressa un sourire de connivence. Tous deux sortirent.

— Vous partez donc vraiment, monsieur le curé ?

Le vicaire se tenait dans l'embrasure de la porte du bureau de son patron. Celui-ci tenait un petit sac de voyage à la main. Des yeux, il jetait un regard circulaire sur la pièce, comme pour lui faire ses adieux.

— Sur ordre de la faculté.

— Savez-vous quelle décision prendra Sa Grandeur ?

Chicoine s'intéressait à l'allocation de la paroisse à un nouveau titulaire.

— Comme je ne suis pas encore mort, et que cela ne figure pas à mon programme pour les semaines à venir, vous tiendrez la barre. Après tout, j'ai été seul ici jusqu'à votre arrivée il y a trois ans.

Le subalterne cacha sans mal sa déception. Très vite, il assiégerait monseigneur Bruchési pour obtenir cette cure. Grégoire s'amusa à lui rabattre le caquet :

— Mon fils, je dois vous dire que j'ai jugé utile de parler à notre archevêque de la rumeur concernant vos rapports avec certaines paroissiennes.

Le visage de Chicoine pâlit.

— Mais c'est faux !

— Alors cela ne vous portera aucun préjudice. De mon côté, mon devoir m'ordonnait de le lui dire.

Dans ce contexte, Bruchési se montrerait plutôt réticent à donner une belle place à ce jeune prêtre. Le curé se dirigea vers la sortie du presbytère, l'abbé sur les talons.

— Je vous souhaite bonne chance, dit le voyageur, la main tendue.

— … À vous aussi, monsieur le curé, balbutia le vicaire.

Grégoire se désolait bien un peu de ne pouvoir saluer sa ménagère avant de partir. Celle-ci s'était déclarée malade ce matin-là, refusant de préparer le déjeuner pour se terrer dans sa chambre. La peine de se voir séparée de l'adolescente d'abord, de son employeur ensuite, l'amenait à ce mouvement d'humeur.

L'homme s'arrêta un bref instant sur le parvis de l'église. Une heure plus tôt, il y disait la basse messe, un adieu à ses paroissiens. Dès la veille, des employés du Grand Tronc étaient venus chercher la grosse malle contenant ses vêtements et ses papiers personnels. Ses meubles et ses livres resteraient sur place. Dans son sac de voyage, il n'emportait avec lui que quelques habits, dont le veston noir qui lui permettrait de se métamorphoser en laïc dès le départ du train.

À l'heure convenue, Sophie quitta la demeure des Turgeon en compagnie de la famille. Le groupe se rendait à la grand-messe. L'adolescente affichait un visage renfrogné. Elle se faisait mal à sa nouvelle situation de bâtarde, et la perspective de rejoindre un jour ce couple illégitime la laissait perplexe. Toutefois, ses hôtes ne pouvaient la garder pour toujours.

Une fois sur le parvis, tous la saluèrent en lui donnant rendez-vous pour le dîner. Georges la regarda un instant marcher vers la gare, puis il dit à son père :

— Je ne la laisserai pas seule dans ces circonstances.

Délia fit mine d'intervenir, de lui rappeler l'obligation d'assister à l'office, mais son époux fit non de la tête. Le garçon courut jusqu'à Sophie, pour ensuite marcher à ses côtés.

Quand l'abbé Grégoire arriva à la gare, il aperçut sa maîtresse et sa fille sur le quai, et un peu plus loin, à l'écart, le fils Turgeon. La seconde eut droit à une bise sur la joue.

— Nous nous reverrons bientôt, je te le jure, dit-il à Sophie. Je ne t'abandonnerai jamais.

Sophie hocha la tête, sans pouvoir prononcer une parole. Ensuite, pour ne pas trop attirer l'attention de ses paroissiens présents, le curé monta dans le train, dans un wagon de deuxième classe. Clotilde entendait allonger ses adieux. Elle enlaça sa fille un long moment, puis recula pour lui dire, les yeux dans les yeux :

— À bientôt, ma belle.

— À bientôt, Clo… maman.

Ce mot passait ses lèvres pour la première fois. La femme la reprit brutalement dans ses bras, puis formula un « à bientôt » rauque avant de monter dans un wagon de première classe. Al l'y rejoindrait dans quelques minutes, revêtu de son mauvais veston.

Sophie resta figée, essuyant le dessous de ses yeux de sa main gantée. Puis Georges se plaça à son côté.

— Ça va ? murmura-t-il.

— Oui, affirma-t-elle après un petit silence.

— Rentrons à la maison. Ce dimanche, nous nous donnons tous les deux un congé de messe.

Le garçon n'osa pas lui offrir son bras. Mais en ajustant son pas au sien, en marchant tout près d'elle, il lui exprimait toute son affection.

En terminant

Dès le début de ce roman, j'ai cité Charles Chiniquy (1809-1899), un prêtre ayant quitté l'Église catholique pour devenir pasteur presbytérien. L'obligation au célibat des prêtres semble avoir été son premier motif. Il épouse alors Euphémie Allard. Selon lui, les exigences de l'Église, en regard de la confession auriculaire – c'est-à-dire le fait de se confesser à l'oreille d'un ecclésiastique, plutôt que directement à Dieu – poussent au péché. Cela pour ces raisons :

1) L'Église exige une confession complète, sinon elle n'est pas valide. Les fidèles doivent donc fouiller leur conscience pour confier tous leurs manquements au sixième commandement : *Impudique point ne seras*. Pour ce faire, le prêtre doit les questionner souvent de façon explicite. Cela conduit à des échanges très intimes.

2) Les femmes éprouvent une réticence généralement insurmontable à confesser des faits qu'elles ne confieraient même pas à leur époux. Ainsi, le risque est grand que la pudeur les amène à faire des confessions incomplètes. Dans ce cas, aucune absolution n'est valide, et elles vont irrémédiablement en enfer.

3) Le prêtre, qui entend au cours de sa vie les confessions de centaines de femmes, se trouve induit en tentation par les évocations répétées des questions sexuelles, d'autant

plus que ce genre d'échange entraîne une situation d'intimité propice aux rapprochements.

Selon son estimation, seulement un prêtre sur dix arriverait à demeurer chaste dans ces circonstances, et peu de femmes feraient une confession totale. Dans les deux cas, ce sont les flammes éternelles pour ces pécheurs.

Il convient de citer plus longuement cet auteur :

Mais, hélas ! combien le nombre des confesseurs qui échappent aux pièges que leur offre la confession des femmes est petit, en comparaison de ceux qui succombent et périssent ! J'ai entendu la confession de plus de deux cents prêtres. Eh bien, pour dire la vérité, telle que Dieu la connaît, il me faut avouer que j'en ai à peine rencontré vingt qui n'eussent à pleurer les péchés, secrets ou publics, dans lesquels la confession auriculaire les avait entraînés.

J'ai soixante-six ans : avant peu je serai dans mon tombeau, et j'aurai à rendre compte à mon Dieu de ce que je dis en ce moment. Eh bien, c'est avec mon tombeau devant les yeux et en présence du souverain Juge devant qui je vais bientôt paraître, que je déclare publiquement qu'il y a bien peu de prêtres qui échappent aux irrésistibles tentations qu'ils éprouvent en confessant les femmes.

Je ne dis pas ces choses par haine contre les prêtres de Rome : le Dieu qui connaît le fond des cœurs sait que je n'ai pas d'autres sentiments à leur égard que ceux de la plus sincère pitié et de la plus profonde compassion. Je ne fais pas non plus ces tristes révélations pour faire croire au monde que les prêtres romains sont plus pervers que le reste des pauvres enfants déchus d'Adam. Non, telle n'est pas ma pensée. Car, toute chose considérée et pesée dans la balance du sens commun et de la justice, je ne pense pas que les prêtres soient plus pervers que ne le serait aucune autre classe d'hommes exposés aux mêmes dangers, environnés, sans protection, des mêmes séductions. Par exemple, que l'on prenne un certain nombre de marchands, d'avocats ou d'individus quelconques; qu'on les empêche d'avoir leurs propres femmes, et l'on verra combien peu parmi eux sortiront sans être blessés à mort de cette épreuve.

N'est-ce pas le Dieu trois fois saint et infiniment sage qui a dit : « Il n'est pas bon que l'homme reste seul : faisons-lui une aide semblable à lui » ? (Genèse, ch. 2, v. 18.) N'est-ce pas le même Dieu qui a dit encore, par la bouche de saint Paul : « Pour éviter la fornication, que chaque homme vive avec sa femme, et chaque femme avec son mari » ? (1 Cor, ch. VII, V. 2.)

Charles Chiniquy
Le prêtre, la femme et le confessionnal,
Montréal, Librairie évangélique, 1877

Par ailleurs, j'ai utilisé quelques autres textes pour écrire ce roman. En ce qui concerne les confessions, il existe des guides donnant aux prêtres la manière de questionner les fidèles pour les amener à tout révéler. J'en ai consulté deux :

Jean-Joseph Gaume (monseigneur), *Manuel des confesseurs*, Paris, Gaume Frères et J. Duprey, éditeurs, 1865
Léo Taxil, *Le livre secret des confesseurs*, Paris, Éditions de la France laïque, 1931 (Ce livre comprend divers guides pour les confesseurs réunis à la fin du XIXe siècle)

Je souligne que le premier de ces livres est en français, sauf le chapitre sur le sixième commandement, qui est en latin.

Enfin, j'évoque aussi quelques saints et saintes, dont sainte Agnès. Voici une source intéressante relative à ces habitants du ciel :

Juste et Caillau (sous la direction des abbés), *Histoire de la vie des saints, des pères et des martyrs*, Chantilly, Bibliothèque S.J., 1840

Évidemment, je livre ici un roman. On ne doit pas le prendre pour un ouvrage de théologie.

Encore un mot

Si vous désirez garder le contact entre deux romans, vous pouvez le faire sur Facebook à l'adresse suivante :

Jean-Pierre Charland auteur

Au plaisir de vous y voir.

Jean-Pierre Charland

Suivez-nous

Achevé d'imprimer en octobre 2016
sur les presses de l'imprimerie Marquis-Gagné
Louiseville, Québec